PREFACE

A. The beginnings of the book

In the fall of 1949 I was appointed director of the Greek Educational program of St. Sophia Cathedral in Washington, D.C.

One of my duties was to teach Greek to adults. About thirty people registered for the course and my hopes were high for a successsful and productive semester.

At the time, there was only one textbook available, very unmethodical and written in the puristic language. I had my reservations about its value, however, in the absence of any other book I had to use it. My evaluation of the poor quality of the book proved true. At the very beginning of the course the students began to complain and I could not see them making any progress. After a few lessons I lost quite a few of the students.

It was imperative that I keep my students. An idea came to my mind, to start using my own material for the classes. I knew what the students wanted: Easy lessons, written in the modern spoken language, a methodical approach, simplification of the grammar and frequent repetition.

When I presented to the students the first typewritten, mimeographed lessons I could see in their faces a sense of satisfaction. The lessons were exactly what they wanted: simple, understandable, metholdical. Most of the students stayed for the course.

Those typewritten lessons were the beginnings of the present book, which did not see publication until thirteen years later. It was published for the first time in 1962. The book has been used by parochial schools, public schools with adult education programs, colleges and universities. The present edition is the seventh edition of the book. It is a revised, expanded and improved edition written in the monotonic system, the system that requires only one accent for each non-monosyllabic word and does not use breathing marks.

B. About the book

Before you start your study, get acquainted with the book. Look at the CONTENTS, at the beginning of the book. Then look at the GRAMMAR INDEX and THE SPECIAL WORDS INDEX at the end of the book. They will guide you in finding the different subjects.

AT THE BEGINNING of each lesson there is a short description of what you will study in that particular chapter.

The book is simple. The first lessons deal with the introduction of the letters of the alphabet. The readings, at the beginning, consist only of phrases and short sentences. Words are used only in the nominative case and verbs only in he present tense. As the student progresses, he is introduced to the past tense of the verbs, the plural number of the nouns, and of the adjectives, and later to the other cases, possessive, objective, and the nominative of address, as well as to the rest of the tenses. There are extensive passages of conversation and a rich vocabulary covering the most common words.

The book consists of 44 lessons. Some are long, others shorter. Longer chapters may be divided into two parts and studied at two consecutive sessions.

COLLEGES MAY DIVIDE THE BOOK INTO TWO PARTS: First part: Lessons 1 to 21 to be covered in the First Semester (GREEK 1) and second part, lessons 22 to 44 for the Second Semester (Greek 2).

There are about 200 of the most common verbs. The tenses of these verbs are given on pages 287-301. Following these psages is the complete conjugation of 13 verbs, covering all groups. (Conjugations 1st, 2nd, 3rd and 4th, both in the active and the passive voice. Pages 303-320)

Finally, there is a section: **Getting Around in Greek** (pages 321 - 331). It contains common words, phrases and sentences useful to the tourist visiting Greece, as: The salutations, the numbers, the days, the months, dates, holidays, locations and directions, food, drinks, desserts, shopping, clothes, at the bank, transportation, drug supplies, at the kiosk, time, at the filling station, meeting people, etc.

The book covers all the fundamentals of the Grammar:

MODERN GREEK

PART I

Seventh edition

A new, improved and expanded
edition

By: THEODORE C. PAPALOIZOS, PH.D

This book is accompanied by cassette tapes.
For more details see our catalogue of books.

nouns and their declension, pronouns, adjectives and their degrees, the four conjugations of verbs, the adverbs and the prepositions. It contains also a list of idiomatic uses of many words.

C. How to study

1. First, look at the vocabulary of the lesson and study the words. Learn the meaning of each word. If possible, write the words down. This will help you remember them.

2. Read once the text, carefully, trying to get the meaning. Then read it 2-3 more times, if possible aloud, so that you are sure of the pronunciation. You will be helped in this by using the TAPES designed for this purpose.

3. Memorize the conjugation of each verb and the declension of nouns and adjectives. Many verbs form their past simple tense, and other tenses, from a different root than that of the present tense. (As in English: go - went). The student has to memorize and remember the past simple tense of these irregular verbs .

4. Learn each word with its article: Words in Greek do not follow their natural gender. For example, the word το κορίτσι - girl, is of neuter gender, while πόρτα - door, is feminine.

5. Do not proceed to the next lesson until you have mastered thoroughly the previous one.

6. Always review the previous lessons. Repetition is the mother of all learning.

D. A few words about the Greek language

1. The Greek language is phonetic. All vowels, consonants and diphthongs in a word are pronounced. A letter has always the same sound. It never changes. For example a has always the sound of broad a as a in father. The diphthong αι has always the sound of e as e in bed.

2. Greek is highly inflectional. Nouns, adjectives, and

pronouns have differrent forms in the plural number as well as in their possessive, objective and nominative of address cases. For

example: In English we say: *The teacher is here - I see the teacher.* (No change in the word *teacher*). In Greek we will say:

Ο δάσκαλος είναι εδώ -   But : Βλέπω τον δάσκαλο.(The word δάσκαλος changes.)

3. Greek words do not follow their natural gender but the gender of the article that precedes them. Ο χειμώνας (winter) is masculine, η πόρτα (door) is feminine, το κορίτσι (girl) is neuter.

4. Verbs are also highly inflectional: There is a different ending for each person of the singular and plural number of the present tense. The endings change also in the other tenses.
Many verbs, as we stated above, are irregular, in other words they form their past simple tense from a different stem. Τρώγω - I eat (present tense) έφαγα - I ate - (past simple tense). (English eat-ate)

E. About the monotonic system

Greek, until recently, used the polytonic system which consisted of a system of three accents, the accute (΄), the grave (`) and the circumflex ( ) and two breathing marks, the smooth (΄) and the rough breathing (΄). The breathing marks were used with words beginning with a vowel.(Ἑλλάδα, Ἑλένη, ἐγώ, Εὐρώπη, Ἀμερική).
In 1981 this system was substituted by the monotonic system, according to which all non-monosyllabic words take only one accent (an acute   ΄) on the accented syllable. Breathing marks were completely abolished.(άνθρωπος, Ελλάδα, Ελένη, Μαρία, είμαι, που, πατέρας, κύριος)
(Some monosyllabic words accept an accent so that they may be distinguished from other similar words, as που and πού;

Theodore C. Papaloizos, Ph. D.

TABLE OF CONTENTS

A METHOD OF MODERN GREEK

LESSON ONE - ΜΑΘΗΜΑ ΠΡΩΤΟ

In this lesson you will learn:
  1. The letters: α, ε, ι, η, υ, ο, ω, β, λ, μ, ν ,τ ,κ
  2. The diphthong : ει
  3. The verb : έχω
  4. The conjugation of the singular number, present tense of the verb έχω
  5. The feminine definite article η
  6. The feminine indefinite article μία (μια)
  7. The neuter definite article το
  8. The neuter indefinite article ένα
  9. The punctuation marks: period . - comma , - question mark ;
 10. The accent ΄
 11. Vocabulary words

A. The Greek Language has twenty four letters. Seven of these are
   vowels:

α	A	pronounced as the letter **a** in the word <u>father</u>.
ε	E	pronounced as the letter **e** in the word <u>bet.</u>

ι	I	all pronounced as the letter **i** in the words
η	H	police, marine, machine.
υ	Υ	

o	O	both pronounced as the **o** in the words
ω	Ω	loss, not, of.

B. **χ X** has the same sound as the letter **h** in hit, have.

χ	and	α	χα	**Χα**
χ		ι	χι	**Χι**
χ		ε	χε	**Χε**
χ		o	χo	**Χo**
χ		η	χη	**Χη**
χ		ω	χω	**Χω**
χ		υ	χυ	**Χυ**

READ:

χε,   χα, χo, χι, χη, χω, χυ
εχ,   αχ, oχ, ιχ, ηχ, ωχ, υχ

έ̄-χω = έχω = I have

C. **τ T** pronounced as the letter **t** in to, it, Tom.

το Το,   τι Τι,   τα Τα,   ωτ   ωΤ,
ετ εΤ, τη Τη, υτ υΤ

τι; = what?
Τι έχω;   =   What do I have?

– 2 –

(The question mark in Greek is the same as the English semicolon; The period and the comma are the same as in English. (. ,)

D. κ K pronounced as the letter <u>c</u> or <u>k</u> in the words <u>cake, cook</u>.

κι Κι, κο Κο, κα Κα, εκ εΚ, κε Κε, κω ωΚ, κυ υΚ

κα‑τι = κάτι = something

'Εχω κάτι - I have something.

Τι έχω; - What do I have?

'Εχω κάτι - I have something.

A NOTE ABOUT ACCENTS: Until recently the Greek Language was using two accents: the acute ′ and the circumflex ˆ. In 1981, the Greek Ministry of Education, in its endeavor to simplify the language, abolished the system of the two accents and decreed that one mark (′) on the accented syllable will suffice.

This system is called "monotonic" , which means only one accent (μόνο = only and τόνος = accent).

Words of one syllable do not receive an accent except in very few cases. More about this in later chapters.

E. By combining ε and ι we form a diphthong (combination of two vowels) ει. It is pronounced as the: ι , η , υ

χει, χι, χυ, χη, χει

έ‑χει = έχει = he, she, it has

I have - έχω

he, she, it has - έχει

What do I have?   Τι έχω;

I have something   - Έχω κάτι.

He (she) has something - Έχει κάτι.

F. β Β pronounced as the letter <u>v</u> in <u>victory</u>, <u>very</u>.

βο Βο, βω Βω, βει Βει, βη Βη, βα Βα

λ Λ pronounced as the letter <u>l</u> in the word <u>lemon</u>.

λο Λο, λι Λι, λα Λα, λει Λει, λε Λε, λη , λω

βι, βλι, βλα, βλε, βλο

βι-βλι-ο = βιβλίο = book

the book   -   το βιβλίο

I have the book. - Έχω το βιβλίο.

What do I have?   Τι έχω;

You have the book . - Έχεις το βιβλίο.

What does he have? - Τι έχει;

He has the book.   - Έχει το βιβλίο.

(**ΤΟ** is the definite neuter article.)

G μ Μ pronounced as the letter **m** in the words <u>mother</u>, <u>me</u>.

μα Μα, μει Μει, μο Μο, με Με, μη Μη, μω Μω,

μυ Μυ

μο-λύ-βι - μολύβι - pencil

το μολύβι - the pencil

I have the pencil. - Έχω το μολύβι.

- 4 -

Lola has the book.	Η Λόλα έχει το βιβλίο.
Mahe has the pencil .	Η Μάχη έχει το μολύβι.
Vicki has something.	Η Βίκη έχει κάτι.

Questions - (Answers on the tape):
Τι έχει η Λόλα;
Τι έχει η Μάχη;
Τι έχει η Βίκη;

Note: Unlike English , in Greek proper names may be preceded by the article: Η Λόλα, η Μάχη, η Βίκη
The feminine definite article is **η** and the neuter **ΤΟ**.

H. *ν* **N** pronounced as the letter **n** in the words <u>no</u>, <u>new</u>, <u>none</u>.
να Nα, νο Nο, νι Nι, αν Aν, εν Eν, νω, νει Nε

Reading:
Η ᾽Αννα έχει ένα βιβλίο.	Ann has a book.
Η Μένη έχει ένα μολύβι.	Meni has a pencil.
Η Λόλα έχει το βιβλίο.	Lola has the book.
Η Μάχη έχει το μολύβι.	Mahi has the pencil.

Questions (Answers on the tape):
Τι έχει η ᾽Αννα;
Τι έχει η Λόλα;
Τι έχει η Μάχη;
Τι έχει η Μένη;

The articles:

	definite	indefinite
feminine	η - the	μία or μια - a, an
neuter	το - the	ένα- a, an

(We will talk about the masculine article in the next lesson)

I. Vocabulary of the first lesson:

η ΄Αννα	Ann	η Μάχη	Mahi
το βιβλίο	the book	η Μένη	Meni
ένα	a, one	μία, μια	a, one
έχω	I have	η	the
το μολύβι	the pencil	κάτι	something
η Λόλα	Lola	τι	what
το	the		

J. We have learned the following letters:

αΑ, εΕ, ιΙ, ηΗ, υΥ, οΟ, ωΩ, χΧ, τΤ, κΚ, βΒ, λΛ, μΜ, νΝ,

and the diphthong: ει

K. Punctuation marks

. period - τελεία

˙ semicolon - άνω τελεία

, comma - κόμμα

; question mark - ερωτηματικό

LESSON TWO - ΜΑΘΗΜΑ ΔΕΥΤΕΡΟ

In this lesson you will learn:
  1. The letters: σ (ς), π, δ, χ
  2. The diphthongs: αι and αυ
  3. The auxiliary verb είμαι
  4. The conjugation of the singular number, present tense of the auxiliary verb είμαι
  5. The demonstrative pronoun and adjective αυτός, αυτή, αυτό
  6. The numerals: ένα, δύο (δυο)
  7. Some new words.

A. σ, ς, Σ   pronounced as the letter s in the words soon, as.
  (Note: σ is used at the beginning or in the middle of a word.
        ς is used at the end of a word.
        Σ is the capital letter for both the other two and is used at the beginning, the middle or at the end of a word.)

σα Σα, ες Σε, συ Συ, σο Σο, ως ωΣ, Σει σει
έ-νας - ένας = a, one

o Νίκος - Nick	o is the masculine definite article
o Τάσος - Tasos	ένας is the masculine indefinite article.
o Βάσος - Vasos	
o Μάνος - Manos	
o Μίμης - Mimis	

Tasos has a book - Ο Τάσος έχει ένα βιβλίο.
Nina has a pencil - Η Νίνα έχει ένα μολύβι.

B. The two vowels α and ι, when combined, form the diphthong
   αι   =   ε   pronounced as e in bed.
   και, ναι, βαι, μαι, σαι, λαι, με, λε, σε

ει‑μαι – είμαι = I am
ει‑σαι – είσαι = you are
ει‑ναι – είναι = he is, she is, it is
και = and

C. π Π pronounced as the letter **p** in the words <u>pipe</u>, <u>poor</u>.
   δ Δ pronounced as the letter <u>th</u> in the words <u>this</u>, <u>that</u>.

παι‑δί – παιδί, = child

το παιδί = the child
ένα παιδί = a child

δύο‑ δυο = two   ένα βιβλίο – one book
ένα παιδί – a, one child   δυο βιβλία – two books

το παιδί – the child   το μολύβι – the pencil
τα παιδιά – the children   τα μολύβια – the pencils
δυο παιδιά – two children δυο μολύβια – two pencils

GRAMMATICAL NOTES:

Words preceded by the definite article **το** or the indefinite article
ένα are of neuter gender. Some end in -**o**, others in -**ι**. They
form their plural as follows:

If they end in -**o**, in the plural they change -**o** into -**α**.

το βιβλί‑ο – τα βιβλί‑α

If they end in -**ι**, in the plural they add -**α**.

Το μολύβ‑ι – τα μολύβι‑α.

D. <u>READING</u>:

1. Ο Νίκος είναι ένα παιδί. ‾ Nick is a child.

2. Η 'Αννα είναι ένα παιδί. ‾ Ann is a child.

3. Ο Νίκος και η 'Αννα είναι παιδιά. Nick and Ann are children.

4. Ο Μίμης έχει ένα μολύβι και ένα βι-βλίο. ‾ Mimi has a pencil and a book.

5. Η Νίνα έχει δυο μολύβια και δυο βι-βλία. ‾ Nina has two pencils and two books.

6. Η Λόλα είναι ένα παιδί. Έχει βιβλία και μολύβια.‾ Lola is a child. She has books and pencils.

E. <u>QUESTIONS BASED ON THE ABOVE READING</u>:
(Answer the questions; the correct answer will be given on the tape.)

1. Τι είναι ο Νίκος;
2. Τι είναι η 'Αννα ;
3. Τι είναι ο Νίκος και η 'Αννα;
4. Τι έχει ο Μίμης;
5. Τι έχει η Νίνα;
6. Τι είναι η Λόλα;   Τι έχει;

F. The two vowels **α** and **υ** ,when combined, make the diphthong **αυ**. This diphthong has two sounds: If it is followed by a voiced consonant it has the sound of <u>av</u> as <u>av</u> in <u>avert.</u> (Ex: αυγό - egg). If it is followed by a voiceless consonant is has the sound of <u>af</u> as <u>af</u> in the word <u>after</u>.

(Note: The student will have no difficulty in pronouncing the diphthong . No special attention will be required, as you can see by pronouncing the words *αυγό* and *αυτό)*

αυ‑τός - αυτός = this (with masculine words)
αυ‑τή - αυτή = this (with feminine words)
αυ‑τό - αυτό = this (with neuter words)
αυ‑λος - αυλός = flute, pipe

G. **γ Γ** closest pronunciation as **y** in yonder or soft **g**.

(For the correct sound of this letter listen to the cassette tape or to a native Greek.
At all times pronounce it softly, the sound coming from the back of the mouth.
In order to represent the English hard **g** as in **go**, we use the digraphs **γκ**
and **γγ**, which are pronounced as the **ng** in **song**, **finger**.

ε‑γώ - εγώ	I	εγώ έχω -	I have
ε‑σύ - εσύ	you	εσύ έχεις -	you have
αυ‑τός - αυτός	he	αυτός έχει‑	he has
αυ‑τή - αυτή	she	αυτή έχει -	she has
αυ‑τό - αυτό	he	αυτό έχει -	it has

εγώ είμαι - I am
εσύ είσαι - you are
αυτός είναι - he is, αυτή είναι‑ she is , αυτό είναι
                  it is

H. <u>GRAMMATICAL NOTES</u>:

Εγώ, εσύ (συ), αυτός, αυτή, αυτό are personal
pronouns.

Usually, they do not accompany the verb, as in English, since the
suffix (ending) of the verb gives the person.(**έχω** can only be "I
have", **έχεις** " you have " etc.)

The personal pronoun is usually used when we want to give emphasis
or antithesis. (More about it in future lessons.)

I. <u>READING</u>:

1. **Τι είναι αυτό;**
   Αυτό είναι ένα μολύβι.
   What is this? - This is a pencil.

2. **Τι είναι αυτό;**
   Αυτό είναι ένα βιβλίο.
   What is this? This is a book.

3. **Τι είναι αυτά;**
   Αυτά είναι μολύβια.
   What are these? These are pencils.

4. **Τι είναι αυτά;**
   Αυτά είναι βιβλία.
   What are these? These are books.

5. **Τι είναι αυτό;**
   Αυτό είναι ένα αγόρι.
   What is this? This is boy.

6. **Τι είναι αυτά;**
   Αυτά είναι αγόρια.
   What are these? These are boys.

7. Τι είναι ο Νίκος, ο Μάνος και ο Μίμης;
   Ο Νίκος, ο Μάνος και ο Μίμης είναι αγόρια.

   Nick, Manos and Mimi, what are they? Nick, Manos and Mimi are boys.

CONVERSATION: (answer the questions; the correct answer will be given on the tape)

1. Τι είναι αυτά;

2. Τι είναι ο Μίμης;
3. Τι είναι αυτό;

4. Τι είναι αυτά;

5. Τι είναι αυτό;

K. <u>VOCABULARY</u>:

αγόρι, το - boy

αυτός - αυτή - αυτό - this

εγώ - I

είμαι - I am

ένας - a, one

εσύ - you

και - and

ο Βάσος - Vasos(a name)

ο Μάνος - Manos (a name)

ο Μίμης - Mimis (a name)

ο Νίκος - Nick (a name)

η Νίνα - Nina

το παιδί - child

ο Τάσος - Tasos

L. In this lesson we found the letters:

σ ς Σ, π Π,   and the diphthongs αι and αυ

<u>The articles - Τα άρθρα</u>

	Definite	Indefinite
Masculine	ο	ένας
Feminine	η	μια or μία
Neuter	το	ένα

LESSON THREE - ΜΑΘΗΜΑ ΤΡΙΤΟ

In lesson 3 you will learn:
1. The letters: ρ, θ and the double consonant τσ
2. The diphthong ου
3. Masculine words ending in: -ος, -ας and -ης
4. Feminine words ending in -α, and -η
5. Neuter words ending in -ο and -ι
6. The conjugation of the present tense of verbs in the first conjugation
7. The endings of the present tense of verbs of the first conjugation
8. The interrogative form of verbs
9. The negative form of verbs.
10. The interrogative adverb of place πού;

A. ρ P pronounced as the letter **r** in <u>run</u> , <u>river</u>.

ρο Po, ρα Pα, ρι Pι, ρε Pε, ραι Pαι, Pει, ρει

τσ - pronounced as the letters **ts** in <u>tsetse</u>

τσι, τσα, τσε, τσο, τσει τσαι

B. <u>VOCABULARY</u>:

ο άν-τρας -	άντρας -	man, husband
το κο-ρί-τσι -	κορίτσι-	girl
η γυ-ναί-κα -	γυναίκα -	woman, wife
ο κύ-ρι-ος -	κύριος -	Mister, master
η κυ-ρί-α -	κυρία -	Mrs.
ο Γιάν-νης -	Γιάννης -	John
η Μα-ρί-α -	Μαρία -	Maria

C. READING

1. Ο Γιάννης είναι ένας άντρας. John is a man.

2. Η Μαρία είναι μια γυναίκα. Maria is a woman.

3. Η Ελένη είναι ένα κορίτσι. ⁻ Helen is a girl.

4. Ο Μάνος είναι ένα αγόρι. ⁻ Manos is a boy.

5. Αυτός είναι ο κύριος Γιάννης. This is Mr. John.

6. Αυτή είναι η κυρία Μαρία. This is Mrs. Maria.

7. Αυτό το παιδί είναι ο Βάσος. This child is Vasos.

8. Αυτό το κορίτσι είναι η Ελένη. This girl is Helen.

D. Answer the following questions in Greek:
(Answers provided on the tape)

1. Τι είναι ο κύριος Γιάννης;
2. Τι είναι η κυρία Μαρία;
3. Τι είναι η Ελένη;
4. Τι είναι ο Μάνος;

E. READ:

1. I am a man. - Είμαι ένας άντρας.
2. I am a woman. - Είμαι μια γυναίκα.
3. I am a boy. - Είμαι ένα αγόρι.
4. I am a girl. - Είμαι ένα κορίτσι.
5. You are a man. - Είσαι ένας άντρας.
6. You are a woman. - Είσαι μια γυναίκα.

7. You are a boy.   -   Είσαι *ένα αγόρι.*

8. You are a girl.   -   Είσαι *ένα κορίτσι.*

9. He is a man.   -   Είναι *ένας άντρας.*

10. She is a woman. -   Είναι *μια γυναίκα.*

11. He is a boy. -   Είναι *ένα αγόρι.*

12. She is a girl. -   Είναι *ένα κορίτσι.*

F.   θ   Θ   sounds as the letter **th** in thin, thought.

θα Θα, θε Θε, θι Θι, θο Θο, θω Θω, θαι, θει,

μα-θη-τής - μαθητής - student, pupil (male student)

ο μαθητής -   the student, the pupil

ένας μαθητής - a student, a pupil

μα-θή-τρι-α - μαθήτρια - student, pupil (girl student)

η μαθήτρια - the student, the pupil

μια μαθήτρια - a student, a pupil

δά-σκα-λος - δάσκαλος -   teacher (male teacher)

ο δάσκαλος - the teacher

ένας δάσκαλος - a teacher

δα-σκά-λα - δασκάλα - teacher (female teacher)

η δασκάλα - the teacher

μια δασκάλα   - a teacher

C. GRAMMATICAL NOTES:

1. Words of masculine gender end:

     a. in -<u>ος</u>, as: ο δάσκαλ-<u>ος</u>, ο Γιώργ-<u>ος</u>, ο Τά-σ-ος, ο Βάσ-<u>ος</u>

     b. in -<u>ας</u>, as: ο άντρ-<u>ας</u>, έν-<u>ας</u>

     c. in -<u>ης</u>, as: ο μαθητ-<u>ής</u>, ο Μίμ-<u>ης</u>, ο Γιάνν-<u>ης</u>

2. Words of feminine gender end:

     a. in -<u>α</u>, as: η γυναίκ-<u>α</u>, η Μαρί-<u>α</u>, η δασκάλ-<u>α</u>, η μαθήτρι-α

   b. in -η. as: η Ελέν-η, η Βίκ-η, η Νίκ-η

3. Words of neuter gender end:
   a. in -ο, as: το βιβλί-ο, το τετράδι-ο
   b. in -ι, as: το αγόρ-ι, το κορίτσ-ι, το παιδ-ί
   REMEMBER:Masculine words are preceded by the article **ο,**
   feminines by the article **η** *and neuters by the article* **το**

4. **The nominative case** is the case of the subject. Subject is the
   person, animal, thing or place about which we speak. Ex.:
   Το βιβλίο είναι εκεί. *The book is there.* Βιβλίο is
   the subject. (We talk about the word βιβλίο.)
   Ο Γιάννης είναι ένα αγόρι. *John is a boy.*
   (Γιάννης is the subject; we talk about John.)
   Η Μαρία είναι ένα κορίτσι. *Maria is a girl.*
   (Μαρία is the subject; we talk about Maria.)

D. READING
   1. I am a pupil.   - Εγώ είμαι ένας
                                μαθητής.

   2. You are a (girl) pupil. - Είσαι μια μαθήτρια.

   3. John is a pupil. -   Ο Γιάννης είναι ένας
                                μαθητής.

   4. Helen is a pupil. -   Η Ελένη είναι μια
                                μαθήτρια.

   5. The teacher is Mr.John. - Ο δάσκαλος είναι ο
                                κύριος Γιάννης.

   6. The teacher is Mrs. -   Η δασκάλα είναι η
      Maria.   κυρία Μαρία.

7. Mr. John is a teacher.	Ο κύριος Γιάννης είναι ένας δάσκαλος.
8. Mrs. Maria is a teacher.	Η κυρία Μαρία είναι μια δασκάλα.
9. This is a (man) teacher.	Αυτός είναι ένας δάσκαλος
10. This is a (woman) teacher.	Αυτή είναι μια δασκάλα.
11. This is a (male) student.	Αυτός είναι ένας μαθητής.
12. This is a student (female).	- Αυτή είναι μια μαθήτρια.

E. By combining the vowels **o** and **υ** we form the diphthong **ου**. It has the sound of the letters **oo** as in <u>book</u>, <u>hook</u>.

ου, βου, νου, Που, κου, λου, μου, του, θου, τσου

<u>Words</u>:

ου-ρα-νός - ουρανός = sky (Uranus)

πού; = where? (see note in the vocabulary, p. 21)

έ-χου-με - έχουμε = we have

έ-χουν - έχουν = they have

F. GRAMMATICAL NOTES:

<u>VERBS OF THE FIRST CONJUGATION or GROUP 1</u>

1. Most of the verbs belong to the **<u>First conjugation</u>** also called **<u>group one</u>**. In the first person, singular number of the present tense they end in **-ω**. (The verb <u>έχω</u> belongs to this group.)

Following is the conjugation of the verb in the present tense:

    ἔχ-ω - I have
    ἔχ-εις - you have
    ἔχ-ει - he, she, it has
    ἔχ-ουμε - or ἔχ-ομε - we have
    ἔχ-ετε - you have
    ἔ-χουν - they have

The endings of the present tense of verbs in the first conjugation:

    - ω   -   first person, singular number
    - εις - second person, singular number
    - ει - third person, singular number
    - ουμε or - ομε - first person, plural number
    - ετε   - second person, plural number
    - ουν - third person, plural number

The **interrogative** is formed by adding the question mark (;) at the end:

    ἔχω;   - do I have? (have I?)
    ἔχεις; - do you have? (have you?)
    ἔχει;   - does he, she, it have? (has he?)
    ἔχουμε; do we have? (have we?)
    ἔχετε; - do you have? (have you?)
    ἔχουν; - do they have? (have they?)

The **negative** is formed by the negative particle **δεν**

    δεν ἔχω -   I do not have
    δεν ἔχεις -   you do not have
    δεν ἔχει -   he, she, it does not have
    δεν ἔχουμε - we do not have
    δεν ἔχετε -   you do not have
    δεν ἔχουν -   they do not have

Negative interrogative: **Δεν ἔχω;** Do I not have? **δεν ἔχεις;** etc.

G. READING:
(The underlined words are new words)

1. Ο Γιάννης και ο Γιώργος έχουν <u>πολλά</u> βιβλία. ‐ John and George have many books.

2. Εγώ δεν έχω πολλά βιβλία.
   I do not have many books.
   Εγώ έχω <u>λίγα</u> βιβλία. ‐ I have few books.

3. Εσύ, έχεις πολλά βιβλία; ‐ Do <u>you</u> have many books?

4. <u>Μάλιστα</u>, (<u>ναι</u>), εγώ έχω πολλά βιβλία.
   Yes, I have many books.

5. Τα παιδιά έχουν λίγα μολύβια.
   The children have few pencils.

6. Ο δάσκαλος και η δασκάλα έχουν πολλά μολύβια.
   The (man) teacher and the (woman) teacher have many pencils.

7. Πού είναι το βιβλίο; ‐ Where is the book?

8. Το βιβλίο είναι <u>εδώ</u>. ‐ The book is here.

9. Πού είναι το μολύβι; ‐ Where is the pencil?

10. Το μολύβι είναι <u>εκεί</u>. ‐ The pencil is there.

11. Αυτή είναι μια <u>πέννα</u>. ‐ This is a pen.

12. Η Νίνα έχει μια πέννα, ένα βιβλίο και ένα μολύβι. Nina has a pen, a book, and a pencil.

13. Τα κορίτσια έχουν μολύβια, βιβλία και τετράδια. The girls have pencils, books and note-books.

H. CONVERSATION:
(Based on the above reading. Answers provided on the tape.)

1. Τι έχουν ο Γιάννης και ο Γιώργος;

2. Τι έχω εγώ;
3. Τι έχεις εσύ;
4. Τι έχουν τα παιδιά;
5. Τι έχουν ο δάσκαλος και η δασκάλα;
6. Τι έχει η Νίνα;
7. Τι έχουν τα κορίτσια;

I. . VOCABULARY

ο άντρας   -   man, husband
ο Γιάννης   -   John
ο Γιώργος   -   George
η γυναίκα   -   woman, wife
η δασκάλα   -   teacher (woman)
ο δάσκαλος   -   teacher (man)
δεν (δε)   -   no, not (used with verbs to form the negative)
η Ελένη   -   Helen
το κορίτσι   -   girl
η κυρία   -   Mrs.
ο κύριος   -   Mr.
λίγα   -   few
ο μαθητής   -   student, pupil (male)
η μαθήτρια   -   student, pupil (female)
μάλιστα   -   yes
η Μαρία   -   Maria
ναι   -   yes
η πέννα   -   pen
πολλά   -   many
πού;   -   where? (Note: although πού is a monosyllabic word -consists of only one syllable - it receives an accent so it can be distinguished from the same word που (without accent) which is a relative pronoun and means who, which)
το τετράδιο   -   note-book, exercise book, tablet

LESSON FOUR - ΜΑΘΗΜΑ ΤΕΤΑΡΤΟ

In lesson 4 you will learn:
  1. The letters: φ, ψ, ζ and ξ
  2. The conjugation in the present tense of the verb βλέπω
  3. The three genders of adjectives ending in -ος, -η, -ο and -ος,
     α, -ο
  4. Neuters ending in -μα (-α)
  5. The whole alphabet

A. **φΦ**   as the letter **f** in the words <u>foot</u>, <u>leaf</u>

  φα Φα, φε Φε, φαι, φο, φω, φη, φου, φι, φοι

1. <u>Words</u>:

  φως - το φως - ένα φως - light
  φύλ-λο - φύλλο - το φύλλο - leaf
  φα-γη-τό - φαγητό - το φαγητό - food, meal
  βλέ-πω - βλέπω (1) - I see (Verbs of the first con-
     jugation, **(they end in -ω)** are marked by the number 1).

2. <u>Conjugation of the verb</u>   *βλέπω*

βλέπω -	I see	**βλέπουμε** -	we see
βλέπεις -	you see	**βλέπετε** -	you see
βλέπει -	he sees*	**βλέπουν** -	they see

(The third person **βλέπει** represents all three genders. It is
translated: He sees, she sees, it sees.)

3. <u>Reading</u>:

Το παιδί βλέπει το φως. -   The child sees the light.
Ο δάσκαλος βλέπει τα   -   The teacher sees the
αγόρια και τα κορίτσια.   boys and the girls.

Η δασκάλα δε βλέπει τα ‑ The teacher does not see
αγόρια και τα κορίτσια. ‑ the boys and the girls.

4. **Questions:** (Based on the above reading. Answers provided on the tape)
   1. Τι βλέπει το παιδί;
   2. Τι βλέπει ο δάσκαλος;
   3. Βλέπει η δασκάλα τα αγόρια και τα κορίτσια;

B. ψ Ψ as the letter **ps** in <u>lips</u>
   ψα Ψα, ψι, ψο, ψε, ψη, ψαι, ψω

1. **Words:**
   ψω‑μί ‑ το ψω‑μί ‑ το ψωμί = bread, a loaf of bread
   ψά‑ρι ‑ ψάρι ‑ το ψάρι = fish
   ψα‑λίδι ‑ ψαλίδι ‑ το ψαλίδι = a pair of scissors
   με‑γά‑λο ‑ μεγάλο ‑ το μεγάλο = big, large, great
   μι‑κρό ‑ μικρό ‑ το μικρό = small (micro)
   τρώ‑γω ‑ τρώγω ‑ I eat (1)

2. **Conjugation of the verb** Τρώγω (1)
   τρώγω ‑ I eat   τρώγομε and τρώμε ‑ we eat
   τρώγεις ‑ you eat   τρώγετε and τρώτε ‑ you eat
   τρώγει and τρώει‑he eats   τρώγουν and τρώνε ‑
                              they eat*

* It is suggested that the students memorize the conjugation of the verbs.

3. **Reading:**
   Το ψάρι είναι μεγάλο. ‑ The fish is big.
   Βλέπω το μεγάλο ψάρι. ‑ I see the big fish.

Ο Νίκος έχει ένα μικρό - Nick has a small fish.
ψάρι.

Ο Νίκος δεν έχει ένα - Nick does not have a big
μεγάλο ψάρι.   fish.

Το παιδί τρώει (τρώγει) - The child eats the bread.
το ψωμί.

Το κορίτσι δεν τρώει - The girl does not eat
ψωμί.   bread.

4. **Questions**: (**Based on the above reading. Answers provided on the tape.**)
   1. Πώς* (how) είναι το ψάρι;
   2. Τι έχει ο Νίκος;
   3. Έχει ο Νίκος ένα μεγάλο ψάρι; Όχι. (No)
   4. Τι τρώει το παιδί;
   5. Τρώει το κορίτσι ψωμί;
      *See note at the end of this lesson

C. ζ Z pronounced as the letter z in <u>zebra</u>, <u>zoo</u>
   ζα, ζω, ζε, ζο, ζη, ζαι, ζι, ζου, ζυ

   1. **Words**:
      Ζω-ή - Ζωή - η Ζωή = Zoe
      ζώ-ο - ζώο - το ζώο = animal
      ζα-κέ-τα - ζακέτα - η ζακέτα = jacket
      ζώ-νη - ζώνη - η ζώνη - belt, zone
      γά-τα - γάτα - η γάτα = cat
      ποιος - ποια - ποιο = who, which
      ωραίος - ωραία - ωραίο = beautiful
      όμορφος - όμορφη - όμορφο = beautiful
      όχι - no, not
      πώς; - how?

2. GRAMMAR: Adjectives and pronouns have three forms, one

for the masculine, one for the feminine and one for the neuter.Thus
ποιος is the masculine form, ποια the feminine and ποιο the neuter.
Example: μεγάλος for the **masculine**, μεγάλη for the feminine
and μεγάλο for the neuter.

The endings are: masculine - **ος**, feminine - **η** or ⁻ **α**, neuter - **ο**
μικρός ⁻ μικρή ⁻ μικρό
ωραίος ⁻ ωραία ⁻ ωραίο
όμορφος ⁻ όμορφη ⁻ όμορφο

3. <u>Reading</u>:

   a. Η Ζωή έχει μια ζακέτα.   Zoe has a jacket.

   b. Η ζακέτα είναι ωραία.   The jacket is beautiful.

   c. Η ζακέτα είναι μεγάλη.   The jacket is big.

   d. Η Νίκη έχει μια γάτα.   Niki has a cat.

   e. Η γάτα είναι μικρή.   The cat is small.

   f. Η γάτα είναι όμορφη.   The cat is beautiful.

   g. Η Ειρήνη έχει μια ζώνη.   Irene has a belt.

   h. Η ζώνη είναι όμορφη.   The belt is **beautiful.**

   i. Η ζώνη δεν είναι μεγάλη.   The belt is not big.

4. <u>Questions</u> : (Based on the above reading. Answers on the tape.)

   a. Τι έχει η Ζωή;

   b. Ποια έχει μια ζακέτα;

   c. Πώς είναι η ζακέτα;

   d. Ποια έχει μια γάτα;

   e. Πώς είναι η γάτα;

   f. Τι έχει η Νίκη;

   g. Τι έχει η Ειρήνη;

   h. Πώς είναι η ζώνη;

   i. Είναι η ζώνη μεγάλη;

D. ξ Ξ pronounced as the letter **x** in the words <u>ox</u>, <u>axe</u>
    ξε Ξε, ξι, ξο, Ξω, ξα, Ξοι, ξαι, ξου
    ξέ-ρω - ξέρω (1) - I know
    μά-θη-μα - μάθημα - το μάθημα - lesson
    πού; - where?

1. <u>Reading</u>:

Ξέρω το μάθημα. -	I know the lesson.
Τα παιδιά ξέρουν το - μάθημα.	The children know the lesson.
Τα αγόρια δεν ξέρουν - το μάθημα.	The boys do not know the lesson.
Ποιος ξέρει πού είναι - το βιβλίο;	Who knows where the book is?
Ποιος ξέρει τι μάθημα - έχουμε;	Who knows what lesson we have?
Ποιο κορίτσι δεν ξέρει - το μάθημα;	Which girl does not know the lesson?

2. <u>Grammar</u>:

We already know two groups of neuter words: Those ending in -**o** and those ending in -ι. There is another group ending in -μα as the word <u>μάθημα</u> which we met in the above reading.

The Greek Alphabet * - Το Αλφάβητο

We have by now learned all the letters of the Greek Alphablet.

Small letters	Capital letters	Names of letters	Closest English lette
α	A	άλφα	**a**
β	B	βήτα	**b**
γ	Γ	γάμα	**g**

δ	Δ	δέλτα	d
ε	E	έψιλο	e
ζ	Z	ζήτα	z
η	η	ήτα	e
θ	Θ	θήτα	th
ι	I	γιώτα	i
κ	K	κάπα	k,c
λ	Λ	λάμδα	l
μ	M	μι	m
ν	N	νι	n
ξ	Ξ	ξι	x
ο	O	όμικρο	o
π	Π	πι	p
ρ	P	ρο	r
σ,ς	Σ	σίγμα	s
τ	T	ταφ	t
υ	Υ	ύψιλο	y
φ	Φ	φι	f
χ	X	χι	h
ψ	Ψ	ψι	ps
ω	Ω	ωμέγα	o

** For script and cursive writing of the letters see lesson 4 of the WORKBOOK.

Other consonant combinations:

μπ - as <u>b</u> in boy   ντ - as <u>d</u> in do   γκ - as g in go
τσ - as <u>ts</u> in tsetse   τζ - as <u>dz</u> in adze

*Πώς, an adverb of manner, meaning "how?" takes an accent so it can be distinguished from πως, a conjunction , meaning that.

LESSON FIVE - ΜΑΘΗΜΑ ΠΕΜΠΤΟ

In lesson 5 you will learn:
1. The numbers from 1-5
2. The conjugation of the verbs δείχνω and λέ(γ)ω which belong to the first group.
3. The verb μετρώ which belongs to the second conjugation
4. The formation of the plural of neuter words ending in -ο, and -μα
5. The conjugation of the present tense of the auxiliary verb είμαι
6. The words κάθε and καθένας, καθεμιά , καθένα (each)
7. The preposition στον, στη(ν), στο

Η Τάξη — The Classroom
(Underlined words are new words.)

A. Reading

Ο δάσκαλος <u>δείχνει</u> στα παιδιά τα <u>πράγματα</u> <u>που</u> είναι στην τάξη.

"Αυτό είναι ένα <u>γραφείο</u>," <u>λέει</u>.

Στην τάξη είναι δυο γραφεία.
Αυτό είναι ένα <u>θρανίο</u>.

Η τάξη έχει πολλά θρανία. <u>Μετρά</u>: ένα, δυο, τρία, τέσσερα, πέντε.
Αυτή είναι μια πέννα. Κάθε παιδί έχει μια πέννα.

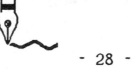

Αυτά είναι βιβλία, μολύβια και τετράδια.

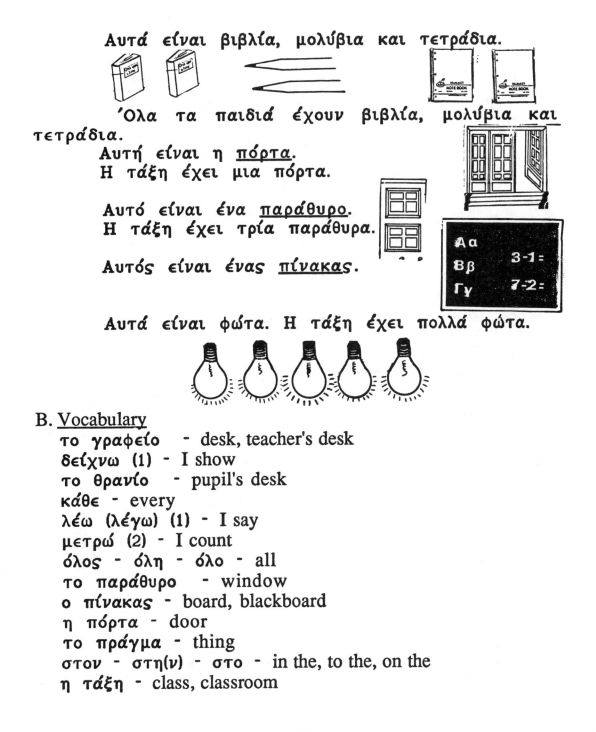

Όλα τα παιδιά έχουν βιβλία, μολύβια και τετράδια.

Αυτή είναι η <u>πόρτα</u>.
Η τάξη έχει μια πόρτα.

Αυτό είναι ένα <u>παράθυρο</u>.
Η τάξη έχει τρία παράθυρα.

Αυτός είναι ένας <u>πίνακας</u>.

Αυτά είναι φώτα. Η τάξη έχει πολλά φώτα.

B. <u>Vocabulary</u>

το γραφείο - desk, teacher's desk
δείχνω (1) - I show
το θρανίο - pupil's desk
κάθε - every
λέω (λέγω) (1) - I say
μετρώ (2) - I count
όλος - όλη - όλο - all
το παράθυρο - window
ο πίνακας - board, blackboard
η πόρτα - door
το πράγμα - thing
στον - στη(ν) - στο - in the, to the, on the
η τάξη - class, classroom

- 29 -

ἕνα - one

δυο - two

τρεις (for masculine and feminine) τρία (for neuter) - three

τέσσερις (for masculine and feminine) τέσσερα (for neuter) - four

πέντε - five

Note: We usually count using the neuter, thus: ἕνα, δυο, τρία

τέσσερα, πέντε

C. Grammar

1. In this lesson we find three verbs: δείχνω, λέγω and μετρώ.
Δείχνω and λέγω belong to the first group. Μετρώ to the se-
cond. Second conjugation verbs end in -ώ with the accent on
the last syllable. They are marked with the number 2.

Conjugation of the verbs δείχνω **and** λέγω

δείχνω (1)- I show	λέγω - or λέω (1) - I say
δείχνεις - you show	λέγεις or λες - you say
δείχνει - he shows	λέγει or λέει - he says
δείχνουμε -we show	λέγομε or λέμε - we say
δείχνετε - you show	λέγετε or λέτε - you say
δείχνουν - they show	λέγουν or λένε - they say

2. **Verbs ending is -ώ, with an accent, belong to the second
conjugation. Ex. :** μετρώ

μετρώ (2) - I count

μετράς -   you count

μετρά -   he counts

μετρούμε -   we count

μετράτε -   you count

μετρούν -   they count

3. Κάθε is an abbreviated form of the numeral adjective καθένας
(κάθε - ἕνας) , καθεμιά (κάθε-μία), καθένα (κάθε-ἕνα).
It means **each one, every one** and it is used only with words

in the singular number, since ἕνας, μια, ἕνα denote only one thing.

κάθε δάσκαλος - every teacher, each teacher
κάθε δασκάλα - every teacher, each teacher
κάθε παιδί - every child , each child
κάθε βιβλίο - each book, every book
κάθε τετράδιο - each tablet, every tablet
κάθε πέννα - each pen, every pen

4. **NEUTERS:** We have seen three groups of neuter words, one ending in -ο , the other in -ι, and the third ending in -μα (-α), το πράγμα, το μάθημα.
The plural of the third group is formed by adding the ending -τα: το πράγμα - τα πράγματα, το μάθημα τα μαθήματα.
Note: - Only one of the three final syllables of a word may take an accent: παι-δί (final syllable), βι-βλί-ο (penult - next ot the last), τε-τρά-δι-ο (antepenult - third from the last).
     In the case of the word μάθημα the accent is on the third syllable.
By adding the suffix -μα we move the accent one syllable so it can fall on the antepenult: μάθημα - μαθήματα

The plural of neuters:

το βιβλίο -   τα βιβλία
το γραφείο -   τα γραφεία
το παράθυρο -   τα παράθυρα
το θρανίο -   τα θρανία

το μολύβι -   τα μολύβια
το ψάρι -   τα ψάρια
το ψωμί -   τα ψωμιά
το παιδί -   τα παιδιά

το πράγμα - τα πράγματα
το μάθημα - τα μαθήματα

5. Conjugation of the auxiliary verb είμαι:

είμαι - I am	είμαστε - we are
είσαι - you are	είστε - you are
είναι - he is, she is, it is	είναι they are

Τα βιβλία είναι στο γραφείο - The books are on the table.(The books are in the office.)
Είμαστε τρία παιδιά . - We are three children.
Είστε στο γραφείο; - Are you in the office;
Είμαστε στο γραφείο - We are in the office.

6. Στον, στη(ν), στο - is the objective of the definite article combined with the classical preposition εις. Thus we have:
εις and τον (the accusative of the masculine article ο) στον
εις and τη(ν) (the accusative of the feminine article η) στην
εις and το (the accusative of the neuter article το) στο
(The ει is dropped and the final ς becomes σ.)

Στον - στη(ν) - στο means: on the, in the , at the, to the
Ex.: στην πόρτα - at the door, on the door, to the door
στο παράθυρο - at the window, to the window, on the window
στη δασκάλα - to the teacher
στο γραφείο - at the desk, on the desk, in the desk
στο θρανίο - at the desk, on the desk, in the desk
στο τετράδιο - in the tablet, on the tablet
στην τάξη - in the classroom
Είμαι στην τάξη - I am in the classroom

D. Conversation - Συνομιλία: (Based on the reading. You may check your answers with those on the tape)
1. Τι δείχνει ο δάσκαλος στα παιδιά;
2. Πού είναι ο δάσκαλος;
3. Τι έχει κάθε παιδί;
4. Πόσα (how many) θρανία έχει η τάξη;
5. Πόσα γραφεία έχει η τάξη;

LESSON SIX - ΜΑΘΗΜΑ ΕΚΤΟ

(In Lesson 6 you will learn:
  1. The possessive pronoun _μου, σου, του, της, του, μας, σας, τους_
  2. The Second Conjugation verbs _απαντώ_ and _ρωτώ_
  3. The demonstative pronoun and adjective _εκείνος‑ εκείνη - εκείνο_
  4. The exclamation mark !
  5. New words
  6. The names of two subjects: _ανάγνωση_ - reading, and _γραμματική_ - grammar
  7. The terms λ_εξιλόγιο_ - vocabulary, and _συνομιλία_ - conversation

Το βιβλίο μου, το μολύβι σου, το τετράδιό του

A. GRAMMAR- ΓΡΑΜΜΑΤΙΚΗ

1. In English we say: " my book ". In Greek it is "the book my" -
το βιβλίο μου. The possessive pronoun always comes after the
noun which is preceded by the definite article **ο,** if it is a mascline,
by the article **η,** if it is a feminine and by the article **το** if it is a
neuter.
Many times the possessive pronoun is accompanied by another
possessive pronoun , δικός μου, δική μου, δικό μου = my own

Thus we have:

μου - my	το βιβλίο μου	- my book _or_	το δικό μου	βιβλίο
σου - your	η πέννα σου	- your pen _or_	η δική σου	πέννα
του - his	η ζακέτα του	- his jacket _or_	η δική του	ζακέτα
της - her	ο δάσκαλός της	- her teacher _or_	ο δικός της	δάσκαλος
του - its	το όνομά του	- its name _or_	το δικό του	όνομα
μας - our	το βιβλίο μας	- our book _or_	το δικό μας	βιβλίο
σας - your	η δασκάλα σας	- your teacher or	η δική σας	δασκάλα
τους - their	ο κύριός τους	- their master _or_	ο δικός τους	κύριος

2. In this lesson we find two verbs belonging to the second conjuga-
tion (group): _απαντώ_ and _ρωτώ_. Their conjugation:

- 33 -

απαντώ -	I answer	*απαντούμε* -	we answer
απαντάς -	you answer	*απαντάτε* -	you answer
απαντά -	he answers	*απαντούν* -	they answer

ρωτώ - I ask	*ρωτούμε* - we ask
ρωτάς - you ask	*ρωτάτε* - you ask
ρωτά - he asks	*ρωτούν* they ask

B. VOCABULARY - ΛΕΞΙΛΟΓΙΟ

απαντώ (2) - I answer
εκείνος - *εκείνη* - *εκείνο* - that
μάλιστα, ναι - yes
ρωτώ (2) - I ask
πάλι - again

C. READING - ΑΝΑΓΝΩΣΗ

      Η δασκάλα δείχνει στα παιδιά ένα βιβλίο και λέει
" Αυτό είναι το βιβλίο <u>μου</u>."
      ΄Υστερα δείχνει το βιβλίο, <u>που</u> έχει ο Γιώργος, και
λέει: "Αυτό είναι το βιβλίο <u>σου</u>. "
      "Εκείνο εκεί, τι είναι; " λέει <u>πάλι</u> η δασκάλα.
"Εκείνο εκεί είναι το βιβλίο του."

      Η δασκάλα <u>ρωτά</u> και τα παιδιά <u>απαντούν</u>.

      Η δασκάλα τώρα ρωτά τα παιδιά: "Τι είναι αυτά;"

      Τα παιδιά απαντούν: "Αυτά είναι μολύβια, βιβλία και
τετράδια."
      Η δασκάλα λέει: "<u>Μάλιστα</u>, αυτά είναι μολύβια, βιβλία
και τετράδια."

" Εκείνα εκεί, τι είναι; " ρωτούν τώρα τα παιδιά.

Και η δασκάλα απαντά: "Εκείνα εκεί είναι βιβλία."

D. Using <u>ρωτώ</u> and <u>απαντώ</u>

Ο μαθητής ρωτά και ο δάσκαλος απαντά.
The student asks and the teacher answers.
Η δασκάλα ρωτά και η μαθήτρια απαντά.
The teacher asks and the student answers.
Εμείς ρωτούμε και εσείς απαντάτε.
We ask and you answer.
Αυτοί ρωτούν και εκείνοι απαντούν.
They ask and they answer.

E. CONVERSATION - ΣΥΝΟΜΙΛΙΑ

1. Τι δείχνει η δασκάλα στα παιδιά; Τι λέει;
2. Ποια ρωτά;
3. Ποιος απαντά;

F. <u>**Names of some school subjects:**</u>

η γραμματική - grammar
η ανάγνωση - reading
το λεξιλόγιο - vocabulary
η συνομιλία - conversation

F. <u>**Punctuation marks:**</u>

period	.	η τελεία	.
semicolon	;	η άνω τελεία	·
question mark	?	το ερωτηματικό	;
comma	,	το κόμμα	,
exclamation mark	!	το θαυμαστικό	!

LESSON SEVEN - ΜΑΘΗΜΑ ΕΒΔΟΜΟ

In this lesson you will learn:
1. Verbs of the Fourth conjugation and their present tense conjugation
2. Deponent verbs (Verbs which have no active voice)
3. The accusative case of the personal pronoun
4. The preposition <u>**σε**</u>
5. An extensive vocabulary

<h2 style="text-align:center">Πώς σε λένε;</h2>

A. READING - ΑΝΑΓΝΩΣΗ

Η δασκάλα ρωτά ένα παιδί: - Πώς <u>σε λένε;</u> Ποιο είναι το <u>όνομά</u> σου;

Το παιδί απαντά: - Με λένε Νίκο.

Η δασκάλα ύστερα ρωτά ένα κορίτσι: - Πώς σε λένε, παιδί μου;

Και το κορίτσι απαντά: - Με λένε Μαρία.

<u>Πηγαίνει</u> <u>μετά</u> γύρω στην τάξη και ρωτά άλλα παιδιά: - Πώς σε λένε; Τα παιδιά απαντούν:

- Με λένε Γιάννη.
- Με λένε Σοφία.
- <u>Λέγομαι</u> Αντώνης.
- Λέγομαι Δημήτρης.
- <u>Ονομάζομαι</u> Ελένη, Ουρανία, Αγλαΐα, Εύα, Ευαγγελία.

Τώρα η δασκάλα <u>κάθεται</u> στο γραφείο της και τα παιδιά κάθονται στα θρανία τους. Ρωτά τα παιδιά: - Τι <u>κάνετε</u> τώρα, παιδιά; Τα παιδιά απαντούν: - Τώρα <u>διαβάζουμε</u> και <u>γράφουμε</u>.

- Ποιο παιδί δε γράφει;

Ο Γιάννης <u>σηκώνεται</u> πάνω και λέει: - Εγώ δε γράφω.

- <u>Γιατί</u> δε γράφεις;
- Δε γράφω, <u>διότι</u> δεν έχω μολύβι.
- Να ένα μολύβι, Γιάννη, λέει η δασκάλα. ‾ Βιβλίο, έ-
χεις;
- Μάλιστα, έχω. <u>Μόνο</u> μολύβι δεν έχω.
- Εντάξει, παιδιά, λέει η δασκάλα. ‾ Θέλω τα
ονόματα σας:
- Εγώ ονομάζομαι Γιάννης.
- Με λένε Γιάννη.
‾ Λέγομαι Γιάννης.
- Το όνομά μου είναι Γιάννης.
‾ Εγώ ονομάζομαι Αφροδίτη.
  Με λένε Αφροδίτη.
  Λέγομαι Αφροδίτη.
  Το όνομά μου είναι Αφροδίτη.

  Αυτός <u>ο κύριος,</u> <u>ποιος</u> είναι;
  Αυτός είναι ο κύριος Παπακώστας.
  Κι αυτή <u>η κυρία,</u> <u>ποια</u> είναι;
  Αυτή είναι η κυρία Παπακώστα.

  Αυτός είναι ο κύριος Σταθόπουλος και αυτή είναι η
κυρία Σταθοπούλου.

  Αυτό το <u>πράγμα,</u> πώς το λένε;
  Αυτό το πράγμα το λένε <u>τηλέφωνο.</u>
  Αυτό, πώς το λένε;
  Αυτό το λένε <u>ακουστικό.</u>
  Αυτά, πώς τα λένε;
  Αυτά τα λένε περιοδικά. Είναι περιοδικά.

B. VOCABULARY - ΛΕΞΙΛΟΓΙΟ
το ακουστικό - the telephone receiver
γιατί ‾ why, because
γύρω ‾ around, round
γράφω (1) ‾ I write

διαβάζω (1) - I read

διότι - because

εντάξει - all right , o.k.

κάθομαι (4) - I sit

κάνω (1) - I do, I make

η κυρία - Mrs.

ο κύριος - Mr.

λέγομαι (4) - I am named, I am called

μάλιστα - yes

μένω (1) - I stay, I remain

μετά - after, afterwards, then

μόνο - only

να - here , here it is

το όνομα - name

ονομάζομαι (4) - I am named, I am called

το περιοδικό - magazine, periodical

πηγαίνω - I go

ποιος - ποια - ποιο - who, which

το πράγμα - thing

σηκώνομαι (4) - I get up

το τηλέφωνο - telephone

C. GRAMMAR

1. Verbs ending in -ομαι (-μαι) belong to the fourth conjugation (group) and are marked by the number 4.

κάθομαι (4)- I sit	λέγομαι (4) - I am called,I am named
κάθεσαι - you sit	λέγεσαι - you are called
κάθεται - he, she, it sits	λέγεται - he is called
καθόμαστε - we sit	λεγόμαστε - we are called
κάθεστε - you sit	λέγεστε - you are called
κάθονται - they sit	λέγονται - they are called

The verb ονομάζομαι - I am named, is conjugated in the same way.

2. <u>The accusative case of the personal pronoun I - εγώ</u>

με - me
σε - you
(αυ)τον - him (masculine) (αυ)την - her (feminine)
(αυ)το - it (neuter)
μας - us
σας - you
τους - them (masc.) τις,τες - them (feminine) τα - them
(neuter)

The accusative case of the personal pronoun is used as an object
to the verb and it usually precedes the verb.
Examples:
Με λένε Γιάννη - They call me John.
Πώς σε λένε; - How do they call you ? (What is your
name?)
Με λένε Ελένη - They call me Helen - My name is Helen.
Πώς τον λένε; - What is his name? (How do they call him?)
Πώς τους λένε; - What is their name?(How do they call
them?)
Πώς τη λένε; - What is her name?(What do they call her?)

3 . <u>Γράφω</u> - I write
γράφω ένα γράμμα - I write a letter
γράφω στο τετράδιο - I write in the tablet (note-book)
γράφω στον πίνακα - I write on the board
γράφω με το δεξί μου χέρι - I write with my right
hand

Δε* (δεν) γράφω με το αρι- I do not write with my left
στερό χέρι.   hand.
* The ν, for the sake of euphony, is dropped when the following
word starts with one of the consonants: β,γ,δ,ζ,θ,λ,μ,ν,ρ,σ, φ,χ

4. Πηγαίνω (1) - I go
   Πηγαίνω στο σπίτι.   I go home.
   Πηγαίνω στο σχολείο.   I go to school.
   Πηγαίνω στην τάξη.   I go to the classroom.
   Πηγαίνω στο θρανίο μου.   I go to my desk.
   Πηγαίνω γύρω γύρω.   I go around.
   Πηγαίνω γύρω από το σπίτι. I go around the house.

5. Διαβάζω (1) - **I read, I study**
   Διαβάζω ένα βιβλίο.   I read a book.
   Διαβάζω το βιβλίο.   I read the book.
   Διαβάζω το μάθημα.   I study the lesson.
   Διαβάζω μια εφημερίδα.   I read a newspaper.
   Διαβάζω ένα περιοδικό.   I read a magazine
                              (periodical)

   Διαβάζω το γράμμα σου.   I read your letter.
   Τα παιδιά διαβάζουν τα   The children read their
   μαθήματα τους.   lessons.

6. Μένω (1) - I stay, I live (in a place)
   Μένω σε ένα (σ' ένα) * σπίτι.   I stay in a house.
   Μένω σ' ένα διαμέρισμα.   I live in an apartment.
   Μένετε στο ξενοδοχείο.   You stay in the hotel.
   Μένει σε μια πολυκατοικία.   He lives in an apartment house.
   Μένεις σε ένα (σ' ένα) μεγάλο   You live in a big house.
   σπίτι.
   Μένουμε σε ένα μικρό σπίτι.   We live in a small house.
   Μένουν στη Νέα Υόρκη.   They live in New York.
   Μένουν στην Αθήνα.   They stay (live) in Athens.
   Ο πατέρας μου μένει στο   My father lives in London.
   Λονδίνο.

   * Σε = σ'. The final ε is dropped when the following word starts with a vowel. An apostrophe takes the place of the ε. This grammatical phenomenon is called *elision*.

στο Σικάγο	in Chicago
στην Ελλάδα	in Greece
στον Καναδά	in Canada
στην Αμερική	in America

Σε is a preposition. When combined with the article **τον, την, το** becomes **στον στην στο**. But when it is followed by the indefinite article **ένας, μια, ένα** it remains unchanged:

Στο σπίτι - in the house, σε ένα σπίτι - in a house (or σ' ένα σπίτι)

Στην τάξη - in the classroom, σε μια τάξη - in a classroom

Στο σχολείο - in the school, σε ένα σχολείο - in a school (or σ'' ένα σχολείο)

7. **Κάθομαι** - I sit

Κάθομαι σε μια καρέκλα - I sit on a chair

στο γραφείο - in the office

σε ένα (σ'ένα) σπίτι - in a house

στην Ουάσιγκτων - in Washington

στο θρανίο - on the desk

στην Αθήνα - in Athens

8. Vocabulary of paragraphs 1-7

το γράμμα - letter

το δεξί or δεξιό - right

το αριστερό - left

η εφημερίδα - newpaper

το διαμέρισμα - apartment

η πολυκατοικία - apartment house

η Νέα Υόρκη - New York

η Αθήνα - Athens

το Λονδίνο - London

το Παρίσι - Paris

το Σικάγο - Chicago

η Ελλάδα - Greece

ο **Καναδάς** - Canada
η **Αμερική** - America
η **καρέκλα** - chair

D. CONVERSATION - ΣΥΝΟΜΙΛΙΑ
(You will find the answers on the tape)

1. **Πώς σας λένε;** * What is your name?
2. **Τι είναι το όνομά σας;** What is your name?
3. **Πού μένετε;** * Where do you stay?
  Where do you live?
4. **Πού κάθεστε;** * Where do you stay?
  Where do you live?
5. **Τι διαβάζετε τώρα;** What are you reading now?
6. **Διαβάζετε περιοδικά;** Do you read magazines?
7. **Διαβάζετε βιβλία;** Do you read books?
8. **Ποιο είναι το θρανίο σας;** Which is your desk?
9. **Ποια είναι η τάξη σας;** Which is your classroom?
10. **Είναι αυτά τα βιβλία σας;** Are these your books?
11. **Σε ποιο σχολείο πηγαίνετε;** What school do you go to?
12. **Ποιο είναι το τηλέφωνο σας;** What is your telephone number?
13. **Γράφετε με το δεξί σας χέρι;** Do you write with your right hand?
14. **Γράφετε με το αριστερό σας χέρι;** Do you write with your left hand?
15. **Μένετε στην Αθήνα;** Do you live in Athens?
16. **Ποιος μένει στο Λονδίνο;** Who lives in London?
17. **Πού είναι ο δάσκαλος τώρα;** Where is the teacher now?
18. **Είναι ο δάσκαλος στην τάξη;** Is the teacher in the class?

19. Πού είναι η δασκάλα
    σας;   Where is your teacher?

20. Έχετε περιοδικά στο   Do you have magazines in
    σπίτι σας;   your house?

21. Έχετε μια ζακέτα;   Do you have a jacket?

22. Πού είναι η ζακέτα σας;   Where is your jacket?

23. Τι πράγματα βλέπετε   What things do you
    στην τάξη;   see in the classroom?

24. Πόσα παράθυρα έχει   How many windows has
    η τάξη;   the classroom?

25. Είναι η Νέα Υόρκη   Is New York in
    στην Αμερική;   America?

26. Είναι το Παρίσι στην   Is Paris in America?
    Αμερική;

27. Είναι η Αθήνα στην   Is Athens in Greece?
    Ελλάδα;

*   Polite forms. For the sake of politeness, when
    we address older persons or persons of higher station in life or with
    whom we are not well acquainted, we use the plural number.

LESSON EIGHT - ΜΑΘΗΜΑ ΟΓΔΟΟ

In lesson 8 you will learn:
   1. The cardinal numbers 1-29
   2. The ordinal numbers from first to twenty ninth
   3 . The impersonal verb αρέσει
   4 . The third conjugation verbs
   5 . Two new second conjugation verbs, μιλώ and χαιρετώ
   6. Two new first conjugation verbs, διδάσκω and αρχίζω

Ένας καθηγητής και μια καθηγήτρια

Α. ΑΝΑΓΝΩΣΗ
   (Before you start reading study the vocabulary)

Ο κύριος Ιωαννίδης είναι ένας καθηγητής. Η κυρία Ιωαννίδου είναι μια καθηγήτρια. Και οι δυο διδάσκουν ελληνικά σ ' ένα πανεπιστήμιο. Ο κύριος Ιωαννίδης διδάσκει το πρώτο τμήμα και η κυρία Ιωαννίδου το δεύτερο. Το ένα τμήμα έχει δώδεκα φοιτητές και το άλλο δεκαπέντε.

Είναι Δευτέρα πρωί, η ώρα εννιά (εννέα). Ο κύριος Ιωαννίδης μπαίνει στην τάξη. Χαιρετά τα παιδιά και λέει: "Καλημέρα, παιδιά." Τα παιδιά απαντούν: " Καλημέρα, κύριε Ιωαννίδη." Μερικά παιδιά λένε" Καλημέρα σας, κύριε Ιωαννίδη."

Ο κύριος Ιωαννίδης ρωτά τα παιδιά: "Πώς είστε σήμερα; " " Πολύ καλά," απαντούν τα παιδιά. "Κι* εσείς, κύριε Ιωαννίδη, πώς είστε;"" Κι εγώ είμαι πολύ καλά, ευχαριστώ."
   "Αρχίζουμε το μάθημα. Ποιό μάθημα έχουμε;"

---

* Κι = και. Και before a vowel changes into κι, without apostrophe.

- Το <u>πέμπτο</u> μάθημα, απαντά μια <u>φοιτήτρια</u>.
- Σας <u>αρέσει</u> το βιβλίο; ρωτά ο κύριος Ιωαννίδης.
- Μας αρέσει πολύ, απαντούν οι φοιτητές και οι φοιτήτριες.
- Και τα <u>ελληνικά</u>, σας αρέσουν;
- Πολύ. Η <u>ελληνική</u> γλώσσα είναι πολύ όμορφη γλώσσα.

B. VOCABULARY - ΛΕΞΙΛΟΓΙΟ

μου αρέσει - I like
αρχίζω (1) - I start
η γλώσσα - the tongue, language
η Δευτέρα - Monday
διδάσκω (1) - I teach
τα ελληνικά - Greek
ελληνικ-ός, - ή, - ό - Greek (adj.)
ευχαριστώ (3) - I thank
ο καθηγητής - professor
η καθηγήτρια - professor (woman)
καλημέρα - good morning, **καλημέρα σας** - good morning to you
μερικοί - μερικές - μερικά - some
όμορφ-ος, -η, -ο - beautiful
το πανεπιστήμιο - the university
πρωί - morning
σήμερα - today
το τμήμα - section
ο φοιτητής - university student (man)
η φοιτήτρια - university student (woman)
χαιρετώ (2) - I greet

THE NUMBERS FROM ONE TO TWENTY :

ένα - one - 1   (masc. <u>ένας</u>, feminine <u>μια</u> (μία), neu. <u>ένα</u>)
δύο, δυο - two - 2
τρία - three - 3   (masc. and fem. <u>τρεις</u>, neu. <u>τρία</u>)
τέσσερα - four 4   (masc. and fem. <u>τέσσερις</u>, neu. <u>τέσσερα</u>)

πέντε – five – 5
έξι – six – 6
εφτά, επτά – seven – 7
οχτώ, οκτώ – eight – 8
εννιά, εννέα – nine – 9
δέκα – ten – 10
έντεκα – eleven – 11
δώδεκα – twelve – 12
δεκατρία – thirteen – 13 (δεκατρείς, δεκατρία)*
δεκατέσσερα – fourteen – 14 (δεκατέσσερις, δεκατέσσερα)*
δεκαπέντε – fifteen – 15
δεκαέξι – sixteen – 16
δεκαεφτά – seventeen – 17
δεκαοχτώ – eighteen – 18
δεκαεννέα – nineteen – 19
είκοσι – twenty – 20

* Compounds of ένα, τρία and τέσσερα use the masculine, feminine and
  neuter forms as with the single numbers, τρεις, τρία, τέσσερις, τέσσερα,

ORDINAL NUMBERS –
πρώτος – πρώτη – πρώτο* – first
δεύτερος – δεύτερη (δευτέρα) – δεύτερο – second
τρίτος – τρίτη – τρίτο – third
τέταρτος – τέταρτη – τέταρτο – fourth
πέμπτος – πέμπτη – πέμπτο – fifth
έκτος – έκτη – έκτο – sixth
έβδομος – έβδομη – έβδομο – seventh
όγδοος – όγδοη – όγδοο – eighth
ένατος – ένατη – ένατο – ninth
δέκατος – δέκατη – δέκατο – tenth
ενδέκατος – ενδέκατη – ενδέκατο – eleventh
δωδέκατος – δωδέκατη – δωδέκατο – twelfth
 δέκατος τρίτος – δέκατη τρίτη – δέκατο τρίτο–
thirteenth etc.

εικοστός - εικοστή - εικοστό - twentieth

*The ordinal numbers are numeral adjectives. Therefore, as all adjectives, they have three genders, masculine, feminine and neuter. Πρώτος (masc.) - πρώτη (fem.) and πρώτο (neu.).

C. GRAMMATICAL NOTES:
1. THE IMPERSONAL VERB αρέσει

Impersonal verbs occur only in the third person. Αρέσει is one of these verbs. It is preceded by the possessive case of the personal pronoun:

μου	αρέσει* - I like		μου	αρέσουν* - I like
σου	αρέσει - you like		σου	αρέσουν - you like
του	αρέσει - he likes		του	αρέσουν - he likes
της	αρέσει - she likes		της	αρέσουν - she likes
του	αρέσει - it likes		του	αρέσουν - it likes
μας	αρέσει - we like		μας	αρέσουν - we like
σας	αρέσει - you like		σας	αρέσουν - you like
τους	αρέσει - they like		τους	αρέσουν - they like

* We use αρέσει with words in the singular number and αρέσουν with words in the plural number. Ex.: Μου αρέσει το βιβλίο. Μου αρέσουν τα βιβλία.

<u>Examples:</u>

Του αρέσει η ελληνική γλώσσα - He likes the Greek language.
Μου αρέσουν τα γαλλικά - I like French.
Της αρέσει το περιοδικό - She likes the magazine.
Τους αρέσουν τα ψάρια - They like fish.

2. Η γλώσσα μου   - My language
   Η γλώσσα μου είναι   - My language is Greek.
   η ελληνική.
   Μιλώ ελληνικά.   - I speak Greek.
   Μιλάτε γαλλικά;   - Do you speak French?

Ο κύριος Αδαμόπουλος μιλά γερμανικά.	Mr. Adamopoulos speaks German.
Εμείς δε μιλάμε γερμανικά.	We do not speak German.
Μιλάτε ρωσσικά;	Do you speak Russian?
Ξέρετε ρωσσικά;	Do you know Russian?
Όχι, δεν ξέρω ρωσσικά, ξέρω όμως ιταλικά.	No, I do not know Russian, but I know Italian.
Ποια είναι η γλώσσα σας;	Which is your language?
Η γλώσσα μου είναι η αγγλική.	My language is English.
Μιλάτε καμμιά άλλη γλώσσα;	Do you speak any other language?
Μάλιστα, μιλώ γαλλικά, γερμανικά και ιταλικά.	Yes, I speak French, German and Italian.
Ισπανικά, ξέρετε;	Do you know Spanish?
Όχι, ισπανικά δεν ξέρω.	No, I do not know Spanish.
Δεν μιλώ ισπανικά.	I do not speak Spanish.

μιλώ (2)and μιλάω- I speak	χαιρετώ (2) - I greet
μιλάς - you speak	χαιρετάς - you greet
μιλά - he speaks (also μιλάει)	χαιρετά - he greets
μιλάμε- we speak (also μιλούμε)	χαιρετούμε* - we greet
μιλάτε - you speak	χαιρετάτε - you greet
μιλούν - they speak (also μιλάνε)	χαιρετούν - they greet
	* also χαιρετάμε

Χαιρετώ τα παιδιά - I greet the children.

Χαιρετούμε και λέμε καλημέρα - We greet by saying good morning.

3. The verbs διδάσκω (1) I teach and αρχίζω (1) I start, I begin
   Both belong to the first conjugation.

διδάσκω - I teach	αρχίζω - I begin
διδάσκεις - you teach	αρχίζεις - you begin
διδάσκει - he teaches	αρχίζει - he begins

διδάσκουμε - we teach   αρχίζουμε - we begin
διδάσκετε - you teach   αρχίζετε - you begin
διδάσκουν - they teach   αρχίζουν - they begin

Διδάσκω τα παιδιά. -   I teach the children.
Ο δάσκαλος διδάσκει τα -   The teacher teaches the
παιδιά αριθμητική.   children arithmetic.
Ο κύριος Μαύρος διδά- -   Mr. Mavros teaches French.
σκει γαλλικά.

4. The verb ευχαριστώ belongs to the third conjugation.
   The verbs of this conjugation have the accent on the last syllable,
   as those of the second conjugation but are conjugated
   slightly differently. They are marked by the number 3.

   ευχαριστώ (3) - I thank   ευχαριστούμε - we thank
   ευχαριστείς - you thank   ευχαριστείτε - you thank
   ευχαριστεί - he thanks   ευχαριστούν - they thank

5. Answer the following questions. They are based on the reading of
   this lesson. (The answers are given on the tape).
   1. Τι είναι ο κύριος Ιωαννίδης;
   2. Είναι η κυρία Ιωαννίδου μια καθηγήτρια;
   3. Τι γλώσσα διδάσκουν στο πανεπιστήμιο;
   4. Σε ποιο τμήμα διδάσκει ο κύριος Ιωαννίδης;
   5. Σε ποιο τμήμα διδάσκει η κυρία Ιωαννίδου;
   6. Τι λέει ο κύριος Ιωαννίδης, όταν (when) μπαίνει
      στην τάξη;
   7. Τι μέρα είναι;
   8. Τι ώρα είναι;
   9. Πώς απαντούν τα παιδιά;
   10. Ποιο μάθημα έχουν τα παιδιά;
   11. Ο κύριος Ιωαννίδης ρωτά τα παιδιά αν (if)
       τους αρέσει το βιβλίο. Τι απαντούν τα παιδιά;

LESSON NINE - ΜΑΘΗΜΑ ΕΝΑΤΟ

In this lesson you will learn:
1. The salutations and how to use them
2. The accusative case of the singular number of masculine,
*   feminine and neuter words*
3. Idiomatic uses of the verb __κάνω__ - I do

Πως χαιρετούμε

Α. ΑΝΑΓΝΩΣΗ

Ο δάσκαλος μπαίνει στην τάξη. Χαιρετά τα παιδιά και λέει: Καλημέρα παιδιά. Ύστερα γράφει στον πίνακα: ΠΩΣ ΧΑΙΡΕΤΟΥΜΕ:

Καλημέρα

Χαίρετε

Καλησπέρα

Καληνύχτα

Αντίο

Γεια σου, Γεια σας

Ο δάσκαλος λέει: Ο Γιάννης βλέπει το <u>πρωί</u> στον <u>δρόμο</u> τον <u>φίλο</u> του Γιώργο και του λέει: "Καλημέρα, Γιώργο." Κι* ο Γιώργος χαιρετά: " Καλημέρα, Γιάννη."

Τα παιδιά πηγαίνουν το <u>μεσημέρι</u> σπίτι. Χαιρετούν και λένε: "Χαίρετε, μαμά." Ύστερα φεύγουν για το σχολείο. <u>Πάλι</u> λένε "χαίρετε."

Το βράδυ ο πατέρας <u>έρχεται</u> σπίτι. Λέει "καλησπέρα." Ο μικρός Γιώργος, που <u>παίζει</u> με τα άλλα παιδιά, φεύγει και πηγαίνει στο σπίτι του. Όταν φεύγει λέει "καληνύχτα."

----

* **Κι** is another form of **και** after elision. For euphonic purposes **κι** is used when the following word starts with a vowel. Ex.: Και εγώ - κι εγώ, και όλος - κι όλος

Την άλλη μέρα ο Δημήτρης _συναντά_ στον _δρόμο_
τη Μαρία και τον Μανώλη.
"Γεια σας," τους λέει."
"Γεια σου Δημήτρη", του απαντούν.
"Τι κάνεις, Μανώλη, είσαι καλά";
"Πολύ καλά", απαντά ο Μανώλης."
"Και συ, Μαρία, πώς είσαι";
"Κι εγώ είμαι καλά, Δημήτρη, ευχαριστώ".
"Πού πηγαίνετε, παιδια";
"Πηγαίνουμε στο σχολείο".
"Γεια σας"!
"Γεια σου Δημήτρη"!.

Ο πατέρας και η μητέρα φεύγουν για ένα _ταξίδι_ στα
νησιά. Από το _λεωφορείο_ φωνάζουν: "Αντίο, παιδιά".

B. VOCABULARY - ΛΕΞΙΛΟΓΙΟ
αντίο - good bye
η βιβλιοθήκη - the library, book case
το βράδυ - the evening
γεια (γεια σου) - good- bye, hello
ο δρόμος - the street
έρχομαι (4) - I come
καλά - well
καληνύχτα - good night
καλησπέρα - good evening
το λεωφορείο - bus
κάνω (1) - I do, I make
το μεσημέρι - noon
μικρός - μικρή - μικρό - small
μπαίνω (1) - I come in, I enter
το νησί - τα νησιά - the island - the islands
παίζω (1) - I play
πάλι - again
πότε; - when?
που - who
το σπίτι - the house, home

συναντώ (2) - I meet
το ταξίδι - the trip, voyage
ύστερα - then, after, afterwards
φεύγω (1) - I leave, I go away
ο φίλος - friend
φωνάζω (1) - I call, I shout
χαίρετε - hello, good bye

C. The salutations:
In the morning we greet saying **καλημέρα**. When we leave in the morning we may say either **καλημέρα**, **χαίρετε** or **γεια σου** (**γεια σας**- polite form).

At noon and in the afternoon when we meet someone we greet by **χαίρετε**. When we leave we may say **χαίρετε**, **αντίο** or **γεια σου (γεια σας)**.

In the evening we greet by saying **καλησπέρα** and when we leave **καληνύχτα**.

In very intimate situations we use the greeting **γεια σου** and **γεια σας** (polite form).

C. GRAMMAR - ΓΡΑΜΜΑΤΙΚΗ
In this lesson we find four verbs of the first conjugation:
κάνω - I do, **παίζω** - I play, **μπαίνω** - I enter, **φεύγω** - I leave

1. **κάνω**-I do , **κάνεις** - you do, **κάνει** - he does
κάνουμε (κάνομε) - we do, **κάνετε** - you do, **κάνουν** - they do
The verb means I do, I make something. It may also mean I feel.
Τι **κάνεις**; may mean:" What are you doing?" or" How are you doing?"

Κάνω μια βιβλιοθήκη.- I am making a book case.

Κάνω το μάθημά μου. - I am doing (writing) my lesson.

Τι κάνεις; - How are you doing? How are you?

Είμαι καλά, ευχαριστώ.- I am well, thank you.

Τι κάνετε; - How are you doing? (polite form)

Είμαι καλά, ευχαριστώ. - I am well, thank you.

<u>Κάνω</u> may also mean <u>pretend</u>.

Κάνει πως δεν ξέρει τίποτα. - He pretends that he does not know anything.

Κάνεις πως δε με ξέρεις. - You are pretending that you do not know me.

2. φεύγω - I leave, φεύγεις - you leave, φεύγει - he leaves
φεύγουμε - we leave, φεύγετε - you leave, φεύγουν - they
leave

Φεύγω σήμερα - I leave today.*

Φεύγω τώρα - I am leaving now.*

Φεύγω για το σχολείο - I am leaving for school.

Φεύγω από το σχολείο, το σπίτι, το θέατρο-I leave from the school, the house, the theater.

Πότε φεύγεις;* - When are you leaving? - When do you leave?

Φεύγω αύριο, σήμερα, σε μια ώρα. - I leave tomorrow, today, in one hour.

* The present tense shows action that takes place now, (continuous action), or customary action. It can also be emphatic: Ex.: I am eating now. - Τώρα τρώγω (action takes place at the present time, continuous action).

 Everyday I eat two eggs. - Κάθε μέρα τρώγω δυο αυγά. (customary)

 Do you eat eggs? Τρώγεις αυγά; I do eat eggs. - Τρώγω αυγά (Emphatic).

3. <u>μπαίνω</u> - I enter, μπαίνεις- you enter, μπαίνει - he enters

μπαίνουμε - we enter , μπαίνετε - you enter, μπαίνουν - they enter

Μπαίνω στο σπίτι -   I go in (enter) the house.

Μπαίνω στο δωμάτιο - I enter (I go in) the room.

Μπαίνω στο σχολείο - I enter (I go in) the school.

4. The accusative case of masculines, feminines and neuters:

The object of a transitive verb(object is the word to which the action of the verb is transferred) is in the accusative case. In English the accusative has the same form as the nominative. (The ball is small. - Ball is in the nominative case being the subject of the sentence.
I kick the ball. - Here ball is in the accusative case, since it is the object of the verb kick.)

Masculines in the accusative case of the singular number have a different form. Feminines and neuters have the same form.

a. The accusative of masculines: We have learned that masculines end in -ος, ο δάσκαλος, -ας, ο άντρας and -ης, ο καθηγητής.

In the accusative case the final -ς is dropped. Thus we have τον δάσκαλο, τον άντρα, τον καθηγητή (The article changes to τον)

Ο καθηγητής βλέπει τα παιδιά. -   The professor sees the children.
Ο καθηγητής (nominative case) -
Τα παιδιά βλέπουν τον καθηγητή.-The children see the professor.
Τον καθηγητή (accusative.)
Ο πατέρας χαιρετά τα παιδιά - The father greets the children.
Ο πατέρας - (nominative)
Τα παιδιά χαιρετούν τον πατέρα. The children greet the father.
Τον πατέρα - (accusative)
Ο δάσκαλος ρωτά τα παιδιά. - The teacher asks the children.
Ο δάσκαλος - (nominative)
Τα παιδιά ρωτούν τον δάσκαλο. - The children ask the teacher.
Τον δάσκαλο- (accusative)

b. Feminines ending in -**α** in the accusative case have the same form. The article becomes -**την**.

η δασκάλα - τη δασκάλα, η πέννα - την πέννα.
Βλέπω τη* δασκάλα - I see the teacher.
Γράφω με την* πέννα - I write with the pen.

* Note: As stated before, the **ν,** for the sake of euphony, is dropped when the following word starts with one of the consonants:
β,γ,δ,ζ,θ,λ,μ,ν,ρ,σ,φ,χ

c. The accusative of neuters: Neuters end in -ο, -ι, -μα In the accusative (objective) have the same form.

Το βιβλίο είναι μεγάλο. -   The book is big. (nom.)
Διαβάζω το μεγάλο βιβλίο. -   I read the big book. (acc.)
Το μάθημα είναι μικρό.   The lesson is short. (nom.)
Ξέρω το μάθημα. -   I know the lesson. (acc.)
Το τυρί είναι καλό. -   The cheese is good .(nom.)
Τρώγω το τυρί. -   I eat the cheese. (acc.)

D. CONVERSATION - ΣΥΝΟΜΙΛΙΑ (Answers on the tape)
1. Ποιος μπαίνει στην τάξη;
2. Τι κάνει ο καθηγητής;
3. Πώς χαιρετά τα παιδιά;
4. Τι γράφει στον πίνακα;
5. Πώς χαιρετούμε το πρωί;
6. Πώς χαιρετούμε το απόγευμα;
7. Τι λέμε το βράδυ;
8. Πώς χαιρετά ο Δημήτρης τον Μανώλη;
9. Πώς χαιρετά ο πατέρας, όταν έρχεται στο σπίτι το βράδυ;
10. Τι λέει ο μικρός Γιώργος, όταν φεύγει από το σπίτι;
11. Ποιον συναντά στον δρόμο ο Δημήτρης;

LESSON TEN - ΜΑΘΗΜΑ ΔΕΚΑΤΟ

REVIEW LESSONS 1-9

In lessons 1-9 we have learned:

A. The three definite articles, **ο, η, το** = the

B. The three indefinite articles, **ένας, μία (μια), ένα**
= a, an, one

C. Words of masculine gender ending in ⁻**ος,**⁻**ας,**⁻**ης** :

ο ουρανός - sky		ο άντρας - man, husband	
ο δάσκαλος - teacher		ο πίνακας - blackboard	
ο κύριος - Mr.		ο Καναδάς - Canada	
ο Τάσος			
ο Βάσος	(all names)		
ο Μάνος			
ο Γιώργος			
ο Νίκος			

ο μαθητής - the boy pupil	ο Μίμης	
ο καθηγητής - professor	ο Γιάννης	

D. Words of feminine gender ending in ⁻**α,**⁻**η** :

η μαθήτρια - the girl pupil	η δασκάλα - the teacher
η καθηγήτρια - the professor	η γυναίκα - woman
η Δευτέρα - Monday	η εφημερίδα - newspaper
η πόρτα - door	η καρέκλα - chair
η γλώσσα - tongue, language	η νύχτα - night
η πολυκατοικία - apartment house	
η κυρία - Mrs.	η Ελλάδα - Greece
η Αθήνα - Athens	η πέννα - pen
η Μαρία, η Σοφία, η 'Αννα,	

η ζώνη - belt, zone   η Αμερική- America
η βιβλιοθήκη - book case, library   η Νέα Υόρκη - New York
η τάξη - class, classroom
η Ειρήνη, η Ελένη, η Ζωή, η Μάχη

E. Words of neuter gender ending in ⁻ι,⁻ο,⁻μα:

το παιδί - child   το ταξίδι - trip
το αγόρι - boy   το μεσημέρι - noon
το κορίτσι - girl   το νησί -   island
το μολύβι - pencil   το ψάρι - fish
το ψαλίδι - scissors   το ψωμί - bread
το σπίτι - house   το Παρίσι - Paris

το βιβλίο - book   το περιοδικό - magazine
το τετράδιο - note-book   το Σικάγο - Chicago
το Λονδίνο - London   το φύλλο - leaf
το γραφείο - office, desk   το θρανίο - pupil's desk

το γράμμα - letter   το μάθημα - lesson
το διαμέρισμα - apartment   το όνομα - name
το τμήμα - section   το γάλα - milk

F. The three genders of adjectives:

ο μεγάλος ⁻ η μεγάλη* ⁻ το μεγάλο - big, large, great
ο μικρός ⁻ η μικρή ⁻ το μικρό - small
ο λίγος ⁻ η λίγη ⁻ το λίγο - little
ο όμορφος ⁻ η όμορφη ⁻ το όμορφο - beautiful
ο ωραίος ⁻ η ωραία* ⁻ το ωραίο - beautiful
ο δεξιός ⁻ η δεξιά ⁻ το δεξιό - right
ο αριστερός ⁻ η αριστερή ⁻ το αριστερό - left

---

* The feminine form ends in ⁻η if before the ending -ος in the masculine there is a consonant: ο μεγάλ-ος ⁻ η μεγάλ-η. It ends in ⁻α if before -ος there is a vowel: ο ωραί-ος ⁻ η ωραί-α, ο δεξι-ός ⁻ η δεξι-ά.

ο ελληνικός - η ελληνική - το ελληνικό - Greek
ο αγγλικός - η αγγλική - το αγγλικό - English
ο αμερικανικός - η αμερικανική - το αμερικανικό - American
ο γερμανικός -η γερμανική -το γερμανικό - German
ο γαλλικός - η γαλλική - το γαλλικό - French
ο ιταλικός - η ιταλική - το ιταλικό - Italian

G. Verbs of the first conjugation ending in -ω (1):

βλέπω - I see	μπαίνω - I enter	τρώγω - I eat
γράφω - I write	λέγω (λέω) - I say	έχω - I have
δείχνω - I show	παίζω - I play	φεύγω - I leave
διαβάζω - I read	πηγαίνω - I go	κάνω -I do, I make
διδάσκω-I teach	φωνάζω-I call, I shout	ξέρω - I know
αρέσει - like (impersonal)		

H. Verbs of the second conjugation ending in -ώ (2):

απαντώ - I answer	μετρώ - I count
μιλώ - I speak, talk	ρωτώ - I ask
συναντώ - I meet	χαιρετώ - I greet

I. Verbs of the third conjugation ending in -ώ (3) :
ευχαριστώ - I thank

J. Verbs of the fourth conjugation ending in -μαι (-ομαι) (4):

κάθομαι - I sit	λέγομαι - I am named
ονομάζομαι - I am named	σηκώνομαι - I get up, I rise

K. The numbers from 1-29:

ένα - one	πέντε - five
δυο - two	έξι - six
τρία - three	εφτά - seven
τέσσερα - four	οχτώ - eight

ἐννέα, ἐννιά -	nine	δεκαέξι -	sixteen
δέκα -	ten	δεκαεφτά -	seventeen
ἔντεκα -	eleven	δεκαοχτώ -	eighteen
δώδεκα -	twelve	δεκαεννέα -	nineteen
δεκατρία -	thirteen	εἴκοσι -	twenty
δεκατέσσερα -	fourteen	εἴκοσι ἕνα -	twenty one,
δεκαπέντε -	fifteen	εἴκοσι δυο -	twenty-two etc

K. The greetings :

καλημέρα - good morning, καλησπέρα - good evening,
καληνύχτα - good night, χαίρετε - good bye, αντίο - good bye,
γεια- γεια σας - hello

L. The pronouns:

Nominative	Possessive	Objective
ἐγώ - I	μου - mine	με - me
ἐσύ - you	σου - your	σε - you
αὐτός - he	του - his	τον - him
αὐτή - she	της - her	την - her
αὐτό - it	του - its	το - it
ἐμείς - we	μας - our	μας - us
ἐσείς - you	σας - your	σας - you
αὐτοί - αὐτές -	τους - their	τους, τες, τα - them
αὐτά - they		

M. Adverbs (words accompaniying verbs showing when, how, how much)

που ; - where?	καλά - well
μάλιστα - yes	μόνο - only
ναι - yes	ὕστερα - then, after, afterwards
όχι - no	γύρω - around
πάλι - again	ἐντάξει - all right, O.K.
γιατί - why?	
σήμερα - today	

LESSON ELEVEN - ΜΑΘΗΜΑ ΕΝΤΕΚΑΤΟ

In this lesson you will learn:
1. The names of the differrent colors
2. The formation of the nominative plural of nouns ending in
  -ος, -ας and -ης
3. The relative undeclineable pronoun **που**

Τα χρώματα

Α. ΑΝΑΓΝΩΣΗ

Η δασκάλα δείχνει τα <u>αντικείμενα</u> (πράγματα) <u>που</u> είναι μέσα στην τάξη:

Αυτό είναι ένα βιβλίο. Το βιβλίο είναι <u>κόκκινο</u>. Έχει <u>χρώμα</u> κόκκινο.

Αυτό το μολύβι είναι πράσινο, έχει χρώμα <u>πράσινο.</u>

Στη τάξη έχουμε δυο πίνακες, ο ένας είναι <u>μαύρος</u> και ο άλλος είναι πράσινος. Ο ένας έχει μαύρο χρώμα και ο άλλος πράσινο. Γράφουμε στον πίνακα με την <u>κιμωλία</u>. Η κιμωλία είναι <u>άσπρη</u>.

Οι <u>τοίχοι</u> είναι <u>άσπροι</u>. Η πόρτα έχει <u>καφέ</u> χρώμα. Τα παράθυρα είναι <u>μπλε</u>, (<u>γαλανά</u>).

Πάνω στο γραφείο είναι πολλά τετράδια. Το <u>εξώφυλλό</u>* τους είναι κίτρινο. Στα θρανία είναι πολλά μολύβια. Τα μολύβια έχουν <u>διάφορα</u> χρώματα κόκκινο, <u>πράσινο</u>, <u>κίτρινο</u>, μαύρο, <u>μπλε</u>, <u>καστανό</u>, <u>πορτοκαλί</u>.

Στην τάξη <u>υπάρχει</u> και ένας <u>χάρτης</u>. Αυτός ο χάρτης έχει όλα τα χρώματα, είναι <u>πολύχρωμος</u>.

Τα φώτα στην τάξη είναι άσπρα, <u>ολόασπρα</u>.

Οι μαθητές <u>μαθαίνουν</u> <u>να λένε</u> τα χρώματα.

*There are two accents on this word. The one on the last syllable is the accent of the pronoun τους. When a word accented on the antepenult is followed by a pronoun, the invisible accent of the pronoun moves to the last syllable of the word. This facilitates pronunciation .

άλλος - άλλη - άλλο - another
ο άνθρωπος - the man, human being
το αντικείμενο - article - thing
η κιμωλία - chalk
άσπρος - άσπρη - άσπρο - white
γαλάζιος - γαλάζια - γαλάζιο - blue
γαλανός - γαλανή - γαλανό - blue
διάφορος - διάφορη - διάφορο - different
έρχομαι (4) - I come, I am coming, I do come
το εξώφυλλο - the cover of a book
καστανός - καστανή - καστανό - brown
καφέ (χρώμα καφέ) - brown
κίτρινος - κίτρινη - κίτρινο - yellow
κόκκινος - κόκκινη - κόκκινο - red
το λεμόνι - lemon
μαθαίνω (1) - I learn
μαύρος - μαύρη - μαύρο - black
το μήλο - apple
μπλε - blue
να λένε - to say
ολόασπρος - ολόασπρη - ολόασπρο - very white, all white
πολύχρωμος - πολύχρωμη - πολύχρωμο - multi-colored
πορτοκαλί (χρώμα) - orange color
που - who, which, what
πράσινος - πράσινη - πράσινο - green
ο τοίχος - wall
ο χάρτης - map
το χρώμα - color

C. GRAMMAR - ΓΡΑΜΜΑΤΙΚΗ

1. Masculines ending in -**ος** form their plural by changing -**ος** into
   οι. The article **ο** becomes also **οι**. Ex.:
   ο τοίχος - οι τοίχοι = the wall, the walls
   ο δάσκαλος - οι δάσκαλοι - the teacher - the teachers

2. Masculines ending in -**as** and -**ης** form their plural by changing -**as** or -**ης** into -**ες**. Ex.:

ο μαθητής ⁻ οι μαθητές - the pupil - the pupils

ο καθηγητής ⁻ οι καθηγητές - the professor - the professors

ο άντρας ⁻ οι άντρες - the man - the men

ο πίνακας ⁻ οι πίνακες - the blackboard - the blackboards

3. Που is a relative pronoun and it means **who**, or **the thing which.** Ex.:

The man who is here - Ο άνθρωπος **που** είναι εδώ.

The woman who is coming now. - Η γυναίκα **που** έρχεται τώρα.

The book (which) I have - Το βιβλίο **που** έχω.

The teacher who is in the classroom - Ο δάσκαλος **που** είναι στην τάξη.

4. Πού; with an accent and a question mark is an interrogative adverb.

Πού είσαι; - Where are you?

Πού είναι τα βιβλία μου; - Where are my books?

D. CONVERSATION - ΣΥΝΟΜΙΛΙΑ

(The questions are based on the reading. Answers on the tape.)

1. Ποια είναι τα χρώματα;

2. Έχεις ένα μαύρο μολύβι;

3. Τι χρώμα έχει ο ένας πίνακας και τι χρώμα ο άλλος;

4. Τι χρώμα έχει ο τοίχος;

5. Τι χρώμα έχουν τα παράθυρα; Και η πόρτα;

6. Τι χρώμα έχει ο χάρτης;

7. Έχει ο χάρτης πολλά χρώματα;

8. Στον δρόμο, τι χρώμα έχουν τα φώτα;

9. Βλέπετε κόκκινα χρώματα στον δρόμο;

LESSON TWELVE - ΜΑΘΗΜΑ ΔΩΔΕΚΑΤΟ

In this lesson you will learn:
  1. *About breakfast*
  2. *The formation of the nominative plural of nouns ending is -ες*
  3. *The formation of the nominative plural of feminine words ending in -α and -η*
  4. *The verb μπορώ which is followed by να and subjunctive*
  5. *The verb θέλω which is sometimes followed by να and subjunctive*

Το πρόγευμα - (πρωινό)

Α. ΑΝΑΓΝΩΣΗ

Είναι πρωί. Ο πατέρας, η μητέρα και τα παιδιά είναι στην κουζίνα. Η μητέρα ετοιμάζει το πρόγευμα.

- Παιδιά, τι θέλετε για πρόγευμα (πρωινό); ρωτά η μητέρα.

- Εγώ θέλω δυο αυγά τηγανιτά, λέει ο Τάκης.

- Εσύ Νίκη, τι θέλεις; ρωτά η μαμά τη Νίκη.

- Εγώ θέλω δυο φέτες ψωμί με βούτυρο και μαρμελάδα.

- Εσείς, κύριε Μιχαηλίδη, τι θέλετε;

- Ευχαριστώ πολύ, κυρία Μιχαηλίδου. Νομίζω πως κι εγώ θέλω δυο αυγά τηγανιτά.

- Παιδιά, θέλετε γάλα ή πορτοκαλάδα;

- Παρακαλώ, μπορώ να έχω ένα ποτήρι γάλα; λέει η Νίκη.

- Ευχαρίστως, λέει η μητέρα.

- Ευχαριστώ πολύ, μαμά, λέει η Νίκη.

- Κι' εσύ, Τάκη, τι θέλεις;

- Εγώ θέλω ένα ποτήρι πορτοκαλάδα.

- Ωρίστε ένα ποτήρι πορτοκαλάδα, Τάκη.

- Ευχαριστώ, μαμά.
- Και τώρα ο κύριος Μιχαηλίδης, τι θέλει <u>να πιεί</u>;
- Εγώ θέλω ένα <u>φλιτζάνι</u> <u>ζεστό</u> <u>καφέ</u>.
- Το <u>ίδιο</u> και εγώ, λέει η κυρία Μιχαηλίδου.

Κάθονται όλοι στο τραπέζι και τρώγουν το πρόγευμά τους. Ο κύριος Μιχαηλίδης, η κυρία Μιχαηλίδου και τα παιδιά κάθε πρωί τρώνε ένα <u>νόστιμο</u> και <u>θρεπτικό</u> πρωινό.

B. ΛΕΞΙΛΟΓΙΟ - VOCABULARY

το αυγό - egg
το βούτυρο - butter
ετοιμάζω (1) - I prepare
ευχαρίστως - with pleasure
ζεστός - ζεστή - ζεστό - warm, hot
θέλω (1) - I want
θρεπτικός - θρεπτική - θρεπτικό - nutritious
ίδιος - ίδια - ίδιο - same
ο καφές - coffee
η κουζίνα - kitchen
η μαρμελάδα - jelly, marmalade, jam
η μητέρα - η μαμά, - mother
μπορώ (3) - I may, I can
μπορώ να έχω; -may I have?
νομίζω - I think
νόστιμος - νόστιμη - νόστιμο - tasty
ο πατέρας - ο μπαμπάς - father
πίνω (1) - I drink
η πορτοκαλάδα - orange juice
το ποτήρι - glass
το πρόγευμα - breakfast

το πρωινό - breakfast

τηγανιτός - τηγανιτή - τηγανιτό - fried

η φέτα - slice

το φλιτζάνι - cup

C. ΓΡΑΜΜΑΤΙΚΗ - GRAMMAR

1. We have seen masculines ending in -ος, -ας and -ης. In this lesson we meet another group ending in -ες, ο καφές. The accusative is formed by dropping the final -ς, τον καφέ. Πίνω τον καφε - I drink the coffee.

2. We saw that feminine words end in -α and -η. They form their plural by changing -α or -η to -ες. The article η becomes οι.

   η φέτα - οι φέτες - slice - slices

   η πορτοκαλάδα - οι πορτοκαλάδες - orange juice

   η μητέρα - οι μητέρες - mother- mothers

3. In this lesson we find these new verbs :

   ετοιμάζω (1) - I get ready, I prepare   πίνω (1) - I drink

   θέλω (1) - I want   ευχαριστώ (3) I thank

   νομίζω (1) - I think   μπορώ (3) - I can, I may

   The verbs μπορώ and θέλω are often followed by the conjunction να and the subjunctive. (More about the subjunctive in later lessons.)

   Μπορώ να πιω; - May I drink?

   Θέλω να πιω - I want to drink.

   Μπορώ να διαβάσω - I can read.

   Μπορώ να έχω; - May I have ?

D. CONVERSATION - ΣΥΝΟΜΙΛΙΑ

(Based on the above reading. You will find the answers on the tape).

1. Πού είναι ο πατέρας, η μητέρα και τα παιδιά;
2. Τι ετοιμάζει η μητέρα;
3. Ποιος ετοιμάζει το πρωινό;
4. Τι ρωτά η μητέρα τα παιδιά;
5. Τι θέλει ο Τάκης για πρωινό;

6. Τι θέλει η Νίκη για πρωινό;
7. Τι θέλει η Νίκη στο ψωμί της;
8. Πόσες φέτες ψωμί θέλει η Νίκη;
9. Πώς θέλει τα αυγά του ο Τάκης;
10. Τι θέλει ο κύριος Μιχαηλίδης για πρόγευμα;
11. Τι θέλει να πιει η Νίκη;
12. Τι θέλει να πιει ο Τάκης;
13. Τι θέλει να πιει ο πατέρας;
14. Πώς θέλει τον καφέ του ο πατέρας;
15. Τι κάνουν κάθε πρωί ο κύριος Μιχαηλίδης, η κυρία Μιχαηλίδου και τα παιδιά;

LESSON THIRTEEN - ΜΑΘΗΜΑ ΔΕΚΑΤΟ ΤΡΙΤΟ

In lesson 13 you will learn:
  1. The names of the days
  2. The declension of feminine words ending in -**α** *and* -**η**
  3. The future continuous tense

Οι μέρες

A. ΑΝΑΓΝΩΣΗ

Ο καθηγητής ρωτά τον φοιτητή Κώστα Παπαδάκη: - Ποιες μέρες έχεις ελληνικό μάθημα;
Κι ' ο Κώστας Παπαδάκης απαντά: - Έχω ελληνικό μάθημα κάθε Δευτέρα, Τετάρτη και Παρασκευή.
Ύστερα ρωτά πάλι:
- Έρχεσαι στο σχολείο το Σάββατο;
- Όχι, το Σάββατο δεν έχουμε σχολείο. Δεν έρχομαι στο σχολείο το Σάββατο.
Ο καθηγητής κάνει ύστερα μια άλλη ερώτηση:
- Ποιες μέρες δεν έρχεσαι στο σχολείο;
- Δεν έρχομαι στο σχολείο την Κυριακή, την Τρίτη, την Πέμπτη και το Σάββατο.

Ο καθηγητής γράφει τώρα τις μέρες στον πίνακα:

Κυριακή
Δευτέρα
Τρίτη
Τετάρτη
Πέμπτη
Παρασκευή
Σάββατο

Η πρώτη μέρα είναι η Κυριακή.   Το Σάββατο είναι η τελευταία μέρα.
Μια εβδομάδα έχει εφτά μέρες.

Σήμερα είναι Δευτέρα. Αύριο θα είναι Τρίτη. Μεθαύριο θα είναι Τετάρτη,
Ποια μέρα έρχεται ύστερα από την Τετάρτη;
Ύστερα από την Τετάρτη έρχεται η Πέμπτη.
Και ύστερα έρχεται η Παρασκευή. Ύστερα έρχεται το Σάββατο.

Τι μέρα ήταν χτες; Χτες ήταν Κυριακή.
Τι μέρα ήταν προχτές; Προχτές ήταν Σάββατο.
Ποια μέρα είναι πριν από το Σάββατο;
Πριν από το Σάββατο είναι η Παρασκευή.
Και πριν από την Παρασκευή ποια μέρα είναι;
Πριν από την Παρασκευή είναι η Πέμπτη.

Τώρα λέμε όλοι μαζί τις μέρες: Κυριακή, Δευτέρα, Τρίτη, Τετάρτη, Πέμπτη, Παρασκευή, Σάββατο.

B. VOCABULARY - ΛΕΞΙΛΟΓΙΟ
η απάντηση - answer
αύριο - tomorrow
η Δευτέρα - Monday
η εβδομάδα - week
η ερώτηση - question
θα είναι - it will be (θα is the particle used to form the future tense).
η Κυριακή - Sunday
μαζί - together
η μέρα - day
η Παρασκευή - Friday
η Πέμπτη - Thursday
πριν από - before

προχτές - the day before yesterday
το Σάββατο - Saturday
τελευταίος - τελευταία - τελευταίο - last
η Τετάρτη - Wednesday
η Τρίτη - Tuesday

C. ΓΡΑΜΜΑΤΙΚΗ - GRAMMAR

1. We have learned that feminine words end in -α and -η. The accusative case of the singular number is the same as the nominative.
   The article changes from η to τη(ν).
   In the plural the -α or -η changes to -ες. The article is οι.
   The accusative plural is the same as the nominative plural. The article is τις . Thus we have:

Nominative singular	η μέρα -day	η πέννα -pen
Accusative singular	τη μέρα -day	την πέννα - pen
Nominative plural	οι μέρες - days	οι πέννες -pens
Accusative plural	τις μέρες - days	τις πέννες - pens

Η πέννα είναι μικρή - The pen is small.
Έχω την πέννα - I have the pen.
Οι πέννες είναι μικρές - The pens are small.
Έχω τις μικρές πέννες - I have the small pens.

Διαβάζω την εφημερίδα - I read the newspaper.
Διαβάζω τις εφημερίδες - I read the newspapers.
Διδάσκω την ελληνική γλώσσα - I teach the Greek language.
Διδάσκω γλώσσες - I teach languages.
Χαιρετώ τη μητέρα - I greet the mother.
Χαιρετώ τις μητέρες - I greet the mothers.

2. The accusative (objective) case of words like day, night, hour, summer, winter, spring, year, noon, morning, accompanied by the article is used to show "time during which" . Ex.:

Μια φορά <u>την εβδομάδα</u> - Once a week.

Τρώγω δυο φορές <u>τη μέρα</u> - I eat twice a day.

Διαβάζω <u>τη νύχτα</u> - I study during the night (at night).

3. THE FUTURE CONTINUOUS TENSE :

It is formed by adding in front of the verb the particle <u>**θα.**</u>

είμαι - I am   - θα είμαι - I shall be

τρώγω - I eat -   θα τρώγω - I shall be eating

παίζω - I play -   θα παίζω - I shall be playing

γράφω - I write - θα γράφω - I shall be writing

<u>Conjugation of the future tense of the auxiliary verbs</u>

<u>είμαι</u>	and	<u>έχω</u>
θα είμαι - I shall be		θα έχω - I shall have
θα είσαι		θα έχεις
θα είναι		θα έχει
θα είμαστε		θα έχουμε
θα είστε		θα έχετε
θα είναι		θα έχουν

4. The past continuous tense of <u>είναι</u> is <u>ήταν.</u> (*The past simple tense will be dealt with in lesson 20*)

5. <u>Useful words:</u>

σήμερα - today   χτες - yesterday

αύριο - tomorrow   προχτές - the day before yesterday

μεθαύριο - the day after tomorrow

6. Πριν από - before

Πριν από το Σάββατο - before Saturday

Μια μέρα πριν - one day before

Δέκα μέρες πριν - ten days ago

D. Supposing that today is Monday, answer the following questions. The correct answers will be given on the tape.

1. Τι μέρα είναι σήμερα;
2. Τι μέρα ήταν χτες;
3. Τι μέρα θα είναι αύριο;
4. Τι μέρα ήταν προχτές;
5. Τι μέρα θα είναι μεθαύριο;

6. Ποια είναι η πρώτη μέρα;
7. Ποια είναι η τελευταία μέρα;
8. Πόσες μέρες έχει μια εβδομάδα;
9. Έρχεται το Σάββατο ύστερα από την Κυριακή;
10. Έρχεται το Σάββατο πριν από την Κυριακή;
11. Είναι η Τρίτη πριν απο την Τετάρτη;
12. Είναι η Πέμπτη ύστερα από την Τετάρτη;
13. Ποια μέρα έρχεται ύστερα από την Πέμπτη;

14. Είναι σήμερα Κυριακή; Τι μέρα είναι σήμερα;
15. Θα είναι αύριο Πέμπτη;
16. Τι μέρα ήταν προχτές;

LESSON FOURTEEN - ΜΑΘΗΜΑ ΔΕΚΑΤΟ ΤΕΤΑΡΤΟ

In this lesson you will learn:
1. *How to tell time*
2. *The objective (accusative) case both of the singular and the plural number of the masculine words*
3. *The cardinal numbers from 30-70*
4. *The ordinal numbers from the thirtieth to the seventieth*

Η ώρα

A. Ανάγνωση

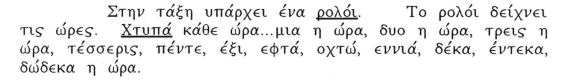

Στην τάξη υπάρχει ένα <u>ρολόι</u>.   Το ρολόι δείχνει τις ώρες. <u>Χτυπά</u> κάθε ώρα...μια η ώρα, δυο η ώρα, τρεις η ώρα, τέσσερις, πέντε, έξι, εφτά, οχτώ, εννιά, δέκα, έντεκα, δώδεκα η ώρα.

Ο δάσκαλος έχει και ένα άλλο ρολόι.   Είναι από <u>χαρτί</u>. Το δείχνει στους μαθητές και ρωτά: "Αντρέα, τι ώρα είναι; "

Κι' ο Αντρέας απαντά:
" Είναι οχτώ και <u>μισή</u>. "

Κάνει την ίδια ερώτηση και σε άλλα παιδιά:
" Τι ώρα είναι; "
" Είναι δέκα η ώρα. "

Τι ώρα είναι;
Είναι δέκα παρά τέταρτο.

Είναι εννιά και <u>σαράντα</u> πέντε.

Είναι δέκα και είκοσι πέντε.

Είναι δώδεκα και <u>τέταρτο.</u>

Όταν είναι δώδεκα η ώρα μπορεί να είναι <u>μεσημέρι</u> ή <u>μεσάνυχτα.</u>

Ο δάσκαλος ρωτά: Τώρα είναι εφτά και είκοσι. Τι ώρα θα είναι σε είκοσι <u>λεπτά;</u> ‾ Οχτώ παρά είκοσι.

Το ρολόι έχει δυο <u>δείχτες:</u> Ένα μικρό και ένα μεγάλο. Ο μικρός δείχτης δείχνει τις ώρες και ο μεγάλος τα λεπτά. Μια ώρα έχει εξήντα λεπτά. Ένα λεπτό έχει εξήντα <u>δευτερόλεπτα.</u> Μια μέρα έχει είκοσι τέσσερις ώρες. Ο δάσκαλος γράφει στον πίνακα αυτές τις λέξεις:

        πρωί ‾ morning
        μεσημέρι ‾ noon
        απόγευμα (απόγεμα) ‾ afternoon
        βράδυ ‾ evening
        νύχτα ‾ night
        μεσάνυχτα ‾ midnight
        πρωινές ώρες ‾ morning hours
        απογευματινές ώρες ‾ afternoon hours
        βραδινές ώρες ‾ evening hours
        νυχτερινές ώρες ‾ night hours

B. ΛΕΞΙΛΟΓΙΟ - VOCABULARY

ο δείχτης - the minute or hour hand of a clock
το δευτερόλεπτο - second minute
είναι από χαρτί - it is made of paper
εξήντα - sixty
τα μεσάνυχτα - midnight
το λεπτό - the minute

το μεσημέρι - noon
μισός - μισή - μισό - half
η νύχτα - night
το ρολόι - the watch, the clock
το τέταρτο - quarter
υπάρχει - there is
το χαρτί - paper
χτυπώ (2) - I strike, hit, knock, ring

C. GRAMMAR - ΓΡΑΜΜΑΤΙΚΗ

1. We have learned that masculine words end in ⁻ος,⁻ας,⁻ης and -
   ες.
   In the accusative case , singular number, they drop the ⁻ς. The
   article becomes τον. Ex.:
   ο δρόμος - τον δρόμο, ο άντρας - τον άντρα,
   ο μαθητής τον μαθητή, ο καφές - τον καφέ.

   In the nominative plural ⁻ος becomes -οι,
   ο δρόμος - οι δρόμοι,
   ⁻ας, and -ης become ⁻ες ,
   ο άντρας - οι άντρες, ο μαθητής - οι μαθητές
   ⁻ες becomes -έδες.
   ο καφές - οι καφέδες

In the accusative of the plural, masculines ending in -ος have
- ους.
The other three groups retain the same ending as in the
nominative of the plural. Ex.:
οι δρόμοι - τους δρόμους
οι άντρες - τους άντρες
οι μαθητές - τους μαθητές
οι καφέδες του καφέδες
Thus we have:

Nominative sing. -	ο δρόμος	ο άντρας	ο μαθητής	ο καφές
Accusative sing. -	τον δρόμο	τον άντρα	τον μαθητή	τον καφέ

Nom.pl. - οι δρόμοι   οι άντρες   οι μαθητές   οι καφέδες
Acc. pl. τους δρόμους τους άντρες τους μαθητές τους κα-
                                                        φέδες

Ο δρόμος είναι μεγάλος -   The street is big.
Βλέπω τον μεγάλο δρόμο -   I see the big street.
Οι δρόμοι είναι μεγάλοι. -   The streets are big.
Βλέπουμε τους μεγάλους -   We see the big streets.
δρόμους.

Ο άντρας είναι καλός. -   The man is good.
Αγαπώ τον καλό άντρα. -   I love the good man.
Οι άντρες είναι καλοί. -   The men are good.
Αγαπούμε τους καλούς άντρες -   We love the good men.

Ο μαθητής είναι έξυπνος -   The student is smart.
Ο δάσκαλος διδάσκει τον μαθητή - The teacher teaches the
                                        student.
Οι μαθητές είναι έξυπνοι. -   The students are smart.
Ο δάσκαλος διδάσκει τους έξυ-   The teahcer
πνους μαθητές.   teaches the smart students.

Ο καφές είναι μαύρος -   The coffee is black.
Πίνω τον καφέ. -   I drink the coffee.
Οι καφέδες είναι μαύροι. -   The coffees are black.
Θέλουμε δυο μαύρους καφέδες. - We want two black coffees.

2. The verb χτυπώ (2) may mean hit, knock, strike or ring

Χτυπώ το παιδί -   I hit the child.
Χτυπώ την πόρτα -   I knock at the door.
Χτυπώ το κουδούνι -   I ring the bell.
Το κουδούνι χτυπά. -   The bell rings.
Το ρολόι χτυπά δέκα-   The clock strikes ten .

Χτυπώ - χτυπάς - χτυπά -
χτυπούμε (χτυπάμε) - χτυπάτε - χτυπούν

Αγαπώ - αγαπάς - αγαπά
αγαπούμε (αγαπάμε) - αγαπάτε - αγαπούν

E. More cardinal numbers:

τριάντα - thirty, 30   σαράντα - forty, 40
τριάντα ένα - thirty-one, 31   σαράντα ένα - forty -one, 41
τριάντα δυο - thirty-two, 32   σαράντα δύο - forty -two, 42
etc.

πενήντα - fifty, 50   εξήντα - sixty, 60
πενήντα ένα - fifty -one, 51   εξήντα ένα - sixty-one, 61
πενήντα δύο - fifty-two, 52   εξήντα εννέα - sixty-nine, 69
etc.   εβδομήντα - seventy - 70

The ordinal numbers of the above cardinal numbers:

τριακοστός - thirtieth
τεσσαρακοστός - fourtieth
πεντηκοστός - fiftieth
εξηκοστός - sixtieth
εβδομηκοστός - seventieth

F. ΣΥΝΟΜΙΛΙΑ - CONVERSATION - (Based on the reading. Answers provided on the tape):

1. Τι υπάρχει στην τάξη;
2. Τι δείχνει ένα ρολόι;
3. Κάθε πόσο χτυπά το ρολόι;
4. Πόσους δείχτες έχει ένα ρολόι;
5. Τι δείχνει ο ένας δείχτης;
6. Τι δείχνει ο άλλος δείχτης;
7. Πόσες ώρες έχει μια μέρα;
8. Πόσα λεπτά έχει μια ώρα;
9. Πόσα δευτερόλεπτα έχει ένα λεπτό;
10. Τι ώρα δείχνουν αυτά τα ρολόγια;

LESSON FIFTEEN -- ΜΑΘΗΜΑ ΔΕΚΑΤΟ ΠΕΜΠΤΟ

In this lesson you will learn:
   1. Masculine nouns ending in -ους
   2. The singular possessive case of masculine words
   3.The plural adjective μερικοί - μερικές - μερικά

Διάφορα πρόσωπα

Α. ΑΝΑΓΝΩΣΗ
   Η δασκάλα δείχνει στα παιδιά

μερικές φωτογραφίες.
Όλοι αυτοί είναι άνθρωποι, λέει.
Στην φωτογραφία υπάρχουν ά-

ντρες και γυναίκες. Υπάρχουν
και παιδιά, αγόρια και κορίτσια.

Εγώ είμαι μια γυναίκα.

Ο κύριος Αριστοτέλης είναι έ-
νας άντρας.

Στην τάξη μας υπάρχουν άντρες

και γυναίκες.

Όλοι εμείς είμαστε άνθρωποι.

Ο κύριος Ζαχαρίας είναι ένας άντρας και η κυρία Ευτυχία είναι μια γυναίκα.

Η Ουρανία είναι ένα κορίτσι και ο Αλέξανδρος είναι ένα αγόρι.

Αυτός είναι ένας <u>παππούς</u>.
Κοντά του είναι μια <u>γιαγιά</u>.

Ο Γιώργος έχει μια <u>αδελφή</u>. Τη λένε Καλλιόπη.
Η Μαρία έχει ένα <u>αδελφό</u>. Τον λένε Παναγιώτη.

Ο Παναγιώτης έχει ένα <u>ξάδελφο</u> και μια <u>ξαδέλφη</u>.

Εγώ έχω ένα <u>θείο</u>. Είναι αδελφός του πατέρα μου. Έχω και μια <u>θεία</u>. Είναι αδελφή της μητέρας μου.

Β. <u>Λεξιλόγιο</u>
η **αδελφή** - sister
ο **αδελφός** - brother
ο **άνθρωπος** - man, human being
η **γιαγιά** - grandmother
διάφορος, -η, ο - different
η **θεία** - aunt
ο **θείος** - uncle
μερικοί - μερικές - μερικά - some
η **ξαδέλφη** - cousin
ο **ξάδελφος** - cousin
ο **παππούς** - grandfather
το **πρόσωπο** - person, face
υπάρχουν - there are
η **φωτογραφία** - picture, photograph

B. GRAMMAR - ΓΡΑΜΜΑΤΙΚΗ

1. The possessive case of masculine words:

We have learned four groups of masculines. In this lesson we find one last group. Masculines belonging to this group end in -ους (There are very few words with this ending, as ο παππούς - grandfather, ο νους - mind, ο Ιησούς - Jesus.)

Masculines ending in -ος form the singular possessive case by changing -ος into -ου. All other groups drop the final -ς

The article ο becomes του.

Nominative singular	ο πατέρας	ο μαθητής ο καφές
Possessive singular	του πατέρα	του μαθητή του καφέ

Nominative singular	ο παππούς ο αδελφός
Possessive singular	του παππού του αδελφού

Το χρώμα του πίνακα -   The color of the blackboard
Η ζακέτα του ανθρώπου -   The man's jacket
Τα βιβλία του μαθητή -   The student's books
Ο πατέρας του Γιάννη -   John's father
Το όνομα του παππού -   Grandfather's name
Η γυναίκα του καθηγητή -   The professor's wife
Το σπίτι του κυρίου Μάνου -   Mr. Manos's house
Τα μολύβια του αδελφού μου -   My brother's pencils

2. μερικοί- μερικές - μερικά - some
   (Occurs only in the plural number.)

Μερικοί μαθητές δεν έχουν βιβλία. - Some students do not have books.

Μερικά βιβλία είναι μικρά. - Some books are small.

Διαβάζουμε μερικές εφημερίδες. - We read some papers.

C. CONVERSATION - ΣΥΝΟΜΙΛΙΑ

- Γιάννη, τι κάνεις;	John, what are you doing?
- Διαβάζω μια εφημερίδα.	I am reading a newspaper.
- Διαβάζεις τίποτε άλλο;	Do you read anything else?
- Μάλιστα, διαβάζω περιοδικά και βιβλία.	Yes, I read magazines and books.
- Τι γράφει η εφημερίδα;	What does the newspaper write?
- Γράφει τα νέα.	It writes about the news.
- Είναι καλά τα νέα;	Is the news good?
- Αρκετά καλά.	Good enough.
- Μου δίνεις την εφημερίδα μια στιγμή, παρακαλώ;	Can you give me the paper for a moment please?
- Ευχαρίστως.	With pleasure.
- Ορίστε, πάρτην (πάρε την).	Here it is, take it.
- Ευχαριστώ πολύ.	Thank you very much.
- Τίποτε.	Don't mention it.

LESSON SIXTEEN - ΜΑΘΗΜΑ ΔΕΚΑΤΟ ΕΚΤΟ

In lesson 16 you will learn:
1. The names of the different parts of the body
2. The nominative plural of neuter words
3. The singular possessive of feminine words
4. The singular possessive of neuter words
5. The names of the five senses

Ο κύριος Δημόπουλος ζωγραφίζει ένα αγόρι

Α. ΑΝΑΓΝΩΣΗ

Ο κύριος Δημόπουλος, ο δάσκαλος, μπαίνει στην τάξη. Χαιρετά τα παιδιά και ύστερα πηγαίνει <u>κατευθείαν</u> στον πίνακα. <u>Παίρνει</u> μια <u>κιμωλία</u> και αρχίζει να <u>ζωγραφίζει</u> κάτι. "Ζωγραφίζω ένα αγόρι", λέει.

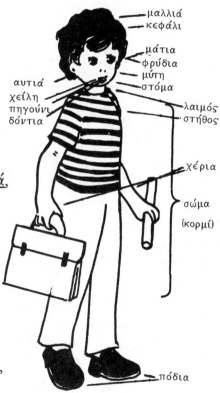

Αυτό είναι το <u>κεφάλι</u> του. Στο κεφάλι βλέπουμε τα <u>μαλλιά</u>, τα <u>αυτιά</u>, τα <u>μάτια</u>, τη <u>μύτη</u>, τα <u>φρύδια</u>, το <u>στόμα</u>, τα <u>χείλη</u>, το <u>πηγούνι</u>. Στο στόμα είναι η γλώσσα και τα <u>δόντια</u>.

Αυτός είναι ο <u>λαιμός</u> του αγοριού. Αυτό το <u>στήθος</u>, κι αυτά τα <u>χέρια</u>.
Το αγόρι έχει δυο χέρια, δυο μάτια, δυο φρύδια, ένα στόμα, μια γλώσσα και πολλά δόντια.

Αυτό είναι το <u>σώμα</u> (το κορμί) του αγοριού. Αυτά είναι τα <u>πόδια</u> του. Έχει δυο πόδια.

Τα χέρια και τα πόδια έχουν <u>δάχτυλα</u>. Κάθε χέρι έχει πέντε δάχτυλα. Κάθε πόδι έχει πέντε δάχτυλα.

B. ΛΕΞΙΛΟΓΙΟ
το αυτί ⁻ τα αυτιά ⁻ the ear - the ears
το δάχτυλο* ⁻ finger, toe
το δόντι ⁻ tooth
ζωγραφίζω (1) ⁻ I draw a picture
κατευθείαν ⁻ straight
το κεφάλι ⁻ head
η κιμωλία ⁻ chalk
το κορμί - the body
ο λαιμός ⁻ throat
τα μαλλιά** ⁻ hair
το μάτι ⁻ eye
η μύτη ⁻ nose
παίρνω ⁻ I take
το πηγούνι ⁻ chin
το πόδι ⁻ foot
το στήθος ⁻ chest, breast
το στόμα ⁻ mouth
το σώμα ⁻ body
το φρύδι ⁻ eyebrow
τα χείλη ⁻ lips
το χέρι ⁻ hand

* The word <u>δάχτυλο</u> means <u>finger</u> or <u>toe</u>.
** The word <u>μαλλιά</u> (in the plural) means <u>hair</u>. In the singular
   (<u>το μαλλί</u>) means <u>wool</u>.

C. GRAMMAR- ΓΡΑΜΜΑΤΙΚΗ
   1. The following words, found in the above reading, are
      neuters:
      το αυτί - the ear   το δόντι - the tooth

το κεφάλι - the head   το φρύδι - the eyebrow
το πηγούνι - the chin   το δάχτυλο - the finger, the toe

All these words form their plural by adding -α, or changing the
suffix -ο into -α. Το αυτί - τα αυτιά, το δάχτυλο - τα
δάχτυλα.

Neuters ending in -α (μα) form their plural by changing
-α (μα) into -ματα
το όνομα - name- τα ονόματα το μάθημα -lesson -τα μαθήματα
το σώμα - body - τα σώματα   τα στόμα -mouth - τα στόματα

There is another group of neuters ending in -ος, το στήθος = chest
The plural is formed by changing -ος into -η. Το στήθος - τα
στήθη
(Distinguish between feminine words ending in -η, as η Νίκη and neuters in the plural
ending in -η, as τα στήθη.)

2. The singular possessive of feminines:

Two groups of feminines end in -η and -α (There are three more
groups which will be dealt with in later lessons).
To form their possessive of the singular number we add -ς.

η μητέρα - mother   η Νίκη - Niki
της μητέρας - mother's   της Νίκης - Niki's

Τα μαλλιά της μητέρας -   Mother's hair
Οι μέρες της εβδομάδας -   The days of the week
Οι ώρες της νύχτας -   The hours of the night(the night
                             hours)

Τα παιδιά της αδελφής -   The sister's children
Το χρώμα της μύτης -   The color of the nose

3. The singular possessive of neuters
   a. Neuters ending in -ο form their possessive case of the

singular number by changing -o into -ου.

το βιβλίο ¯ του βιβλίου - the book, of the book

το γραφείο ¯ του γραφείου - the office - of the office

το παράθυρο ¯ του παραθύρου - the window, of the window

b. Neuters ending in ¯ ι in the possessive singular add ¯ου

το παιδί ¯ του παιδιού -   the child - the child's

το μολύβι ¯ του μολυβιού - the pencil, of the pencil

Τα γράμματα του βιβλίου - the letters of the book

Το χρώμα του μολυβιού -   the color of the pencil

Τα μαλλιά του κοριτσιού - the girl's hair

Τα βιβλία του παιδιού -   the child's books

c. Neuters ending in -α (μα) in the possessive singular add the ending τος.

Το μάθημα ¯ του μαθήματος - the lesson - of the lesson

το γράμμα ¯ του γράμματος - the letter - of the letter

το πράγμα ¯ του πράγματος - the thing - of the thing

d. Neuters ending in ¯ος in the possessive singular change ¯ος into ¯ους.

το στήθος ¯ του στήθους -   the chest -   of the chest

το δάσος ¯   του δάσους -   the forest -   of the forest

το άνθος ¯   του άνθους -   the flower - of the flower

D. Exercises in the possessive case:

1. Τα παράθυρα του γραφείου -   The windows of the office

2. Τα φύλλα του βιβλίου -   The leaves (pages) of the book.

3. Το χρώμα του φύλλου -   The color of the leaf

4. Τα δάχτυλα του χεριού -   The fingers of the hand

5. Το χρώμα του χαρτιού -   The color of the paper

6. Τα δωμάτια του διαμερίσμα-   The apartment rooms
   τος.
7. Τα μολύβια του παιδιού -   The child's pencils
8. Το χρώμα του <u>άνθους</u> -   The color of the flower
9. Τα <u>δέντρα</u> και τα ζώα του - The trees and the animals of
   δάσους   the forest
10. Το <u>παλτό</u> του Γιάννη -   John's coat
11. Το <u>καπέλο</u> του Νίκου -   Nick's hat
12. Τα βιβλία της Νίκης -   Niki's books
13. Το γραφείο του πατέρα -   Father's office
14. Οι <u>ιστορίες</u> του περιοδικού -   The magazine stories
15. Οι μαθητές του πανεπιστη-   The university students
   μίου
16. Το σχολείο του μαθητή -   The pupil's school
17. Το όνομα του δασκάλου -   The teacher's name
18. Το όνομα της δασκάλας -   The teacher's name
19. Οι σελίδες του μαθήματος -   The pages of the lesson
20. Ο <u>ήλιος</u> του μεσημεριού -   The sun of the noon
21. Τα πράγματα του φίλου μου   My friend's things
22. Το χρώμα του ουρανού -   The color of the sky
23. Ο <u>αριθμός</u> του <u>τηλεφώνου</u>   The telephone number
24. Οι ιστορίες της γιαγιάς   The grandmother's
   και του παππού   and grandfather's stories

E. <u>Other exercises</u>:

1. Βλέπω με τα μάτια μου. -   I see with my eyes.
2. <u>Ακούω</u> με τα αυτιά μου. -   I hear with my ears.
3. Τρώγω με το στόμα μου. -   I eat with my mouth.
4. <u>Αναπνέω</u> με τη μύτη μου. -   I breathe with my nose.
5. <u>Μυρίζομαι</u> με τη μύτη μου. -   I smell with my nose.
6. <u>Τρέχω</u> με τα πόδια μου. -   I run with my feet
7. <u>Περπατώ</u> με τα πόδια μου. -   I walk with my feet.
8. Μιλώ με το στόμα μου -   I speak with my mouth.

9. Γεύομαι με τη γλώσσα μου - I taste with my tongue.
10. Αγγίζω με τα χέρια μου. - I touch with my hands.

F. Vocabulary of exercises D, E, and G:

αγγίζω (1) - I touch   η ιστορία - history, story
ακούω (1) -   I hear   το καπέλο - hat
αναπνέω (1) - I breathe   μυρίζομαι (4) - I smell
το άνθος -   the flower   περπατώ (2) - I walk
ο αριθμός -   the number   το τηλέφωνο - telephone
γεύομαι (4) - I taste   τρέχω (1) - I run
το δέντρο -   the tree   το χαρτί - paper
ο ήλιος - the sun

G. The senses: Οι αισθήσεις - η αίσθηση (sense)
  η ακοή - hearing
  η αφή - touch
  η γεύση - taste
  η όραση - sight
  η όσφρηση - smell

G. CONVERSATION - ΣΥΝΟΜΙΛΙΑ (Answer the questions. You
  will find the answers on the tape)
  1. Πώς βλέπουμε;
  2. Πώς ακούμε;
  3. Πώς αναπνέουμε;
  4. Πώς μιλούμε;
  5. Πώς τρώμε;
  6. Πώς μυριζόμαστε;
  7. Πώς περπατάμε;
  8. Πώς τρέχουμε;

LESSON SEVENTEEN - ΜΑΘΗΜΑ ΔΕΚΑΤΟ ΕΒΔΟΜΟ

(In lesson 17 you will learn about the Past Continuous Tense)

Κάτι που γινόταν χτες
(Something that was happening yesterday)

Α. Ανάγνωση

Εγώ τώρα μπαίνω στην τάξη και ύστερα βγαίνω από την τάξη. (Now I go into the classroom and then I go out of the classroom.)
Χτες <u>έμπαινα</u> και <u>έβγαινα</u> από την τάξη.
(Yesterday I was going in and out of the classroom.)

Τώρα γράφω στον πίνακα. (Now I write on the blackboard.)
Χτες για πολλή ώρα <u>έγραφα</u> στον πίνακα.
(Yesterday, for a long time, I was writing on the board .)

Οι μαθητές τώρα διαβάζουν μια ιστορία.
(The students (pupils) now read (are reading) a story.)
Χτες οι μαθητές <u>διάβαζαν</u> μια ιστορία.
(Yesterday the students were reading a story.)

Μια μαθήτρια τώρα ανοίγει και κλείνει την πόρτα. (A girl student now opens and closes the door.)
Χτες η ίδια μαθήτρια <u>άνοιγε</u> κι <u>έκλεινε</u> την πόρτα. (Yesterday the same student was opening and closing the door.)

΄Ολοι εμείς τώρα βλέπουμε στον πίνακα.
(We all now look at the board.)
Χτες όλοι <u>βλέπαμε</u> στον πίνακα.
(Yesterday we all were looking at the board.)
Ο δάσκαλος <u>έγραφε</u> μερικά μαθήματα.
(The teacher was writing some lessons.)

Ο πατέρας ρωτά τη Μαρία τι τρώγει τώρα.
(The father asks Maria what she is eating now.)

Ο πατέρας <u>ρωτούσε</u> τη Μαρία τι <u>έτρωγε</u> χτες. (The father was asking Maria what she was eating yesterday.)

Η Μαρία απαντά στον πατέρα.
(Maria answers her father.)

Η Μαρία <u>απαντούσε</u> στον πατέρα και έλεγε τι έτρωγε χτες. (Maria was answering her father and was saying what she was eating yesterday.)

Πού είσαι τώρα, Γιάννη; (Where are you now, John?)
Τώρα είμαι στην τάξη. (Now I am in the classroom.)

Χτες πού <u>ήσουν</u> όλη μέρα, Γιάννη;
(Where were you all day long, John?)
Χτες, όλη μέρα, <u>ήμουν</u> σπίτι.
(All day, yesterday I was home.)

B. <u>Τι κάνω</u> - **What I do**

1. Έρχομαι στο σχολείο.
   I come to school.

2. Ανοίγω την πόρτα.
   I open the door.

3. Μπαίνω στην τάξη.
   I go into the classroom.

4. Κλείνω την πόρτα.
   I close the door.

5. Πηγαίνω στο θρανίο μου.
   I go to my desk.

6. Κάθομαι στην καρέκλα.
   I sit on the chair.

7. Ανοίγω το βιβλίο μου.
   I open my book.

8. Διαβάζω το μάθημα.
   I read the lesson.

9. Πηγαίνω στον πίνακα.
    I go to the board.
10. Γράφω κάτι στον πίνακα.
    I write something on the board.
11. Κάθομαι κάτω.
    I sit down.
12. Ο δάσκαλος με ρωτά.
    The teacher asks me.
13. Εγώ απαντώ.
    I answer.
14. Σηκώνομαι από το θρανίο.
    I get up from the desk.
15. Βγαίνω από την τάξη.
    I get out of the classroom.
16. Πηγαίνω σπίτι.
    I go home.
17. Χαιρετώ τον πατέρα και τη μητέρα.
    I greet the father and the mother.
18. Λέω καλησπέρα.
    I say good evening.

C. **Τι έκανα χτες** :

1.	Ερχόμουν στο σχολείο.	I was coming to school.
2.	Άνοιγα την πόρτα.	I was opening the door.
3.	Έμπαινα στην τάξη.	I was entering the room.
4.	Έκλεινα την πόρτα.	I was closing the door.
5.	Πήγαινα στο γραφείο μου.	I was going to my desk.
6.	Καθόμουν στο θρανίο μου.	I was sitting at my desk.
7.	Άνοιγα το βιβλίο μου.	I was opening my book.
8.	Διάβαζα το μάθημα.	I was reading the lesson.
9.	Πήγαινα στον πίνακα.	I was going to the board.
10.	Έγραφα κάτι στον πίνακα.	I was writing something on the board.
11.	Καθόμουν κάτω.	I was sitting down.

12. Ο δάσκαλος με ρωτούσε.   The teacher was asking me.

13. Εγώ απαντούσα.   I was answering.

14. Σηκωνόμουν από το θρανίο.   I was getting up from the desk.

15. Έβγαινα από την τάξη.   I was getting out of the class.

16. Πήγαινα σπίτι.   I was going home.

17. Ήταν βράδυ.   It was evening.

18. Χαιρετούσα τον πατέρα και τη μητέρα.   I was greeting the father and the mother.

19. Έλεγα καλησπέρα.   I was saying good evening.

D. GRAMMAR - ΓΡΑΜΜΑΤΙΚΗ

The Past Continuous or Imperfect Tense describes an action taking place in the past .Ex.:

When we were on vacation we were swimming every day.

The fire broke out, while we were sleeping.

In verbs of the first conjugation the Past Continuous (Imperfect) Tense is formed from the stem of the verb and the suffix -α.
If the verb begins with a consonant it takes an ε- called *syllabic augment* because it increases the syllables by one.

The stem of the verb τρώγω is τρωγ- (-ω is the suffix). The suffix for the imperfect tense is -α and since τρώγω begins with a consonant it takes the syllabic augment ε-. ε-τρωγ-α = έτρωγα - I was eating.

The augment is omitted in verbs with more than two syllables if the accent does not fall on it. Ex.:

τρώγω - έτρωγα (the accent falls of the augment)

πηγαίνω - πήγαινα (here the verb does not take the augment since it has more than two syllables and the accent does not fall on the augment.)

<u>Verbs beginning with a vowel do not take the augment.</u>

<u>Conjugation of the Past Continuous Tense of the auxiliary verbs</u>
<u>εἰμαι *and* ἔχω</u>

ἤμουν*	- I was	εἶχα*	- I had
ἤσουν	- you were	εἶχες	- you had
ἤταν	- he, she, it was	εἶχε	- he, she, it had
ἤμαστε	- we were	εἶχαμε	- we had
ἤσαστε	- you were	εἶχατε	- you had
ἤταν	- they were	εἶχαν	- they had

* The same forms are used for the Past Simple tense.

<u>Conjugation of the Past Continuous Tense:</u>

ἔτρωγα	- I was eating	πήγαινα	- I was going
ἔτρωγες	- you were eating	πήγαινες	
ἔτρωγε	- he, she, it was eating	πήγαινε	
τρώγαμε*	- we were eating	πηγαίναμε	
τρώγατε*	- you were eating	πηγαίνατε	
ἔτρωγαν	- they were eating	πήγαιναν	and
or τρώγανε	- they were eating	πηγαίνανε	

* The augment is dropped when the accent does not fall on it.

<u>The Past Continuous Tense of verbs in the First Conjugation:</u>

ακούω -	I hear	άκουα -	I was hearing
αναπνέω -	I breathe	ανάπνεα -	I was breathing
βγαίνω -	I go out	ἔβγαινα -	I was going out
βλέπω -	I see	ἔβλεπα -	I was seeing
γράφω -	I write	ἔγραφα -	I was writing
δείχνω -	I show	ἔδειχνα -	I was showing

διαβάζω -	I read, study	διάβαζα -	I was reading, studying
ετοιμάζω -	I prepare	ετοίμαζα -	I was preparing
έχω -	I have	είχα* -	I was having
θέλω -	I want	ήθελα** -	I was wanting
ζωγραφίζω -	I draw	ζωγράφιζα -	I was drawing
κάνω -	I do, make	έκανα -	I was doing, making
λέγω - λέω -	I say	έλεγα -	I was saying
μαθαίνω -	I learn	μάθαινα -	I was learning
μπαίνω -	I enter	έμπαινα -	I was entering
νομίζω -	I think	νόμιζα -	I was thinking
ξέρω -	I know	ήξερα **-	I was knowing
παίζω -	I play	έπαιζα -	I was playing
παίρνω -	I take	έπαιρνα -	I was taking
πηγαίνω -	I go	πήγαινα -	I was going
τρέχω -	I run	έτρεχα -	I was running
τρώγω -	I eat	έτρωγα -	I was eating
φεύγω -	I leave	έφευγα -	I was leaving
φωνάζω -	I call	φώναζα -	I was calling

* the verb έχω takes ει as augment - έχω - είχα.
** θέλω and ξέρω take η instead of ε: ξέρω - ήξερα, θέλω - ήθελα

LESSON EIGHTEEN - ΜΑΘΗΜΑ ΔΕΚΑΤΟ ΟΓΔΟΟ

In lesson 18 you will read about a morning in the house and
1. The past continuous tense of verbs in the Second Conjugation
2. The adjective πολύς - πολλή - πολύ
3. The preposition για

Το πρωί στο σπίτι

Α. ΑΝΑΓΝΩΣΗ

Ο καθηγητής ρωτά ένα φοιτητή τι κάνει κάθε πρωί, <u>όταν</u> σηκώνεται.

Ο φοιτητής λέει:

- Σηκώνομαι στις εφτά το πρωί.
- Κάνω <u>μπάνιο</u>, <u>λούζω</u> τα μαλλιά μου.
- <u>Βουρτσίζω</u> τα δόντια μου και μετά <u>ξυρίζομαι</u>.
- <u>Φορώ</u> τα <u>ρούχα</u> μου (<u>βάζω</u> τα ρούχα μου).
- <u>Παίρνω</u> το πρόγευμά (το πρωινό) μου.
- Το πρόγευμά μου είναι αυγά τηγανιτά ή <u>μελάτα</u>, ψωμί, ένα ποτήρι πορτοκαλάδα, καφές ή <u>τσάι</u>. Στον καφέ μου βάζω γάλα και λίγη <u>ζάχαρη</u>. Κάποτε με τα αυγά έχω ένα κομμάτι <u>λουκάνικο</u>, ή ένα κομμάτι <u>ζαμπόν</u>.

- Διαβάζω την <u>εφημερίδα</u> για λίγα λεπτά και ύστερα φεύγω <u>για</u> το σχολείο. Μπαίνω στο αυτοκίνητο και το <u>ξεκινώ</u>. <u>Φτάνω</u> στο σχολείο σε είκοσι λεπτά.

Το σπίτι μου δεν είναι μακριά από το σχολείο.

- <u>Αφήνω</u> το <u>αυτοκίνητό</u> μου στο <u>πάρκινκυ</u> του σχολείου και περπατώ <u>μέχρι</u> την τάξη.

Β. ΛΕΞΙΛΟΓΙΟ
το αυτοκίνητο - car, automobile
αφήνω (1) - I leave

- 93 -

βάζω (1) - I put
βουρτσίζω (1) - I brush
για - for
η εφημερίδα - newspaper
η ζάχαρη - sugar
το ζαμπόν - ham
κάποτε - sometimes
λούζω (1) - I wash
το λουκάνικο - sausage
μελάτο, αυγό μελάτο - soft boiled egg
μέχρι - until, as fas as
το μπάνιο - bath, shower
ξεκινώ (2) - I start, I start out
ξυρίζομαι (4) - I shave
όταν - when
παίρνω (1) - I take
το πάρκινκy - parking
τα ρούχα - clothes
το τσάι - tea
φορώ (2,3) - I wear, I put on
φτάνω (1) - I reach, I arrive

C. ΓΡΑΜΜΑΤΙΚΗ - GRAMMAR

1. In this lesson we find the following verbs of the first group:

αφήνω - I leave		άφηνα - I was leaving
βάζω - I put	**Their Past**	έβαζα - I was putting
βουρτσίζω - I brush	**Continuous**	βούρτσιζα - I was brushing
λούζω - I wash	**Tense is:**	έλουζα - I was washing
παίρνω - I take		έπαιρνα - I was taking
φτάνω - I reach		έφτανα - I was reaching

2. The Past Continuous Tense of the Second Conjugation (Verbs ending in -ώ.)

Verbs of the Second Conjugation form the Past Continuous Tense by adding to the stem the suffix (ending) -ούσα. Those beginning with a consonant take the syllabic augment ε-.

αγαπώ –	I love	αγαπούσα –	I was loving
απαντώ –	I answer	απαντούσα –	I was answering
μετρώ –	I count, I meausre	μετρούσα –	I was counting
μιλώ –	I speak, talk	μιλούσα –	I was speaking
περπατώ –	I walk	περπατούσα –	I was walking
ρωτώ –	I ask	ρωτούσα –	I was asking
χαιρετώ –	I greet	χαιρετούσα –	I was greeting
χτυπώ –	I hit, I knock	χτυπούσα –	I was hitting

Conjugation of the Past Continuous Tense of verbs in the Second Group:

αγαπούσα –	I was loving	μιλούσα - I was talking
αγαπούσες –	you were loving	μιλούσες
αγαπούσε –	he, she, it was loving	μιλούσε
αγαπούσαμε -	we were loving	μιλούσαμε
αγαπούσατε -	you were loving	μιλούσατε
αγαπούσαν –	they were loving	μιλούσαν

D. Phrases and sentences with words of this lesson:

1. Θέλω μερικά ρούχα **για** το καλοκαίρι.
   I want (wish to have) some clothes for the summer.
2. Θέλω λίγη ζάχαρη **για** τον καφέ μου.
   I wish to have some sugar for my coffee.
3. Θέλω ένα φάρμακο **για** το κρύο.
   I want a medicine for cold.

4. <u>Πολύ</u> ⁻ much ⁻ It is used to show quantity that cannot be counted separately.

πολύ κρύο ⁻ Much cold

Κάνει πολύ κρύο ⁻ It is very cold.

Πίνει πολύ κρασί. ⁻ He drinks much wine.

Τα παιδιά πίνουν πολύ γάλα. ⁻ The children drink much milk.

Πολλά - Many (For quantity that can be counted.)

Πολλά μολύβια ⁻ Many pencils.

Έχω πολλά βιβλία. ⁻ I have many books.

Διαβάζω πολλές εφημερίδες ⁻ I read many newspapers.

Έχουμε πολλά μαθήματα ⁻ We have many lessons.

5. <u>Όταν</u> ⁻ Is a conjunction meaning <u>when</u>.

Όταν με ρωτούν, απαντώ ⁻ When they ask me, I answer

Όταν έχω μάθημα, διαβάζω. ⁻ When I have lesson, I study.

Ο ήλιος δε φαίνεται, όταν ⁻ The sun cannot be seen,

ο ουρανός έχει σύννεφα. when the sky has clouds.

6. Το μπάνιο ⁻ the bath, the bathroom, the shower, swimming

Another word for the bathroom is <u>η τουαλέτα</u> and <u>ο καμπινές</u>

Κάνω μπάνιο κάθε μέρα ⁻ I take a shower every day.

Πηγαίνω στο μπάνιο. ⁻ I go swimming.

Το μπάνιο είναι μεγάλο ⁻ The bathroom is big.

Η τουαλέττα είναι μεγάλη. ⁻ The bathroom is big.

7. Βουρτσίζω ⁻ I brush ⁻

Βουρτσίζω τα δόντια μου I brush my teeth three times

τρεις φορές τη μέρα: πρωί, a day: morning, noon and

μεσημέρι και βράδυ. night.

Βουρτσίζω τα ρούχα μου. ⁻ I brush my clothes.

8. <u>Φορώ</u> and <u>βάζω</u> - <u>Φορώ</u> means " I am putting on my clothes" or "I wear."

<u>Βάζω</u> means "I am putting on my clothes. "

Φορώ τα ρούχα μου. -	I put on my clothes.
Τώρα φορώ ένα παλτό. -	Now I am wearing a coat.
Τον χειμώνα φορώ χειμω- νιάτικα ρούχα.	In the winter I wear winter clothes.
Το καλοκαίρι φορώ καλοκαι- ρινά ρούχα.	In the summer I wear summer clothes.
Τώρα βάζω τα ρούχα μου. -	Now I put on my clothes.

9. Ένα ποτήρι πορτοκαλάδα   -   A glass of orange juice.
   Ένα ποτήρι γάλα   -   A glass of milk.
   Ένα ποτήρι μπύρα   -   A glass of beer.
   Ένα ποτήρι νερό   -   A glass of water.
   Ένα ποτήρι κρασί   -   A glass of wine.

E. CONVERSATION - ΣΥΝΟΜΙΛΙΑ (You will find he answers on the tape.)

1. Τι ώρα σηκώνεται το πρωί ο φοιτητής;
2. Τι κάνει, όταν σηκώνεται;
3. Τι λούζει;
4. Τι βουρτσίζει;
5. Τι φορεί;
6. Τι τρώει για πρόγευμα;
7. Τι πίνει;
8. Τι βάζει στον καφέ του;
9. Τι τρώει με τα αυγά;
10. Πώς τρώει τα αυγά;
11. Τι διαβάζει;
12. Πώς πηγαίνει στο σχολείο;
13. Πόσο μακριά είναι το σχολείο από το σπίτι του;
14. Πού αφήνει το αυτοκίνητό του;

LESSON NINETEEN - ΜΑΘΗΜΑ ΔΕΚΑΤΟ ΕΝΑΤΟ

In lesson 19 you will learn:
1. The names of the months
2. The names of the seasons
3. How to tell the date
4. The Past Continuous tense of the 3rd and 4th Conjugation verbs
5. The Past Continuous tense of the auxiliary verbs <u>*είμαι*</u> *and* <u>*έχω*</u>
6. The possessive plural of masculines, feminines and neuters

Οι μήνες

A. Ανάγνωση

- Ανδρέα, ξέρεις τι <u>μήνας</u> είναι τώρα;
- Μάλιστα, ξέρω, κύριε Μιχαηλίδη, είναι Φεβρουάριος.

- Και ξέρεις τα ονόματα των άλλων μηνών;
- Νομίζω πως τα ξέρω.
- Ποια είναι;
  Ο Ανδρέας λέει τα ονόματα των μηνών:

Ιανουάριος, Φεβρουάριος, Μάρτιος, Απρίλιος, Μάιος, Ιούνιος, Ιούλιος, Αύγουστος, Σεπτέμβριος, Οκτώβριος, Νοέμβριος και Δεκέμβριος.

- Ωραία, Ανδρέα, λέει ο δάσκαλος.

- Εσύ, Λεωνίδα, ξέρεις τα ονόματα των <u>εποχών</u>;
- Και βέβαια τα ξέρω, λέει ο Λεωνίδας.
- Ποια είναι;
- Άνοιξη, καλοκαίρι, φθινόπωρο και χειμώνας.
- Ωραία.

- Παιδιά, πόσους μήνες έχει η άνοιξη;
- Τρεις μήνες.

- Ποιοι είναι;
- Ο Μάρτιος, ο Απρίλιος και ο Μάιος.

- Ποιοι είναι οι μήνες του καλοκαιριού;
- Ο Ιούνιος, ο Ιούλιος και ο Αύγουστος.

- Και οι μήνες του φθινοπώρου ποιοι είναι;
- Είναι ο Σεπτέμβριος, ο Οκτώβριος και ο Νοέμβριος.

- Μένει τώρα ο χειμώνας. Ποιοι είναι οι μήνες του χειμώνα;

- Είναι ο Δεκέμβριος, ο Ιανουάριος και ο Φεβρουάριος.
- Ποιος είναι ο πρώτος μήνας;
- Είναι ο Ιανουάριος.

- Ποιος είναι ο τελευταίος μήνας;
- Είναι ο Δεκέμβριος.

- Ποιοι μήνες έχουν τριάντα μια μέρες;

- Ο Ιανουάριος, ο Μάρτιος, ο Μάιος, ο Ιούλιος,
  ο Αύγουστος, ο Οκτώβριος και ο Δεκέμβριος.

- Πόσες μέρες έχουν οι άλλοι μήνες;
- Οι άλλοι μήνες έχουν τριάντα μέρες, εκτός από
  τον Φεβρουάριο που έχει είκοσι οχτώ μέρες
  και κάθε τέσσερα χρόνια έχει είκοσι εννιά μέρες.

- Η ημερομηνία σήμερα είναι 25 Απριλίου 1993
  (χίλια εννιακόσια ενενήντα τρία). Χτες η
  ημερομηνία ήταν 24 Απριλίου 1993.

B. VOCABULARY - ΛΕΞΙΛΟΓΙΟ

Οι μήνες* - The months	Another name for the months:
ο Ιανουάριος - January	ο Γενάρης

ο Φεβρουάριος	- February	ο Φλεβάρης	
ο Μάρτιος	- March	ο Μάρτης	
ο Απρίλιος	- April	ο Απρίλης	
ο Μάιος	- May	ο Μάης	
ο Ιούνιος	- June	ο Ιούνης	
ο Ιούλιος	- July	ο Ιούλης	
ο Αύγουστος	- August	ο Αύγουστος	
ο Σεπτέμβριος	- September	ο Σεπτέμβρης	
ο Οκτώβριος	- October	ο Οκτώβρης	
ο Νοέμβριος	- November	ο Νοέμβρης	
ο Δεκέμβριος	- December	ο Δεκέμβρης	

* All the months are of masculine gender.
  The days are of feminine except Σάββατο which is neuter.
  The seasons are: άνοιξη - feminine, χειμώνας- masculine, and
  καλοκαίρι and φθινόπωρο neuter.

  η άνοιξη - spring
  το καλοκαίρι - summer
  το φθινόπωρο - autumn
  ο χειμώνας - winter
  η ημερομηνία - date
  εκτός - except

The ordinal numeral adjectives:

πρώτος ‑ πρώτη ‑ πρώτο =	first
δεύτερος ‑ δεύτερη ‑ δεύτερο =	second
τρίτος ‑τρίτη ‑ τρίτο =	third
τέταρτος ‑ τέταρτη ‑ τέταρτο =	fourth
πέμπτος ‑ πέμπτη ‑ πέμπτο =	fifth
έκτος ‑ έκτη ‑ έκτο =	sixth
έβδομος ‑ έβδομη ‑ έβδομο =	seventh
όγδοος ‑ όγδοη ‑ όγδοο =	eighth
ένατος ‑ ένατη ‑ ένατο =	ninth
δέκατος ‑ δέκατη ‑ δέκατο =	tenth

ενδέκατος - ενδέκατη - ενδέκατο = eleventh
δωδέκατος - δωδέκατη - δωδέκατο = twelfth
δέκατος τρίτος - δέκατη τρίτη - δέκατο τρίτο = thirteenth
etc.
εικοστός - εικοστή - εικοστό - twentieth
εικοστός πρώτος - εικοστή πρώτη - εικοστό πρώτο - twenty
first etc.

C. GRAMMAR - ΓΡΑΜΜΑΤΙΚΗ
<u>The Past Continuous Tense of the third and fourth Conjugations:</u>
1. Verbs of the third conjugation have in the Past Continuous Tense
   the same ending as the verbs in the Second Conjugation - <u>ούσα.</u>

ευχαριστώ - I thank	μπορώ - I can, I may	
ευχαριστούσα - I was thanking	μπορούσα - I could	

Endings of the past continuous tense

ευχαριστούσα	μπορούσα	-ούσα
ευχαριστούσες	μπορούσες	-ούσες
ευχαριστούσε	μπορούσε	-ούσε
ευχαριστούσαμε	μπορούσαμε	-ούσαμε
ευχαριστούσατε	μπορούσατε	-ούσατε
ευχαριστούσαν	μπορούσαν	-ούσαν

2. Verbs of the fourth conjugation in the past continuous tense have
   the ending <u>-όμουν.</u>

Κάθομαι - I sit	σηκώνομαι - I get up	
καθόμουν - I was sitting	σηκωνόμουν - I was getting up	

The endings:

καθόμουν	σηκωνόμουν	-όμουν
καθόσουν	σηκωνόσουν	-όσουν
καθόταν	σηκωνόταν	-όταν
καθόμαστε	σηκωνόμαστε	-όμαστε
καθόσαστε	σηκωνόσαστε	-όσαστε
κάθονταν	σηκώνονταν	-ονταν

The past continuous tense of εἶμαι and ἔχω

ἤμουν	- I was	εἶχα - I had
ἤσουν	- you were	εἶχες
ἤταν	- he , she, it was	εἶχε
ἤμαστε	- we were	εἶχαμε
ἤσαστε	- you were	εἶχατε
ἤταν	- they were	εἶχαν

3. The possessive plural of masculines, feminines and neuters:

All three groups have in the possessive plural the ending -ων.

οι μαθητές - the pupils , των μαθητών - of the pupils
τα παιδιά - the children, των παιδιών -of the childlren
οι μητέρες - the mothers, των μητέρων - of the mothers
οι δάσκαλοι - the teachers, των δασκάλων - of the
                                                        teachers

Phrases with words in the possessive plural:

1. Τα βιβλία των μαθητών -   The pupils' books
2. Τα παλτά των δασκάλων -   The teachers' coats
3. Τα θρανία των τάξεων -   The desks of the classrooms
4. Τα ονόματα των μητέρων - The mothers' names
5. Το χρώμα τών αυγών -   The color of the eggs
6. Τα ονόματα των μηνών -   The names of the months
7. Οι μέρες των εβδομάδων -   The days of the weeks
8. Το χρώμα τών μαλλιών -   The color of the hairs
9. Το βούρτσισμα τών   -   The brushing of the teeth
   δοντιών.

D. **Supposing that today is Monday, the 15th of March, answer the following questions. Correct answers are provided on the tape.**

1. Τι μήνα έχουμε τώρα;
2. Ποια είναι η ημερομηνία σήμερα;
3. Τι ημέρα είναι σήμερα;
4. Ποια εποχή έχουμε τώρα;

5. Ποιος είναι ο πρώτος μήνας;
6. Ποιος είναι ο τελευταίος μήνας;
7. Ποιοι είναι οι μήνες του χειμώνα;
8. Είναι τώρα άνοιξη;
9. Ποια εποχή έχουμε ζέστη (heat);
10. Ποια εποχή έχουμε κρύο;
11. Ποια εποχή σας αρέσει πιο πολύ;
12. Πόσες μέρες έχει ο Ιανουάριος;
13. Ποιός μήνας έχει τις πιο λίγες μέρες;
14. Σε ποια εποχή είναι ο Αύγουστος;
15. Ποια ήταν η ημερομηνία χτες;

Ε. Ημερομηνίες - **Dates**

1 Ιανουαρίου 1975 (Πρώτη Ιανουαρίου 1975) - 1st of
   January
4 Ιουλίου - Fourth of July
25 Μαρτίου 1821
29 Μαΐου 1453
Παρασκευή, 28 Σεπτεμβρίου 1960
Σήμερα είναι 15 Αυγούστου 1895
Χτες ήταν Πρώτη Δεκεμβρίου.
Γιορτάζουμε τα Χριστούγεννα στις 25 Δεκεμβρίου.

TWENTIETH LESSON - ΜΑΘΗΜΑ ΕΙΚΟΣΤΟ

(In this lesson you will study the Past Simple Tense (aorist)
of all four conjugations)

Χτες πρωί στο σπίτι

Α. ΑΝΑΓΝΩΣΗ

Ο καθηγητής ρωτά σήμερα την Ειρήνη:

- Ειρήνη, σε παρακαλώ, <u>πες μας</u> τι έκαμες σήμερα το πρωί, όταν σηκώθηκες.

Και η Ειρήνη <u>αρχίζει</u> να λέει:

- Σήμερα <u>σηκώθηκα</u>* στις εφτά. Έκαμα* ένα μπάνιο και <u>έλουσα</u>* τα μαλλιά μου. Τα <u>στέγνωσα</u>* με ένα <u>πιστολάκι</u>.

- <u>Βούρτσισα</u>* τα δόντια μου με <u>βούρτσα</u> και <u>οδοντόκρεμα</u>. <u>Φόρεσα</u>* τα ρούχα μου (Έβαλα* τα ρούχα μου)
- Μετά <u>πήρα</u>* το πρωινό μου. (Έφαγα* το προγευμά μου).
- Τι ήταν το πρόγευμά σου;
- Ήταν αυγά τηγανιτά με λίγο μπέικον και δυο <u>φρυγανιές</u>.

- Τι <u>ήπιες</u>*;
- Ήπια ένα ποτήρι πορτοκαλάδα και ένα φλιτζάνι καφέ. Στον καφέ μου δεν έβαλα <u>ούτε</u> ζάχαρη, <u>ούτε</u> γάλα.

- Χτες το πρωί, τι πρόγευμα <u>έφαγες</u>*; Έφαγες το <u>ίδιο</u> πρόγευμα;
- Όχι, χτες το πρωί έφαγα δυο αυγά, αλλά ήταν μελάτα, και <u>αντί</u> μπέικον είχα ζαμπόν.

- Ύστερα, τι έκαμες;
- <u>Έριξα</u>* <u>μια ματιά</u> στην εφημερίδα. Δεν είχα ώρα να την

διαβάσω. Πήρα* το λεωφορείο και πήγα στη <u>δουλειά</u> μου.
Το λεωφορείο με <u>έβγαλε*</u> κοντά στη δουλειά μου.
<u>Περπάτησα*</u> λίγο και <u>έφτασα*</u> στο γραφείο μου.

* Verbs with an asterisk are in the Past simple tense
See paragraph C, of this lesson, Past Simple Tense of the verbs.

B. VOCABULARY - ΛΕΞΙΛΟΓΙΟ

αντί ‑ instead
η βούρτσα ‑ brush
η δουλειά ‑ work, job
ίδιος ‑ ίδια ‑ ίδιο ‑ same
η οδοντόκρεμα ‑ tooth paste
ούτε ... ούτε ‑ neither... nor
το πιστολάκι ‑ hair dryer
πες μας ‑ tell us
στεγνώνω (1) ‑ I dry
η φρυγανιά ‑ toasted bread

C. GRAMMAR - ΓΡΑΜΜΑΤΙΚΗ

<u>The Past Simple Tense</u> (aorist) describes an action which
happened and was completed in the past: I ate, I saw.
It is formed, in most cases, from another root (as is the case
with verbs in the English language: eat - ate, tell - told etc.)
The student, therefore, has to memorize the form of the past tense.
The ending is ‑σα. The σ often combines with the last letter of the
stem (called character) and becomes ‑φα, ξα, κα, or remains
σα.
In some cases it keeps the form of the character.

Verbs beginning with a consonant take the syllabic augment, as
in the Past Continuous tense.

Some examples:

Γράφω - its stem or root is γραφ- (Stem is the part of the verb without the suffix.)

Verb	Syllabic augment	stem	ending	
γράφω	ε	γραφ	σα	= έγραφσα

φ and σ combine to make ψ = έγραψα

(If the character is π,β,φ the suffix becomes ψα)

κόβω - I cut	-	ε	κοβ	-	σα	= έκοψα
βάφω - I dye	-	ε	βαψ	-	σα	= έβαψα
ράβω - I sew	-	ε	ραβ	-	σα	= έραψα

(If the character is κ,γ,χ the suffix becomes -ξα)

τρέχω - I run	ε	τρεχ	σα	έτρεξα
πλέκω - I knit	ε	πλεκ -	σα	έπλεξα
ανοίγω - I open		ανοιγ-	σα	άνοιξα

(If the character is τ,δ,θ, or ζ the ending is -σα. Sometimes verbs with ζ character have -ξα, like παίζω - έπαιξα

Note: The student is urged to memorize the past simple form of the verbs.

παίζω	έπαιξα
αγοράζω	αγόρασα
τρώγω	έφαγα
ρίχνω	έριξα
κάνω	έκαμα
φεύγω	έφυγα

endings

first conjugation	second and fourth (deponent)	third
- σα	- ησα	- εσα
- σες	- ησες	- εσες
- σε	- ησε	- εσε
- σαμε	- ήσαμε	- έσαμε
- σατε	- ήσατε	- έσατε
- σαν	- ησαν	- εσαν

έφαγα (1) - I ate   αγάπησα (2) - I loved
έφαγες   αγάπησες
έφαγε   αγάπησε
φάγαμε   αγαπήσαμε
φάγατε   αγαπήσατε
έφαγαν   αγάπησαν

ήλθα (4) I came   μπόρεσα (3) - I could
ήλθες   μπόρεσες
ήλθε   μπόρεσε
ήλθαμε   μπορέσαμε
ήλθατε   μπορέσατε
ηλθαν   μπόρεσαν

In the above reading we saw the following verbs:

Past Simple Tense	Present Tense	
έκαμες	κάνω	I do
σηκώθηκα	σηκώνομαι	I get up
έλουσα	λούζω	I wash
στέγνωσα	στεγνώνω	I dry
βούρτσισα	βουρτσίζω	I brush
φόρεσα	φορώ	I wear
έβαλα	βάζω	I put
έφαγα	τρώγω	I eat
πήρα	παίρνω	I take
ήπια	πίνω	I drink
έριξα	ρίχνω	I cast
είχα	έχω	I have
μπήκα	μπαίνω	I enter
πήγα	πηγαίνω	I go
περπάτησα	περπατώ	I walk

D. Idiomatic uses of some words:

ρίχνω μια ματιά - I cast a glance , I look
παίρνω το πρόγευμά (το πρωινό) μου - I take my breakfast
                                     I eat my breakfast.

E. ΕΡΩΤΗΣΕΙΣ (Answers on the tape):
1. Τι ώρα σηκώθηκε η Ειρήνη;
2. Τι ώρα σηκώνεσαι εσύ το πρωί;
3. Τι έκαμε πρώτα η Ειρήνη;
4. Τι έκαμε τα μαλλιά της;
5. Τι έκαμε τα δόντια της;
6. Με τι βούρτσισε τα δόντια της;
7. Τι έκαμε με την οδοντόκρεμα;
8. Τι φόρεσε;
9. Τι έφαγε για πρόγευμα;
10. Τι τρως εσύ για πρόγευμα;
11. Τι ήπιε η Ειρήνη;
12. Τι πίνεις εσύ το πρωί;
13. Έβαλε η Ειρήνη ζάχαρη στον καφέ της;
14. Έβαλε η Ειρήνη γάλα στον καφέ της;
15. Πίνεις εσύ καφέ;
16. Βάζεις γάλα και ζάχαρη στον καφέ σου;
17. Πως πήγε η Ειρήνη στη δουλειά της;

E. ΣΥΝΔΙΑΛΕΞΗ - CONVERSATION

1. Καλημέρα Ουρανία.	- Καλημέρα Καλλιόπη.
2. Πώς είσαι, Ουρανία;	- Καλά, Καλλιόπη, ευχαριστώ.
3. Τι ώρα σηκώθηκες σήμερα;	- Σηκώθηκα στις εφτά και μισή.
4. Έφαγες πρόγευμα;	- Μάλιστα, έφαγα κάτι.
5. Τι έφαγες Ουρανία;	- Έφαγα μια φέτα ψωμί και λίγο τυρί.
6. Αυτό τρώγεις κάθε πρωί;	- Όχι, κάποτε τρώγω αυγά.
7. Σου αρέσουν τα αυγά;	- Έτσι και έτσι.(So and so)
8. Τι πίνεις το πρωί;	- Συνήθως πίνω καφέ.
9. Πίνεις κάποτε τσάι;	- Μερικές φορές πίνω τσάι.
10. Πού πηγαίνεις τώρα;	- Πηγαίνω στη δουλειά μου.
11. Πώς πηγαίνεις στη δουλειά σου;	- Συνήθως πηγαίνω με το λεωφορείο.
12. Δεν έχεις αυτοκίνητο;	- Έχω. Κάποτε πηγαίνω με το αυτοκίνητό μου.
13. Καλή σου μέρα, Ουρανία.	- Ευχαριστώ, Καλλιόπη, επίσης.

LESSON TWENTY ONE - ΜΑΘΗΜΑ ΕΙΚΟΣΤΟ ΠΡΩΤΟ

Review lessons 11-20

In lessons 11-20 we have learned:

A. The past continuous and past simple tenses of verbs in the four
   conjugations:

1. First Conjugation:

ακούω	I hear	άκουα	άκουσα	θα	ακούω
αναπνέω	I breathe	ανάπνεα	ανάπνευσα	θα	αναπνέω
ανοίγω	I open	άνοιγα	άνοιξα	θα	ανοίγω
αφήνω	I leave	άφηνα	άφησα	θα	αφήνω
βάζω	I put	έβαζα	έβαλα	θα	βάζω
βουρτσίζω	I brush	βούτσιζα	βούρτσισα	θα	βουρτσίζω
γράφω	I write	έγραφα	έγραψα	θα	γράφω
δείχνω	I show	έδειχνα	έδειξα	θα	δείχνω
διαβάζω	I read	διάβαζα	διάβασα	θα	διαβάζω
διδάσκω	I teach	δίδασκα	δίδαξα	θα	διδάσκω
ετοιμάζω	I prepare	ετοίμαζα	ετοίμασα	θα	ετοιμάζω
έχω	I have	είχα	είχα	θα	έχω
ζωγραφίζω	I draw	ζωγράφιζα	ζωγράφισα	θα	ζωγραφίζω
θέλω	I want	ήθελα	θέλησα	θα	θέλω
κάνω	I do, I make	έκανα	έκαμα	θα	κάνω
λέγω (λέω)	I say	έλεγα	είπα	θα	λέω
λούζω	I wash	έλουζα	έλουσα	θα	λούζω
μαθαίνω	I learn	μάθαινα	έμαθα	θα	μαθαίνω
μπαίνω	I enter	έμπαινα	μπήκα	θα	μπαίνω
νομίζω	I think	νόμιζα	νόμισα	θα	νομίζω
ξέρω	I know	ήξερα	ήξερα	θα	ξέρω
παίζω	I play	έπαιζα	έπαιξα	θα	παίζω
παίρνω	I take	έπαιρνα	πήρα	θα	παίρνω
πηγαίνω	I go	πήγαινα	πήγα	θα	πηγαίνω
πίνω	I drink	έπινα	ήπια	θα	πίνω

ρίχνω	I throw	έριχνα	έριξα	θα ρίχνω
στεγνώνω	I dry	στέγνωνα	στέγνωσα	θα στεγνώνω
τρέχω	I run	έτρεχα	έτρεξα	θα τρέχω
τρώγω	I eat	έτρωγα	έφαγα	θα τρώγω
φεύγω	I leave	έφευγα	έφυγα	θα φεύγω

2. Second Conjugation

αγαπώ	I love	αγαπούσα	αγάπησα	θα αγαπώ
απαντώ	I answer	απαντούσα	απάντησα	θα απαντώ
μιλώ	I speak	μιλούσα	μίλησα	θα μιλώ
μετρώ	I count	μετρούσα	μέτρησα	θα μετρώ
περπατώ	I walk	περπατούσα	περπάτησα	θα περπατώ
συναντώ	I meet	συναντούσα	συνάντησα	θα συναντώ
χαιρετώ	I greet	χαιρετούσα	χαιρέτησα	θα χαιρετώ
χτυπώ	I hit	χτυπούσα	χτύπησα	θα χτυπώ

3. Third Conjugation

ευχαριστώ	I thank	ευχαριστούσα	ευχαρίστησα	θα ευχαριστώ
μπορώ	I can, I may	μπορούσα	μπόρεσα	θα μπορώ
φορώ	I wear	φορούσα	φόρεσα	θα φορώ

4. Fourth Conjugation

γίνομαι	I become	γινόμουν	έγινα	θα γίνομαι
έρχομαι	I come	ερχόμουν	ήρθα	θα έρχομαι
κάθομαι	I sit	καθόμουν	κάθισα	θα κάθομαι
ξυρίζομαι	I shave	ξυριζόμουν	ξυρίστηκα	θα ξυρίζομαι
μυρίζομαι	I smell	μυριζόμουν	μυρίστηκα	θα μυρίζομαι
ονομάζομαι	I am named	ονομαζόμουν	ονομάστηκα	θα ονομάζομαι
σηκώνομαι	I get up	σηκωνόμουν	σηκώθηκα	θα σηκώνομαι

B. Declension of masculines, feminines and neuters:

1. Masculines are preceded by the article ο and ending in ‑ος, ‑ας, ‑ης, ‑ους, and ‑ες.

Singular number

Nominative	ο άνθρωπος	ο αδελφός	ο άντρας
Possessive	του ανθρώπου	αδελφού	άντρα
Objective	τον άνθρωπο	αδελφό	άντρα
Vocative *	άνθρωπε	αδελφέ	άντρα

* Also called "nominative of address".

Plural number

Nominative	οι άνθρωποι	οι αδελφοί	οι άντρες
Possessive	των ανθρώπων	των αδελφών	των αντρών
Objective	τους ανθρώπους	τους αδελφούς	τους άντρες
Vocative	άνθρωποι	αδελφοί	άντρες

Singular number

Nominative	ο μαθητής	ο καφές	ο παππούς
Possessive	του μαθητή	του καφέ	του παππού
Objective	τον μαθητή	τον καφέ	τον παππού
Vocative	μαθητή	καφέ	παππού

Plural number

Nominative	οι μαθητές	οι καφέδες	οι παππούδες
Possessive	των μαθητών	των καφέδων	των παππούδων
Objective	τους μαθητές	τους καφέδες	τους παππούδες
Vocative	μαθητές	καφέδες	παππούδες

Remember :

a. Masculines ending in -**ος** are declined as the article ο, του, τον etc.

b. Those ending in ας, ης, -ες and ους in the possessive and objective of the singular drop the -ς, ο πατέρας, του πατέρα, τον πατέρα, ο μαθητής, του μαθητή, τον μαθητή, ο καφές, του καφέ, τον καφέ, ο παππούς, του παππού, τον παππού

In the plural nominative and objective those ending is -ας and -ης have -ες, those ending in -ες **and** -ους have - έδες: οι πατέρες - τους πατέρες , οι μαθητές - τους μαθητές, οι καφέδες - τους καφέδες, οι παππούδες - τους - παππούδες.

In the possessive plural all groups have -ων. Των πατέρων, των αντρών, των μαθητών

c. <u>The vocative or nominative of address </u>of the masculines is as follows:
Those ending in -**ος** in the singular vocative have -**ε**
Those ending in <u>-ας, -ης, ες, ους</u> in the vocative drop the ς.
The plural vocative, in all groups, is the same as the nominative.

2. Declension of feminines : Feminines are preceded by the article η and end in -η and -α (There are three other minor groups . We will learn about them in later lessons)

Singular number

Nominative	η αδελφή	η μητέρα
Possessive	της αδελφής	της μητέρας
Objective	την αδελφή	τη μητέρα
Vocative	αδελφή	μητέρα

Plural number

Nominative	οι αδελφές	οι μητέρες
Possessive	των αδελφών	των μητέρων
Objective	τις αδελφές	τις μητέρες
Vocative	αδελφές	μητέρες

The objective case has the same form as the nominative.
The possessive singular adds -s.
The possessive plural ends in -ων.
The vocative case , both in the singular and the plural, is the same as the nominative.

3. <u>Declension of neuters.</u> They are preceded by the article το and end in -ο, -ι, -μα, -ος

Singular number

Nom.	το βιβλίο	το παιδί	το μάθημα	το δάσος
Poss.	του βιβλίου	του παιδιού	του μαθήματος	του δάσους
Obj.	το βιβλίο	το παιδί	το μάθημα	το δάσος
Voc.	βιβλίο	παιδί	μάθημα	δάσος

Plural number

Nom.	τα βιβλία	τα παιδιά	τα μαθήματα	τα δάση
Poss.	των βιβλίων	των παιδιών	των μαθημάτων	των δασών
Obj.	τα βιβλία	τα παιδιά	τα μαθήματα	τα δάση
Voc.	βιβλία	παιδιά	μαθήματα	δάση

Neuters have, in both numbers, the objective case same as the nominative.
The possessive of the singular of those ending in -ο and -ι is -ου.
The plural possessive ends in -ων.
The vocative case is the same as the nominative.

C. Masculine words:

- ο αδελφός - brother
- ο αριθμός - number
- ο ήλιος - sun
- ο καφές - coffee
- ο ξάδελφος - cousin
- ο πατέρας - father
- ο χάρτης - map
- ο άνθρωπος - man
- ο δείχτης - watch-hand, clock-hand
- ο θείος - uncle
- ο λαιμός - throat
- ο παππούς - grandfather
- ο τοίχος - wall
- ο χειμώνας - winter

D. Feminine words:

- η αδελφή - sister
- η απάντηση - answer
- η γιαγιά - grandmother
- η ερώτηση - question
- η ζάχαρη - sugar
- η θεία - aunt
- η κιμωλία - chalk
- η μαρμελάδα - marmalade
- η μύτη - nose
- η ξαδέλφη - cousin
- η πορτοκαλάδα - orange juice
- η φέτα - slice
- η φωτογραφία - photograph
- η άνοιξη - spring
- η βούρτσα - brush
- η εβδομάδα - week
- η εφημερίδα - newspaper
- η ημερομηνία - date
- η ιστορία - story, history
- η κουζίνα - kitchen
- η μητέρα - mother
- η νύχτα - night
- η οδοντόκρεμα - tooth paste
- η τουαλέτα - bath room
- η φρυγανιά - toast

E. Neuters:

- το άνθος - flower
- το απόγευμα - afternoon
- το αυτί - ear
- το δάχτυλο - finger, toe
- το δευτερόλεπτο - second minute
- το καλοκαίρι - summer
- το κεφάλι - head
- το λουκάνικο - sausage
- το μάτι - eye
- το μεσημέρι - noon
- τα νέα - news
- το πιστολάκι - hair dryer
- το πρόγευμα - breakfast
- το αντικείμενο - object
- το αυγό - egg
- το βούτυρο - butter
- το δέντρο - tree
- το εξώφυλλο - book cover
- το καπέλο - hat
- το κορμί - body
- τα μαλλιά - hair
- τα μεσάνυχτα - midnight
- το μπάνιο - bath, bath room
- το πηγούνι - chin
- το πόδι - foot
- το πρωινό - morning, breakfast

το ρολόι - clock, watch   τα ρούχα - clothes
το στόμα - mouth   το σώμα - body
το τέταρτο - quarter   το τσάι - tea
το φθινόπωρο - autumn   το φλιτζάνι - cup
το φρύδι - eyebrow   το χαρτί - paper
τα χείλη - lips   το χέρι - hand

F. Adjectives:

άλλος - άλλη - άλλο - other, another
άσπρος - άσπρη - άσπρο - white
γαλάζιος - γαλάζια- γαλάζιο - blue
γαλανός - γαλανή- γαλανό - blue
διάφορος - διάφορη - διάφορο - different
ζεστός - ζεστή - ζεστό - warm, hot
θρεπτικός - θρεπτική - θρεπτικό - nutritious
ίδιος - ίδια - ίδιο - same
καστανός - καστανή - καστανό - brown
κόκκινος - κόκκινη- κόκκινο - red
μαύρος - μαύρη - μαύρο - black
μισός - μισή - μισό - half
νόστιμος - νόστιμη - νόστιμο - tasty
ολόασπρος - ολόασπρη - ολόασπρο - all white
πολύχρωμος - πολύχρωμη - πολύχρωμο - multi-colored
πράσινος - πράσινη - πράσινο - green
πρώτος - πρώτη - πρώτο - first
τελευταίος - τελευταία - τελευταίο - last
τηγανιτός - τηγανιτή - τηγανιτό - fried
πρωινός - πρωινή - πρωινό - morning (adj.)
μεσημεριανός - μεσημεριανή - μεσημεριανό - noon (adj.)
απογευματινός - απογευματινή - απογευματινό - afternoon
                                              (adj.)
βραδινός - βραδινή - βραδινό - evening (adj.)
νυχτερινός - νυχτερινή - νυχτερινό - night (adj.)

πρωινή εφημερίδα - morning paper
μεσημεριανό φαγητό - lunch
απογευματινός περίπατος - afternoon walk
βραδινή εφημερίδα - evening paper

βραδινό φαγητό - evening meal (dinner)
βραδινός περίπατος - evening walk

G. Review the names of the months.

H. Review the cardinal numbers .

I. Review the names of the colors.

J. Review the names of the days of the week and the names of
the seasons.

K. <u>Useful words:</u>

<u>ευχαρίστως</u> - with pleasure
Μου δίνετε ένα ποτήρι νερό, παρακαλώ;   -   Ευχαρίστως
Will you give me a glass of water, please?   -   With pleasure.
Μπορώ να έχω το βιβλίο σας, παρακαλώ;   -   Ευχαρίστως.
May I have your book, please?   -   With pleasure.

<u>επίσης</u> - also, same to you.
Χρόνια πολλά   -   Ευχαριστώ, επίσης.
Many happy returns   -   Thank you, same to you.
Καλά Χριστούγεννα   -   Ευχαριστώ, επίσης
Merry Christmas   -   Thank you, same to you.

<u>Μαζί</u>
Πηγαίνουμε μαζί στο σχολείο.   -   We go to school together.
Τρώμε μαζί -   We eat together

<u>πριν</u>
Έρχομαι στο σχολείο πριν τις οχτώ.   I come to school before eight.
Διαβάζω πριν το βραδινό φαγητό. - I study before dinner.

<u>Κατευθείαν</u>
Το λεωφορείο πηγαίνει κατευθείαν στο σχολείο.
The bus goes straight to the school.

<u>Κάποτε, πάντοτε, ποτέ</u> (Sometimes - always- never)

Κάποτε, το πρωί τρώγω δυο αυγά -   Sometimes in the morning I eat two eggs.

Πάντοτε το πρωί τρώγω δυο αυγά. -   Always in the morning I eat two eggs.

Ποτέ δεν τρώγω αυγά το πρωί. -   I never eat eggs in the morning.

<u>Πότε</u>; - when?

Πότε έρχεται το αεροπλάνο; - When does the plane arrive?

Πότε έγραψες το γράμμα; - When did you write the letter?

<u>Όταν</u> - when

Όταν τρώγω δεν μιλώ.   - When I eat I do not talk.

Όταν ερχόμαστε σπίτι το βράδυ   - When we come home in the
λέμε καλησπέρα.   evening we say good evening.

<u>Μέχρι</u> - until

Θα σε περιμένω μέχρι τις τρεις. -   I will be waiting for you until three o'clock.

Απο τις 10 Απριλίου μέχρι τις   - We do not have school from the tenth to
20 δεν έχουμε σχολείο.   the twentieth of April.

<u>Ούτε... ούτε</u>

Δεν έχουμε ούτε νερό, ούτε ψωμί. - We have neither water nor bread.

Είναι άρρωστος, ούτε τρώει,   - He is sick. He neither eats nor drinks.
ούτε πίνει.

<u>Προχτές, χτες, σήμερα, αύριο, μεθαύριο</u>

Προχτές ήταν Δευτέρα. - The day before yesterday was Monday.
Χτες ήταν Τρίτη. - Yesterday was Tuesday.
Σήμερα είναι Τετάρτη - Today is Wednesday.
Αύριο είναι Πέμπτη - Tomorrow is Thursday.
Μεθαύριο είναι Παρασκευή - The day after tomorrow is Friday.

<u>Τίποτε άλλο</u> - something else, nothing else
Θέλετε τίποτε άλλο; - Do you like something else?
Δε θέλω τίποτε άλλο - I do not want anything else.

τον χειμώνα - in the winter, during the winter
το καλοκαίρι - in the summer, during summer
το φθινόπωρο - in the autumn, during the autumn
την ημέρα (τη μέρα) - during the day

το βράδυ - in the evening, during the evening

τη νύχτα - at night, during the night, in the night

το πρωί - in the morning, during the morning

το μεσημέρι - at noon

Τον χειμώνα φορώ χειμωνιάτικα ρούχα.
In the winter I wear winter clothes.

Την ημέρα δε βλέπω τηλεόραση -
During the day I do not watch television.

Το μεσημέρι δεν τρώγω πολύ.
I do not eat much at noon.

Συνήθως διαβάζω την εφημερίδα το βράδυ.
Usually I read the paper in the evening.

LESSON TWENTY SECOND - ΜΑΘΗΜΑ ΕΙΚΟΣΤΟ ΔΕΥΤΕΡΟ

In lesson 22 you will learn:
1. About the family
2. The numbers from 70 to 200
3. The subjunctive

Μια οικογένεια

Α. Ανάγνωση

Ο κύριος Ανδρέας Μιχαηλίδης είναι <u>Ελληνο-αμερικανός</u>. Είναι <u>παντρεμένος</u>. Η γυναίκα του ονομάζεται Ελένη. Ο κύριος και η κυρία Μιχαηλίδη έχουν τρία παιδιά: τον Γιώργο, τη Μαρία και τον Γιαννάκη.

Ο κύριος Μιχαηλίδης <u>δουλεύει</u> σε ένα γραφείο. Το γραφείο είναι στο κέντρο <u>της πόλης</u>. Η κυρία Ελένη είναι <u>νοικοκυρά</u>. <u>Σαν</u> μητέρα που είναι, μένει στο σπίτι και κάνει τις <u>δουλειές</u> του σπιτιού. Το σπίτι έχει πολλή δουλειά.

Τα τρία παιδιά πηγαίνουν στο σχολείο. Ο Γιαννάκης, που είναι έντεκα <u>χρόνων</u>, πηγαίνει στο <u>δημοτικό σχολείο</u>. Είναι στην <u>έκτη</u> τάξη. Η Μαρία είναι δεκαπέντε χρόνων και πηγαίνει στο <u>γυμνάσιο</u>. Είναι στην <u>τετάρτη</u> τάξη.

Ο Γιώργος είναι δεκαεννέα χρόνων και πηγαίνει στο <u>πανεπιστήμιο</u>. Είναι <u>πρωτοετής</u> φοιτητής <u>της ιατρικής</u>

Ο κύριος Μιχαηλίδης είναι σαράντα πέντε χρόνων και η κυρία Ελένη σαράντα χρόνων. Η οικογένεια του κυρίου Μιχαηλίδη μένει σε μια μεγάλη πόλη της Αμερικής, τη Φιλαδέλφεια. Το σπίτι τους είναι ωραίο και μεγάλο. Είναι στη <u>λεωφόρο Ελευθερίας</u>. Ο αριθμός του σπιτιού είναι <u>157</u>.

Γύρω από το σπίτι είναι μια μεγάλη αυλή με πράσινο <u>*χορτάρι,*</u> <u>*δέντρα*</u> *και* <u>*λουλούδια.*</u>

B. VOCABULARY - ΛΕΞΙΛΟΓΙΟ

το γυμνάσιο - high school
το δημοτικό σχολείο - elementary school
η δουλειά - work, job
δουλεύω (1) - I work
το δέντρο - tree
η ελευθερία - liberty, freedom
ο Ελληνο-αμερικανός - Greek-American
η ιατρική - medical science
η λεωφόρος - avenue
η λεωφόρος Ελευθερίας - Liberty Avenue
το λουλούδι - flower
η νοικοκυρά - house wife
η οικογένεια - family
το πανεπιστήμιο - university
παντρεμένος - παντρεμένη - παντρεμένο - married
η πόλη - city, town
πρωτοετής φοιτητής - freshman
σαν - as, like
το χορτάρι (το χόρτο, το γκαζόν) - grass
πρώτη τάξη - first grade
δευτέρα τάξη - second grade
τρίτη τάξη - third grade
τετάρτη τάξη - fourth grade
πέμπτη τάξη - fifth grade
έκτη τάξη - sixth grade
το νηπιαγωγείο - kindergarten
το δημοτικό σχολείο - elementary school
το γυμνάσιο - high school
το κολλέγιο - college
το πανεπιστήμιο - university

More numbers:

εβδομήντα - seventy - 70
ογδόντα - eighty - 80
ενενήντα - ninety - 90
εκατό(ν) - one hundred - 100
εκατόν ένα - one hundred and one -101
εκατό δέκα- one hundred and ten - 110
εκατόν πενήντα - one hundred and fifty - 150
διακόσιοι- διακόσιες - διακόσια* - two hundred - 200
διακόσια δέκα - two hundred and ten -210
etc.

* The numerals are adjectives, therefore, as all adjectives, have three genders.

Χρόνων and χρονών
We may say either χρόνων or χρονών.
Είμαι είκοσι χρόνων (χρονών)
Το παιδί είναι δέκα χρόνων (χρονών)

C. GRAMMAR - ΓΡΑΜΜΑΤΙΚΗ
The Subjunctive

When we want to show purpose, intent, wish, etc. we use the sub-
junctive which is formed from the past simple tense without the
syllabic augment and in present tense endings. The subjunctive
is preceded by the conjunction **να**

Present tense	Past Simple	Subjunctive	
ακούω	άκουσα	να ακούσω	- that I may hear
ανοίγω	άνοιξα	να ανοίξω	- that I may open
βάζω	έβαλα	να βάλω	- that I may put
γράφω	έγραψα	να γράψω	that I may write
διαβάζω	διάβασα	να διαβάσω	- that I may read
έχω	είχα	να έχω	- that I may have
κάνω	έκαμα	να κάμω	- that I may make
λέγω	είπα	να πω	- that I may say
μαθαίνω	έμαθα	να μάθω	- that I may learn
μπαίνω	μπήκα	να μπω	- that I may enter

νομίζω	νόμισα	να νομίσω	that I may think
ξέρω	ήξερα	να ξέρω	that I may know
παίζω	έπαιξα	να παίξω	that I may play
παίρνω	πήρα	να πάρω	that I may take
πηγαίνω	πήγα	να πάω (να πάγω)	that I may go
πίνω	ήπια	να πιω	that I may drink
τρώγω	έφαγα	να φάγω	that I may eat
τρέχω	έτρεξα	να τρέξω	that I may run
φεύγω	έφυγα	να φύγω	that I may leave
απαντώ	απάντησα	να απαντήσω	that I may answer
μιλώ	μίλησα	να μιλήσω	that I may speak
μπορώ	μπόρεσα	να μπορέσω	that I may, that I be able
ευχαριστώ	ευχαρίστησα	να ευχαριστήσω	that I may thank
κάθομαι	κάθισα	να καθίσω	that I may sit

Examples of uses of verbs in the subjunctive:

Θέλω να πάρω ένα βιβλίο.	I want to take a book.
Μπορώ να έχω ένα ποτήρι νερό;	May I have a glass of water?
Δεν μπορώ να διαβάσω.	I cannot read.
Τι θέλετε να φάτε;	What do you wish to eat?
Πού θέλετε να πάτε;	Where do you want to go?
Γιατί θέλουν να φύγουν;	Why do they want to leave?
Μπορώ να σου μιλήσω;	May I talk to you?
Θέλω να σε ευχαριστήσω.	I want to thank you.
Μπορώ να καθίσω εδώ;	May I sit here?
Τι θέλετε να πιήτε;	What do you like to drink?
Τα παιδιά θέλουν όλο να παίζουν*-	The children continuously want to play.

* We use the present tense subjunctive to indicate a continuous action. Ex.: Θέλω να παίζω - I want to be playing. Θέλω να τρώγω - I want to be eating.

D. Questions based on the reading - (You will find the answers on the tape):
   1. Τι είναι ο κύριος Μιχαηλίδης;

2. Είναι παντρεμένος ο κύριος Μιχαηλίδης;
3. Πώς λένε τη γυναίκα του;
4. Πόσα παιδιά έχουν ο κύριος και η κυρία Μιχαηλίδη;
5. Πώς λένε τα παιδιά τους;
6. Πού δουλεύει ο κύριος Μιχαηλίδης;
7. Πού είναι το γραφείο του;
8. Τι δουλειά κάνει η κυρία Μιχαηλίδη;
9. Πόσων χρόνων είναι τα παιδιά;
10. Σε ποιο σχολείο πηγαίνει ο Γιαννάκης; Η Μαρία;
11. Τι σπουδάζει* ο Γιώργος;
12. Τι φοιτητής είναι;
13. Πόσων χρόνων είναι ο κύριος Μιχαηλίδης;
14. Πόσων χρόνων είναι η κυρία Ελένη;
15. Που μένει** η οικογένεια του κυρίου Μιχαηλίδη;
16. Ποιος είναι ο αριθμός του σπιτιού τους;
17. Σε ποια λεωφόρο είναι το σπίτι τους;
18. Σε ποια πόλη είναι το σπίτι τους;
19. Τι είναι γύρω από το σπίτι;
20. Τι έχει η αυλή του σπιτιού;

* σπουδάζω (1) - I study at a university ** μένω (1) - I stay, I live

E. CONVERSATION - ΣΥΝΟΜΙΛΙΑ

- Χαίρετε.	Good afternoon
- Χαίρετε.	Good afternoon.
- Πώς είστε;	How are you?
- Καλά, ευχαριστώ.	Fine, thank you.
- Κι εσείς, πώς είστε;	And how are you?
- Κι εγώ είμαι πολύ καλά, ευχαριστώ.	I am very well too, thank you.
- Πού πηγαίνεις;	Where are you going?
- Πηγαίνω στη δουλειά μου.	I go to my work.
- Τι δουλειά κάνετε;	What kind of work do you do?
- Είμαι <u>δικηγόρος</u>.	I am a <u>lawyer</u>.

- Που είναι το γραφείο σας;	Where is your office?
- Είναι στην πόλη.	It is in the city.
- Είστε παντρεμένος;	Are you married?
- Μάλιστα, είμαι.	Yes, I am.
- Έχετε παιδιά;	Do you have children?
- Μάλιστα, έχω.	Yes, I have.
- Πόσα παιδιά έχετε;	How many children do you have?
- Έχω τρία παιδιά.	I have three children.
- Είναι μεγάλα;	Are they old?
- Όχι, είναι μικρά.	No, they are young.
- Πόσων χρόνων είναι;	How old are they?
- Είναι εφτά, εννιά και	They are seven,
δώδεκα χρόνων	eight and twelve years old.
- Η γυναίκα σας δουλεύει;	Does your wife work?
- Όχι, αλλά δουλεύει	No, but she works at home.
στο σπίτι.	
Είναι νοικοκυρά.	She is a housewife.
- Πού ζείτε; - Πού μένετε;	Where do you live?
- Μένουμε έξω από την πόλη.	We live outside the city.
Μένουμε στα προάστεια.	We live in the suburbs.
- Έχετε δικό σας σπίτι;	Do you have your own house?
- Μάλιστα.	Yes.
- Είναι μεγάλο;	Is it big?
- Ούτε πολύ μεγάλο, ούτε	Neither too big nor
πολύ μικρό.	too small.
- Πότε το πήρατε; -	When did you buy it?
- Το πήραμε το 1970 (Χίλια	We bought it in 1970.
εννιακόσια εβδομήντα.)	
- Σας αρέσει η γειτονιά	Do you like your
σας;	neighborhood?
Πολύ.	Much.
- Είναι ήσυχη γειτονιά;	Is it a quiet neighborhood?
- Πολύ ήσυχη.	Very quiet.

LESSON TWENTY THREE - ΜΑΘΗΜΑ ΕΙΚΟΣΤΟ ΤΡΙΤΟ

In lesson 23 you will learn:
1. Weather terms and phrases
2. Some adverbs
3. The Future Simple Tense of verbs of the four conjugations

Ο καιρός

Α.ΑΝΑΓΝΩΣΗ

- Καλημέρα, Βασίλη!	- Good morning, Vasili!
- Καλημέρα, Μανώλη!	- Good morning Manoli!
- Από που <u>τηλεφωνάς;</u>	- Where are you calling from?
- Από την Αθήνα.	- I am calling from Athens.
- Πώς έτσι;	- How comes?
- Ήθελα να σου πω ένα "γεια σου".	- I just wanted to say "hello".
- Σε ευχαριστώ πολύ.	- Thank you very much.
- Πώς είσαι; Είσαι καλά;	- How are you? Are you well?
- Πολύ καλά.	- Very well!
- Και ο <u>καιρός</u>, πώς είναι εκεί;	- And the weather, how is it there?
- Θέλεις να μιλήσουμε για τον καιρό;	- Do you want to talk about the weather?
- Γιατί όχι;	- Why not?
- Εντάξει. Ο καιρός εδώ είναι <u>θαυμάσιος</u>.	- All right, the weather here is wonderful.
- <u>Κάνει κρύο;</u>	- Is it cold?
- Όχι <u>καθόλου</u>.	- Not at all.
- <u>Κάνει ζέστη;</u>	- Is it warm?
- Όχι, ούτε κρύο, ούτε ζέστη.	- No, neither cold, nor hot.
- Πώς είναι ο <u>ουρανός</u>;	- How is the sky?
- Πολύ <u>καθαρός</u>, <u>ολοκάθαρος</u>!	- Very clear, all clear.
- Έχει σύννεφα;	- Does it have clouds?
- Πώς να έχει σύννεφα αφού	- How can it have clouds if it is

είναι ολοκάθαρος.   all clear.
- Α! <u>ξέχασα</u>. Μου το είπες. - Ah! I forgot. You told me.
- <u>Μήπως</u> <u>βρέχει</u>;   - Is it raining?
- Όχι, τώρα δε <u>βρέχει</u>. Αλλά - No, now it is not raining. But it
έβρεχε χτες.   was raining yesterday.
- <u>Αλήθεια</u>; Κ' εδώ έβρεχε - Is it true? Yesterday it was raining
χτες.   here too.
Και ξέρεις;   - And do you know?
- Τι;   - What?
- Θα βρέξει και αύριο!   - It will rain tomorrow too!
- Αλήθεια;   - Is it true?
- Και <u>βέβαια</u> αλήθεια. Θα - Of course it is true. It will be
βρέχει και μεθαύριο όλη   raining also all day the day after
μέρα.   tomorrow.
- Σε <u>λυπάμαι, καημένε</u>! - I feel sorry for you, poor soul!
- Γιατί με λυπάσαι;   - Why do you feel sorry for me?
- Γιατί ξέρω πως δεν σου - Because I know that you don't like
αρέσει η βροχή.   rain.
- Ποιος σου <u>το είπε (το 'πε)</u>; - Who told you?
- Εσύ ο ίδιος.   - You, yourself.
- Πότε σου <u>το' πα (το είπα)</u>; - When did I tell you?
- Κάποτε.   - Sometime.
- Μπορεί.   - It is possible!
- Θέλω να σου πω και κάτι - I want to tell you something
άλλο.   else.
- Τι;   - What?
- Η βροχή μπορεί να γίνει - The rain may turn into snow.
<u>χιόνι</u>.
- Χιόνι;   - Snow?
- Ναι, χιόνι, <u>δηλαδή θα</u> - Yes, snow, in other words
<u>χιονίσει</u>.   it will snow!
- Γιατί;   - Why?
- Τι πάει να πει γιατί! <u>Αν</u> η - What do you mean why! If the
<u>θερμοκρασία</u> <u>πέσει</u>, τότε η   temperature drops the rain will
βροχή θα γίνει χιόνι.   become snow.

Greek	English
΄- Ωραία! Και ο <u>ήλιος</u> τι κάνει;	- Beautiful! And the sun, what is he doing?
Ο ήλιος είναι <u>κρυμένος</u> <u>πίσω</u> από τα <u>σύννεφα</u>.	- The sun is hidden behind the clouds.
- Και δεν του λες να βγει;	- Why don't you tell him to come out?
- Έλα, ας αφήσουμε τα <u>αστεία</u>! Τι άλλο θα μου πεις για τον καιρό;	- Let's leave the jokes! What else are you going to tell me about the weather?
- Θέλεις κι άλλα;	- Do you want more?
- Αν έχεις κι άλλα, θα χαρώ να τα ακούσω.	- If you have more I will be glad to hear it.
- Λοιπόν, άκουσε. Πιθανό να <u>φυσά</u> και <u>δυνατός</u> <u>αέρας</u>.	- Well, hear! It is possible that a strong wind will be blowing.
- <u>Κρύος</u> ή <u>ζεστός</u> αέρας;	- Cold or warm air?
- Και βέβαια κρύος, αφού θα χιονίζει.	- Of course cold, since it will be snowing.
- Δε νομίζεις πως είπαμε <u>αρ- κετά</u>;	- Don't you think we have said enough?
- <u>Πραγματικά</u>. Αύριο πάλι.	- Indeed. Tomorrow again.
- Γεια σου!	- Good bye!

B. VOCABULARY - ΛΕΞΙΛΟΓΙΟ

1. <u>Nouns- ουσιαστικά:</u>
   ο αέρας - air, wind
   η αλήθεια - truth
   το αστείο - joke
   ο ήλιος - sun
   η θερμοκρασία - temperature
   ο καιρός - weather
   ο ουρανός - sky
   το σύννεφο - cloud
   το χιόνι - snow

2. <u>Adjectives - επίθετα*</u>
   ο αρκετός - η αρκετή το αρκετό = enough

ο αστείος - η αστεία - το αστείο = funny
ο δυνατός - η δυνατή - το δυνατό = strong
ο ζεστός - η ζεστή- το ζεστό = warm, hot
ο θαυμάσιος - η θαυμάσια - το θαυμάσιο = wonderful
ο καθαρός - η καθαρή - το καθαρό = clean, clear
ο κρυμμένος - η κρυμμένη - το κρυμμένο = hidden
ο κρύος - η κρύα - το κρύο = cold
ο ολοκάθαρος - η ολοκάθαρη - το ολοκάθαρο = very clean,
                                                very clear

* Adjectives have three genders, masculine, feminine and neuter and three endings, one for each gender.
The most common endings are:
   -ος, -η, -ο and -ος - α, -ο.
Adjectives agree with the noun they qualify in number, gender and case. Ex.:

Ο καθαρός ουρανός - the clear sky (both words are masculine, in the nominative case, singular number)

Βλέπω τον καθαρό ουρανό - I see the clear sky. (Both are masculine, singular number in the accusative case).

Φυσά δυνατός αέρας - A strong wind is blowing. (Noun and adjective in the nominative case, singular number)

Οι καλές μητέρες - The good mothers (Noun feminine, adjective feminine, both in the plural number, nominative case).

Τους δυνατούς ανθρώπους - The strong men (Noun and adjective, masculines, in the accusative case, plural number)

3. Verbs - Ρήματα
   λυπάμαι or λυπούμαι (4)   I feel sorry
   ξεχνώ (2) - I forget
   πέφτω (1) - I fall
   τηλεφωνώ (2,3) - I telephone, I call
   φυσώ (2) - I blow
   χαίρομαι (4) - I rejoice, I am glad

4. Adverbs - Επιρρήματα

αλήθεια - truly, really (Αλήθεια is a noun but it may be used as an adverb too)

βέβαια - of course
δηλαδή - in other words, that is
καθόλου - not at all
πραγματικά - indeed, really
ωραία - fine, beautiful, good

Examples of uses of the above adverbs:

Ξέρεις ότι χτες είδα κάτι - Do you know that yesterday I
  παράξενο;   saw something strange?
Αλήθεια;   - Really?

Ξέρεις τι λέει;   - Do you know what he says?
Βέβαια, ξέρω.   - Of course, I know.

Ο ουρανός είναι συννεφιασμένος, δηλαδή έχει σύννεφα.
The sky is cloudy, in other words, it has clouds.
Δεν έβρεξε καθόλου - It did not rain at all.

Πραγματικά, θα πας το καλοκαίρι στην Ελλάδα;
Are you really going to Greece in the summer?
Ξέρω το μάθημά μου - I know my lesson.
Ωραία.   - Fine.

C. Weather terms and phrases:

η βροχή - rain
βρέχει - it rains
έβρεξε - it rained
θα βρέχει - it will be raining
θα βρέξει - it will rain
ξημερώνει - it is dawning, the day breaks
νυχτώνει - night is coming

χιονίζει - it snows
χιόνιζε - it was snowing
χιόνισε - it snowed
θα χιονίσει - it will snow
βραδιάζει - it is getting dark

ο αέρας - air, wind

ο άνεμος - wind

φυσά αέρας - it is windy, the wind blows

αστράφτει - it is lightning

βροντά - it is thundering

it is cold - κάνει κρύο

it is warm - κάνει ζέστη

it is humid - κάνει (έχει) υγρασία

it is a hot day - είναι ζεστή μέρα

it is a cold day - είναι κρύα μέρα

C. GRAMMAR - ΓΡΑΜΜΑΤΙΚΗ

The Future Simple Tense

It describes an action which will take place in the future.

To form this tense we use the particle **θα** and the past subjunctive of the verb.

Γράφω past simple subjunctive γράψω

Future Simple Tense: **θα γράψω** - **I shall write**

παίζω	past simple subjunctive	**παίξω**	future	θα παίξω	- I shall play
λέγω		πω		θα πω	- I shall say
τρέχω		τρέξω		θα τρέξω	- I shall run
αγαπώ		αγαπήσω		θα αγαπήσω	- I shall love
κάθομαι		καθίσω		θα καθίσω	- I shall sit

D. A short reading in the present tense:

Είναι χειμώνας. Μήνας Ιανουάριος. Έξω κάνει πολύ κρύο. Ο ουρανός είναι συννεφιασμένος.

Αρχίζει να χιονίζει. Το χιόνι πέφτει σιγά και μαλακά και σκεπάζει τους δρόμους, τις αυλές, τα αυτοκίνητα, τα σπίτια και τα δέντρα. Τι όμορφα που είναι όλα!

Τα παιδιά χαίρονται πολύ. Τους αρέσει πολύ το χιόνι. Γι αυτό, μόλις το βλέπουν, φορούν χοντρά ρούχα και τρέχουν έξω. Κάνουν ένα χιονάνθρωπο και παίζουν χιονοπόλεμο.

The same reading in the past tenses:

Ήταν χειμώνας. Μήνας Ιανουάριος. Έξω έκανε πολύ κρύο. Ο ουρανός ήταν συννεφιασμένος.

Άρχισε να χιονίζει. Το χιόνι έπεφτε σιγά και μαλακά και σκέπαζε τους δρόμους, τις αυλές, τα αυτοκίνητα, τα σπίτια και τα δέντρα. Τι όμορφα που ήταν όλα!

Τα παιδιά χαίρονταν πολύ. Τους άρεσε πολύ το χιόνι. Γι αυτό, <u>μόλις</u> το είδαν, φόρεσαν χοντρά ρούχα και έτρεξαν έξω. Έκαμαν έναν χιονάνθρωπο και έπαιξαν χιονοπόλεμο.

The same reading in future tenses:

Θα είναι χειμώνας. Μήνας Ιανουάριος. Έξω θα κάνει πολύ κρύο. Ο ουρανός θα είναι συννεφιασμένος.

Θα αρχίσει να χιονίζει. Το χιόνι θα πέφτει σιγά και μαλακά και θα σκεπάζει τους δρόμους, τις αυλές, τα αυτοκίνητα, τα σπίτια και τα δέντρα.

Τι όμορφα που θα είναι όλα!
Τα παιδιά θα χαρούν πολύ. Θα τους αρέσει πολύ το χιόνι. Γι αυτό, μόλις θα το δουν, θα φορέσουν χοντρά ρούχα και θα τρέξουν έξω. Θα κάμουν έναν χιονάνθρωπο και θα παίξουν χιονοπόλεμο.

E. *Answer the following questions:*
  1. Τι εποχή είναι τώρα;
  2. Τι μήνας είναι;
  3. Τι κάνει έξω;
  4. Πώς είναι ο ουρανός;
  5. Πώς πέφτει το χιόνι;
  6. Τι σκεπάζει το χιόνι;
  7. Πώς είναι τα σπίτια, οι δρόμοι, τα αυτοκίνητα;
  8. Πώς είναι τα παιδιά
  9. Τι φορούν τα παιδιά;
  10. Πού τρέχουν τα παιδιά;
  11. Τι κάνουν τα παιδιά;
  12. Τι παίζουν στο χιόνι;

LESSON TWENTY FOUR - ΜΑΘΗΜΑ ΕΙΚΟΣΤΟ ΤΕΤΑΡΤΟ

In this lesson you will learn:
  1. About the house and its rooms
  2. How to decline a noun accompanied by an adjective
  3. How to form the comparative degree of adjectives
  4. Some adverbs of place
  5. The elision
  6. The five tenses of some verbs

Ένα σπίτι

Α. Ανάγνωση

Η δασκάλα κάνει μάθημα στα <u>ελληνικά</u> για το σπίτι. Δείχνει μια <u>φωτογραφία</u> και λέει:" Αυτό είναι ένα σπίτι. Καθώς βλέπετε, το σπίτι έχει δυο <u>πατώματα</u>, πρώτο και δεύτερο πάτωμα.

<u>Μπροστά</u> το σπίτι έχει μια πόρτα και τέσσερα παράθυρα. Η πόρτα είναι μεγάλη, τα παράθυρα είναι μικρά.

Μπαίνουμε στο σπίτι. Αυτός είναι ένας <u>διάδρομος</u>, το χωλ. <u>Δεξιά</u> είναι η <u>τραπεζαρία</u> και <u>αριστερά</u> <u>η σάλα</u>. Στο <u>πίσω</u> μέρος είναι <u>η κουζίνα</u>.

Μια <u>σκάλα</u> <u>φέρνει</u> από το πρώτο στο δεύτερο πάτωμα. Η σκάλα έχει πολλά <u>σκαλιά</u>.

<u>Ανεβαίνουμε</u> στο δεύτερο πάτωμα. Σ ' αυτό

βρίσκονται τέσσερις <u>κρεβατοκάμαρες</u>. Μια κρεβατοκάμαρα είναι μεγάλη, οι άλλες είναι <u>πιο μικρές</u>. Στον διάδρομο είναι ένα μεγάλο <u>μπάνιο</u> (μια <u>τουαλέτα</u>).

<u>Κατεβαίνουμε</u> στο πρώτο πάτωμα. Μια άλλη σκάλα μας φέρνει στο <u>υπόγειο</u>. Εδώ υπάρχει ένα μεγάλο δωμάτιο.

Γύρω από το σπίτι είναι μια αυλή. Η αυλή έχει πολλά δέντρα και λουλούδια. Είναι σκεπασμένη με πράσινο, δροσερό χορτάρι.

B. VOCABULARY - ΛΕΞΙΛΟΓΙΟ

ανεβαίνω (1) - I climb up, I ascend, I go up
δεξιά - right
ο διάδρομος - hall
ελληνικά - Greek
κατεβαίνω (1) - I go down, I descend
η κουζίνα - kitchen
η κρεβατοκάμαρα - bedroom
μικρός - small, πιο μικρός - smaller
το μπάνιο - bathroom
μπροστά - in front, forward
το πάτωμα - floor
πίσω - back, backward
η σάλα - living room
η σκάλα - stairway
το σκαλί - step
η τουαλέτα - bathroom
η τραπεζαρία - dining room
το υπόγειο - basement
φέρνω (1) I bring
η φωτογραφία - photograph

C. ΓΡΑΜΜΑΤΙΚΗ - GRAMMAR

1. A masculine adjective ending in <u>ος</u> is declined as a noun of the same ending. A feminine adjective ending in -<u>α</u> or -<u>η</u> is declined as the feminine nouns of same endings. And a neuter adjective ending in -<u>ο</u> is declined as a neuter noun ending in -<u>ο</u>.

ο καλός άνθρωπος	η καλή γυναίκα	το καλό βιβλίο
του καλού ανθρώπου	της καλής γυναίκας	του καλού βιβλίου
τον καλό άνθρωπο	την καλή γυναίκα	το καλό βιβλίο
οι καλοί άνθρωποι	οι καλές γυναίκες	τα καλά βιβλία
των καλών ανθρώπων	των καλών γυναικών	των καλών βιβλίων
τους καλούς ανθρώπους	τις καλές γυναίκες	τα καλά βιβλία

2. Adjectives form the comparative degree in two ways:
   a. by taking in front the adverb <u>πιο</u>
   b. by adding to their stem, if they end in -ος, the endings -ότερος for the masculine, -ότερη for the feminine and -ότερο for the neuter. If they end in -υς the endings are -ύτερος, -ύτερη, ύτερο.

Positive degree		Comparative degree
ωραίος - beautiful	πιο ωραίος or	ωραιότερος - more beautiful
ωραία - beautiful	πιο ωραία	ωραιότερη - more beautiful
ωραίο - beautiful	πιο ωραίο	ωραιότερο - more beautiful
μικρός - small	πιο μικρός or	μικρότερος - smaller
μικρή	πιο μικρή	μικρότερη
μικρό	πιο μικρό	μικρότερο
γλυκύς - sweet	πιο γλυκύς or	γλυκύτερος sweeter
γλυκιά	πιο γλυκιά	γλυκύτερη
γλυκό	πιο γλυκό	γλυκύτερο

Two adjectives <u>μεγάλος</u> and <u>καλός</u> take -ύτερος instead of -ότερος:

μεγάλος large   πιο μεγάλος, μεγαλύτερος - larger

μεγάλη   πιο μεγάλη, μεγαλύτερη
μεγάλο   πιο μεγάλο, μεγαλύτερο

καλός - good   πιο καλός, καλύτερος = better
καλή   πιο καλή, καλύτερη
καλό   πιο καλό, καλύτερο

Examples:

Ο Ανδρέας είναι <u>καλός</u> στα μαθήματα, μα ο Γιώργος είναι <u>πιο καλός (καλύτερος)</u>. - Andrew is good in his lessons but George is better.

Η Ελένη είναι <u>ωραία</u>, μα η Μαρία είναι <u>πιο ωραία (ωραιότερη)</u> Helen is beautiful but Maria is more beautiful.

Το αυτοκίνητό μου είναι <u>μικρό,</u> αλλά το αυτοκίνητό σου είναι <u>πιο μικρό (μικρότερο).</u> My car is small but your car is smaller.

3. **The names of the tenses in Greek:**
Present Tense - Ενεστώτας
Past Continuous Tense (Imperfect) - Παρατατικός
Past Simple Tense (Aorist) - Αόριστος
Future Continuous Tense - Εξακολουθητικός Μέλλοντας
Future Simple Tense - Στιγμιαίος Μέλλοντας
(There are three more tenses which we will study in later lessons)

<u>Note</u>: *The names of the tenses are abbreviated as follows:*
Present tense - P,   *Ενεστώτας = Ε*
Past Continuous - P.C., Παρατατικός = Π
Past Simple - P.S., Αόριστος = Α
Future Continuous - F.C., Εξακολουθητικός Μέλλοντας = E.M.
Future Simple - F.S. , Στιγμιαίος Μέλλοντας = Σ.Μ.

In the lesson above we find the following verbs:
<u>ανεβαίνω</u>   <u>κατεβαίνω</u>   <u>φέρνω</u>
Following are their tenses:

P.	ανεβαίνω	κατεβαίνω	φέρνω
P.C.	ανέβαινα	κατέβαινα	έφερνα
P.S.	ανέβηκα	κατέβηκα	έφερα
F.C.	θα ανεβαίνω	θα κατεβαίνω	θα φέρνω
F.S.	θα ανεβώ	θα κατεβώ	θα φέρω

4. Some adverbs of place:

μπροστά - in front, forward   δεξιά - right

πίσω - back, backward   αριστερά - left

πάνω - up   από πάνω - from above

κάτω - down   από κάτω - from below

ψηλά - high   εδώ - here

χαμηλά - low   εκεί - there

απ ' εδώ* - from here   έξω - out

απ ' εκεί* - from there   μέσα - in, inside

---

* *The short final vowel of certain words , like* **από, και, τα** *is dropped when the next word begins with a vowel . An apostrophe (') marks the omission . . This grammatical phenomenon is called elision.*

από εδώ = απ ' εδώ, από εκεί = απ ' εκεί

και εγώ = κι εγώ (και becomes κι, no apostrophe)

τα άλλα = τ ' άλλα

D. CONVERSATION - ΣΥΝΔΙΑΛΕΞΗ

- Καλημέρα, κύριε Αγγελίδη!   - *Good morning, Mr. Aggelides.*
- Καλημέρα, κύριε Δημητριάδη!   - *Good morning, Mr. Demetriades.*
- Άκουσα πως <u>αγοράσατε καινούριο</u> σπίτι.   - *I heard that you bought a new house.*
- Ναι, το σπίτι που είχαμε ήταν μικρό γι αυτό <u>αποφασίσαμε</u> να αγοράσουμε ένα πιο μεγάλο.   - *Yes, the house we had was small, so we decided to buy a bigger one.*
- Σας αρέσει το καινούριο σπίτι;   - *Do you like the new house?*
- Πολύ.   - *Very much.*

- Πού είναι το σπίτι;	- Where is the house?
- Στην οδό Ποσειδώνος.	- On Poseidon Street.
- Είναι μεγάλο σπίτι;	- Is it a big house?
- <u>Αρκετά</u> μεγάλο.	- Big enough.
- Πόσα δωμάτια έχει;	- How many rooms does it have?
- Έχει οχτώ δωμάτια.	- It has eight rooms.
- Πόσες κρεβατοκάμαρες;	- How many bedrooms?
- Έχει τέσσερις κρεβατοκάμαρες.	- It has four bedrooms.
- Και πόσα μπάνια;	- And how many bathrooms?
- Έχει τρία μπάνια.	- It has three bathrooms.
- Η αυλή πώς είναι;	- The yard, how is it?
- Είναι μεγάλη με πολλά δέντρα, ωραίους <u>θάμνους</u> και λουλούδια.	- It is big with many trees, beautiful bushes and flowers.
- Μα πες μου είναι καινούριο το σπίτι ή μερικών χρόνων.;	- Tell me is the house new or some years old?
- Είναι καινούριο. Μολις <u>τέλειωσε</u>.	- It is new. It was just finished.
- Χαίρομαι πολύ, γιατί <u>βρήκατε</u> τέτοιο ωραίο σπίτι.	- I am very glad you found such a nice house.

New words - Νέες λέξεις

αγοράζω (1) - I buy
αποφασίζω (1) - I decide
αρκετ -ός -ή, -ό - plenty
καινούριος - καινούρια - καινούριο - new
βρίσκω (1) - I find
ο θάμνος - bush
τελειώνω (1) - I finish
η λέξη - the word

LESSON TWENTY FIVE - ΜΑΘΗΜΑ ΕΙΚΟΣΤΟ ΠΕΜΠΤΟ

In lesson 25 :
1. You will learn the names of the rooms and the names of the furniture in a house
2. You will review the names of the colors
3. You will learn the names of different shapes
4. You will read a comic anecdote
5. You will learn the tenses of some new verbs introduced in the lesson

Τα δωμάτια και τα έπιπλα του σπιτιού

Α. ΑΝΑΓΝΩΣΗ

Πηγαίνουμε πίσω στο σπίτι. Μπαίνουμε στη σάλα. Η σάλα έχει <u>έπιπλα</u>: ένα μεγάλο <u>καναπέ</u>, και δυο μικρότερους, δυο <u>λάμπες</u>, δυο <u>τραπεζάκια,</u> μια ωραία <u>ζωγραφιά</u>, κι ένα <u>καθρέπτη</u>, <u>κρεμασμένο</u> στον τοίχο. Το πάτωμα είναι σκεπασμένο με ένα <u>ροζ</u> χαλί. Τα παράθυρα έχουν <u>κουρτίνες</u>.

Μετά ερχόμαστε στην τραπεζαρία. Εκεί είναι ένα μεγάλο <u>στρογγυλό</u> τραπέζι με έξι καρέκλες κι ένα μεγάλο <u>μπουφέ</u>.
Στα παράθυρα υπάρχουν κουρτίνες και στο πάτωμα χαλί. Ωραίες ζωγραφιές με <u>φρούτα</u> και <u>τοπία</u> <u>στολίζουν</u> τους τοίχους.

Μπαίνουμε ύστερα στην κουζίνα. Εδώ υπάρχει ένα <u>ψυγείο</u>, μια <u>ηλεκτρική κουζίνα</u>, ένα <u>πλυντήριο πιάτων</u> κι ένα τραπέζι με έξι καρέκλες. Στον τοίχο είναι <u>ντουλάπια</u>.

Ανεβαίνουμε στο δεύτερο πάτωμα. Εκεί είναι οι κρεβατοκάμαρες. Οι κρεβατοκάμαρες έχουν <u>κρεβάτια</u>, <u>λάμπες</u>, χαλιά, κουρτίνες, <u>κομμοδίνα</u> και <u>κομμά</u>. Τα κρεβάτια έχουν <u>σεντόνια</u>, <u>μαξιλάρια</u> και <u>κουβέρτες</u>.

B. VOCABULARY - ΛΕΞΙΛΟΓΙΟ

το έπιπλο - furniture
η ζωγραφιά - painting
η ηλεκτρική κουζίνα - electric stove
ο καθρέπτης - mirror
ο καναπές - couch
το κομμό - chest of drawers, dresser
το κομμοδίνο - night table
το κρεβάτι - bed
κρεμασμένος - κρεμασμένη - κρεμασμένο - hanging
η κουβέρτα = blanket
η κουρτίνα - curtain
η λάμπα - lamp
το μαξιλάρι - pillow
ο μπουφές - chest
το ντουλάπι - cupboard
το πλυντήριο πιάτων - dishwasher
ροζ - pink
το σεντόνι - sheet
στολίζω (1) - I decorate
στρογγυλός - στρογγυλή - στρογγυλό - round
τοπίο - view, landscape
το τραπεζάκι - small table
το φρούτο - fruit
το χαλί - carpet

C. Words in this lesson and their use in sentences:

Ένα σπίτι έχει έπιπλα -   A house has furniture.
Ο καναπές είναι ένα έπιπλο. - The couch is a piece of furniture.
Ο μπουφές είναι ένα έπιπλο -   The chest is a dining room furniture.
της τραπεζαρίας.
Τα κρεβάτια, τα κομμά και τα   -   The beds, the dressers and the chests
κομμοδίνα είναι έπιπλα της   are bedroom furniture.
κρεβατοκάμαρας.

ένας καναπές - δυο καναπέδες - πολλοί καναπέδες
one couch   two couches   many couches
μια ζωγραφιά - δυο ζωγραφιές - πολλές ζωγραφιές
one painting   two paintings   many paintings
ένας πίνακας - δυο πίνακες - πολλοί πίνακες
one painting   two paintings   many paintings
μια λάμπα - δυο λάμπες - πολλές λάμπες
one lamp   two lamps   many lamps

Το πλυντήριο των πιάτων - dishwasher
Το πλυντήριο των ρούχων - washer (for the clothes)
Το πλυντήριο αυτοκινήτων - car wash

Μια φωτογραφία κρεμασμένη στον τοίχο
A picture hanging on the wall.
Δυο φωτογραφίες κρεμασμένες στον τοίχο.
Two photographs hanging on the wall.
Ένας πίνακας κρεμασμένος στον τοίχο.
A painting hanging on the wall.
Ένα φως κρεμασμένο στον τοίχο.
A light hanging on the wall.
Δυο φώτα κρεμασμένα στην πόρτα.
Two lights hanging on the door.

Ένα   ροζ   χαλί   pink
       κόκκινο   red
       κίτρινο   yellow
       άσπρο   white
       καφέ   brown
       μπλε   blue
       πράσινο   green
       πορτοκαλί   orange

Ένα στρογγυλό τραπέζι - a round table
Ένα τραπέζι τετράγωνο - a square table
Ένα τραπέζι οβάλ - an oval table
Ένα εξάγωνο - a hexagon shape
Ένα οκτάγωνο - an octagon
Ένα πεντάγωνο - a pentagon
Ένα τρίγωνο - a triangle

D.An Anecdote - Ένα ανέκδοτο

Ένας <u>περίεργος</u> <u>τύπος</u> μπαίνει σ' ένα <u>μπαρ</u>. <u>Παραγγέλνει</u> μια <u>τυρόπιτα</u>. Έρχεται η τυρόπιτα.

- Πόσο κάνει, ρωτάει;
- Εκατό δραχμές, λέει το <u>γκαρσόνι</u>.
- Το ποτήρι η <u>μπύρα,</u> πόσο κάνει;
- Εκατό δραχμές, απαντάει το γκαρσόνι.
- Μπορείτε να μου <u>αλλάξετε</u> την τυρόπιτα με μια μπύρα; <u>ξαναρωτάει</u> ο παράξενος τύπος.
- Ευχαρίστως, απαντά το γκαρσόνι.

Παίρνει την τυρόπιτα και του φέρνει μια μπύρα. Την πίνει ο περίεργος τύπος και φεύγει. Το γκαρσόνι τρέχει πίσω του και τον <u>προφτάνει</u> στο <u>πεζοδρόμιο</u>.

- Δεν <u>πληρώσατε</u> την μπύρα, του λέει.
- Μα δεν μου τη φέρατε <u>έναντι</u> της τυρόπιτας, που σας έδωσα πίσω; λέει ο τύπος.
- Μα δεν πληρώσατε την τυρόπιτα, φωνάζει το γκαρσόνι.
- Γιατί να σας την πληρώσω; Την έφαγα; ρωτάει <u>έκπληκτος</u> ο τύπος.

<u>Vocabulary of the above reading:</u>
ο περίεργος τύπος - strange man, strange type
το μπαρ - bar
παραγγέλνω (1) - I order
η τυρόπιτα - cheese pie
το γκαρσόνι - waiter
η μπύρα - beer
αλλάζω - I exchange
ξαναρωτάω (1) - I ask again
προφταίνω (1) - I catch up
το πεζοδρόμιο - sidewalk
πληρώνω (1) - I pay

έναντι - towards, in the place of

έπληκτ¯ος, ¯η, ¯ο - surprised

Tenses of verbs in the above reading:

παραγγέλνω (1) ¯ παράγγελνα ¯ παράγγειλα ¯ θα παραγγέλνω, θα παραγγείλω

έρχομαι (4) ¯ ερχόμουν ¯ ήρθα (ήλθα) ¯ θα έρχομαι ¯ θα έρθω ¯

ξαναρωτάω (ξαναρωτώ) (2) ¯ ξαναρωτούσα ¯ ξαναρώτησα θα ξαναρωτάω ¯ θα ξαναρωτήσω ¯

προφταίνω (1) ¯ πρόφταινα ¯ πρόφτασα ¯θα προφταίνω ¯ θα προφτάσω

E. Answer the following questions from the above story: (The correct answers will be given on the tape)

1. Ποιος μπαίνει σ' ένα μπαρ;
2. Τι παραγγέλνει ο περίεργος τύπος;
3. Πόσο κάνει η τυρόπιτα;
4. Πόσο κάνει η μπύρα;
5. Τι ζητά (asks) ο περίεργος τύπος από το γκαρσόνι;
6. Τι κάνει ύστερα το γκαρσόνι;
7. Πότε φεύγει ο περίεργος τύπος;
8. Γιατί τρέχει το γκαρσόνι πίσω από τον περίεργο τύπο;
9. Πού προφτάνει το γκαρσόνι τον περίεργο τύπο;
10. Τι λέει το γκαρσόνι στον περίεργο τύπο;
11. Τι λέει ο περίεργος τύπος στο γκαρσόνι;

LESSON TWENTY SIX - ΜΑΘΗΜΑ ΕΙΚΟΣΤΟ ΕΚΤΟ

In lesson 26 you will learn:
1. The names of the fruit
2. The conjugation of the verb χρειάζομαι (4) in the five tenses
3. The tenses of the vebs αγοράζω and βρίσκω
4. The comparative degree of the adjective πολύς

Τα φρούτα

Α. Ανάγνωση

- Παιδιά, πάμε στην <u>αγορά;</u> ρωτάει ο πατέρας.
- Τι θα κάμουμε στην αγορά, πατέρα;

- Θα αγοράσουμε μερικά <u>φρούτα</u>. Πάμε;
- Πάμε. Μα πώς θα πάμε;
- Θα πάμε με το αυτοκίνητο. Η αγορά είναι μακριά από το σπίτι και δεν μπορούμε <u>να πάμε με τα πόδια.</u>

- Πότε θα φύγουμε;
- <u>Τώρα αμέσως.</u>

- Τι φρούτα θα αγοράσουμε;
- Απ' όλα τα φρούτα. Η αγορά τώρα έχει απ' όλα. Είναι καλοκαίρι και ξέρετε ότι το καλοκαίρι βγαίνουν πολλά φρούτα. Θα πάρουμε <u>όμως</u> αυτά που μας αρέσουν <u>περισσότερο.</u>
- Σαν τι φρούτα, πατέρα;
- Νά, ωραία, <u>ζουμερά</u> και <u>γλυκά</u> <u>σταφύλια</u>, κόκκινα <u>κεράσια</u>, μεγάλες, γλυκές <u>φράουλες.</u>
- Υπάρχουν τώρα <u>καρπούζια</u> στην αγορά;
- Νομίζω πώς βγήκαν και τα καρπούζια. Μπορούμε να πάρουμε ένα, πατέρα;
- Αν υπάρχουν θα πάρουμε ένα μεγάλο. Τώρα η αγορά έχει <u>πεπόνια</u>, <u>σύκα</u>, <u>βερύκοκα</u> και ροδάκινα, . Υπάρχουν ακόμα <u>αχλάδια</u> και <u>μήλα.</u>

- Αν βρούμε πορτοκάλια θα πάρουμε μερικά. Αλλά νομίζω πώς τώρα δεν έχει πορτοκάλια. Τα πορτοκά-λια, όπως και τα μανταρίνια, είναι χειμερινά φρούτα. Η μαμά σας χρειάζεται και μερικά λεμόνια. Θέλει, τώρα το καλοκαίρι, να κάνει λεμονάδες, που δροσίζουν.

- Εγώ θα φάω όλα τα σταφύλια, γιατί μου αρέσουν πολύ, λέει ο Γιαννάκης.
- Κι εγώ όλο το καρπούζι, λέει η Μαρία. Είναι πολύ ωραίο!

- Εντάξει, παιδιά, λέει ο πατέρας, πηγαίνουμε τώρα στην αγορά, και, όταν γυρίσουμε, μπορείτε να φάτε όσα φρούτα θέλετε.

Β. ΛΕΞΙΛΟΓΙΟ

τα φρούτα - the fruit
η αγορά - market
αμέσως - immediately
το αχλάδι, το απίδι - pear
τα κεράσια - cherries
το βερύκοκο - apricot
δροσίζω (1) - I refresh
το λεμόνι - lemon
γυρίζω (1) - I return
η λεμονάδα - lemonade
το καρπούζι - watermelon
το μανταρίνι - tangerine
η μπανάνα - banana
το μήλο - apple
όμως - but, however
το πεπόνι - cantaloupe
το πορτοκάλι - orange
το ροδάκινο - peach
το σύκο - fig
να πάμε με τα πόδια - we will go on foot
τα σταφύλια - grapes
η φράουλα - strawberry
χρειάζομαι (4) - I need

2. Verbs - ρήματα

αγοράζω (1) - I buy
αγόραζα - I was buying
αγόρασα - I bought
θα αγοράζω - I shall be buying
θα αγοράσω - I shall buy

βρίσκω (1) - I find
έβρισκα - I was finding
βρήκα - I found
θα βρίσκω - I shall be finding
θα βρω - I shall find

Conjugation of the verb χρειάζομαι

Present tense

χρειάζομαι - I need
χρειάζεσαι - you need
χρειάζεται - he needs
χρειαζόμαστε - we need
χρειάζεστε - you need
χρειάζονται - they need

Past Continuous

χρειζόμουν - I was in need
χρειαζόσουν
χρειαζόταν
χρειαζόμαστε
χρειαζόσαστε
χρειάζονταν

Past Simple

χρειάστηκα - I needed
χρειάστηκες
χρειάστηκε
χρειαστήκαμε
χρειαστήκατε
χρειάστηκαν

Future Continuous

θα χρειάζομαι I will be needing
θα χρειάζεσαι
θα χρειάζεται
θα χρειαζόμαστε
θα χρειάζεστε
θα χρειάζονται

Furue Simple

θα χρειαστώ - I shall need
θα χρειαστείς
θα χρειαστεί
θα χρειαστούμε
θα χρειαστείτε
θα χρειαστούν

ρωτώ(2) and ρωτάω (1)- Verbs in the second conjugation have a second form ending in -ω , as if they were verbs of the first conjugation.

Conjugation of the present tense of both forms:

ρωτώ	ˉ	ρωτάω	ˉ	I ask
ρωτάς			ˉ	you ask
ρωτά	ˉ	ρωτάει	ˉ	he asks
ρωτούμε	ˉ	ρωτάμε	ˉ	we ask
ρωτάτε	ˉ		ˉ	you ask
ρωτούν	ˉ	ρωτάνε	ˉ	they ask

Other verbs:

αγαπώ ˉ αγαπάω - I love
χτυπώ ˉ χτυπάω - I hit
τραγουδώ ˉ τραγουδάω - I sing
κλωτσώ ˉ κλωτσάω - I kick
πεινώ ˉ πεινάω - I am hungry
διψώ διψάω -   I am thirsty
πουλώ ˉ πουλάω - I sell
περπατώ ˉ περπατάω - I walk
πετώ ˉ πετάω - I fly
τιμώ ˉ τιμάω - I honor

3. Adjectives - επίθετα

γλυκός ˉ γλυκιά ˉ γλυκό ˉ sweet
ζουμερός ˉ ζουμερή ˉ ζουμερό ˉ juicy
πολύς ˉ πολλή ˉ πολύ ˉ much
χειμερινός ˉ χειμερινή ˉ χειμερινό ˉ winter (adjective)

The comparative degree of

πολύς is περισσότερος
πολλή ˉ περισσότερη
πολύ ˉ περισσότερο

Plural of πολύς is πολλοί - comp. περισσότεροι
πολλή   πολλές   περισσότερες
πολύ   πολλά   περισσότερα

4. <u>Other words</u>:

<u>Νά</u> with an accent is used when we point to something or give something to someone. Νά το βιβλίο - Here is the book.
Νά ένα ποτήρι νερό - Here is a glass of water - Take a glass of water.

<u>Τώρα αμέσως</u> - right away, right now

<u>με τα πόδια</u> - on foot , walking

Πηγαίνω στη δουλειά μου με τα πόδια.
I go to my work on foot, I walk to my work.

Οι περισσότεροι άνθρωποι πηγαίνουν με το αυτοκίνητο.
Most people go by car.

5. The adjective <u>ολο</u> added to the stem of adjectives showing color:

άσπρο - white - ολόασπρο - very white
μαύρο - black   ολόμαυρο - very black
πράσινο - green - ολοπράσινο - very green
κίτρινο - yellow - ολοκίτρινο - very yellow
κόκκινο - red -   ολοκόκκινο - very red

LESSON TWENTY SEVEN - ΜΑΘΗΜΑ ΕΙΚΟΣΤΟ ΕΒΔΟΜΟ

In this lesson you will learn:
 1. The names of the clothes we wear
 2. The imperative and
 3. You will read a conversation : Going on a trip

Τι φορούμε

Α. ΑΝΑΓΝΩΣΗ

- Μανώλη, έλα <u>εδώ</u>, παρακαλώ. Πες μας τι φοράς.
- Ευχαρίστως. Από μέσα (inside) φορώ <u>εσώρουχα</u>. Απέξω (outside) φορώ ένα <u>πανταλόνι</u>, ένα <u>πουκάμισο</u> και ένα <u>σακάκι.</u>
- Φοράς πάντοτε σακάκι;
- Όχι, όταν κάνει ζέστη, δε φορώ σακάκι. Φορώ μόνο πουκά- μισο.
- Στα πόδια τι φοράς;
- Στα πόδια φορώ <u>κάλτσες</u> και <u>παπούτσια.</u>
- Φοράς <u>καπέλο;</u>
- Όχι, <u>συνήθως</u> δε φορώ καπέλο. Τον χειμώνα όμως, όταν κάνει κρύο ή χιονίζει, φορώ καπέλο ή <u>σκούφο.</u>
- Τι άλλο φοράς τον χειμώνα;
- Φορώ και <u>παλτό.</u>
- Φοράς καμιά φορά <u>γραβάτα;</u>
- Ναι, την Κυριακή, όταν πηγαίνω στην εκκλησία, μου αρέ- σει να φορώ γραβάτα με τη <u>φορεσιά</u> μου.
- Πες μας τώρα, ο πατέρας σου φοράει φορεσιά;
- <u>Σχεδόν πάντοτε</u> φοράει φορεσιά, γιατί δουλεύει σ΄ένα γραφείο και πρέπει να είναι <u>ντυμένος</u> ωραία. Κάποτε όμως φοράει σπορ σακάκι και πανταλόνι.
- Φοράει <u>καπέλο;</u>
- Φοράει καπέλο, όταν κάνει κρύο.

- Η αδελφή σου η Μαρία, τι φοράει;
- Αυτή φοράει <u>φουστάνι</u>. Πολλές φορές όμως φοράει και πανταλόνια. Τα κορίτσια και οι γυναίκες φορούν τώρα <u>ό,τι</u> φορούν και οι άντρες.
- Τι άλλο φοράει η αδελφή σου;
- Φοράει <u>μπλούζες</u> και <u>φούστες</u>.
- Τι είναι αυτό που έχεις στο χέρι σου;
- Αυτό είναι <u>μαντήλι</u>.
- Τι το χρειάζεσαι το μαντήλι;
- Με αυτό <u>καθαρίζω</u> τη μύτη μου.
- Γιατί φοράς <u>γυαλιά</u> στα μάτια σου;
- Δεν μπορώ να βλέπω καλά μακριά. Έτσι ο <u>οφθαλμίατρος</u> μου είπε να βάλω γυαλιά.
- Τι είναι αυτός ο "οφθαλμίατρος";
- Είναι ο <u>γιατρός</u> που <u>εξετάζει</u> τα μάτια.
- Και γιατί τον λένε έτσι;
- Κι εγώ δεν ήξερα και τον ρώτησα. Ξέρετε τι μου είπε;
- Τι σου είπε;
- Μου είπε ότι η λέξη οφθαλμίατρος <u>προέρχεται</u> απο την ελληνική λέξη <u>οφθαλμός</u>, που <u>σημαίνει</u> μάτι. Και η λέξη γιατρός σημαίνει doctor. <u>Επομένως</u> οφθαλμίατρος είναι ο γιατρός των ματιών.
- Βλέπω τα ξέρεις πολύ ωραία. Μου λες τώρα τι είναι αυτή;
- Αυτή είναι η <u>ζώνη</u> μου. <u>Κρατάει</u> το πανταλόνι στη <u>θέση</u> του για να μην <u>πέφτει</u>.
- Και αυτή τι είναι;
- Αυτή είναι μια <u>φανέλα</u>. Τη φοράω το πρωί που κάνει κρύο.
- Ευχαριστώ πολύ Γιάννη, γι αυτά που μας είπες.
- <u>Ευχαρίστησή</u> <u>μου</u>.

B. VOCABULARY - ΛΕΞΙΛΟΓΙΟ

εδώ - here
ο γιατρός - doctor, physician
η γραβάτα - tie
τα γυαλιά - eye glasses
εξετάζω (1) - I examine
επομένως - therefore
τα εσώρουχα - underwear
η ευχαρίστηση - pleasure
η ζώνη - belt
η θέση - place
καθαρίζω (1) - I clean
η κάλτσα - sock, stocking
το καπέλο - hat
κρατώ (2) - κρατάω - I hold
το μαντήλι - handkerchief
η μπλούζα - blouse
ντυμένος - ντυμένη - ντυμένο - dressed
ό,τι - whatever, the thing which
ο οφθαλμίατρος - ophthalmologist
ο οφθαλμός - eye
το παλτό, το πανωφόρι - overcoat
το πανταλόνι - pants, trousers
πάντοτε - always
το παπούτσι - shoe
πέφτω (1) - I fall
το πουκάμισο - shirt
προέρχομαι (4) - I come from
το σακάκι - jacket
ο σκούφος - hat, cap
σημαίνει - it means
συνήθως - usually
σχεδόν - almost
η φανέλα - undershirt, sweater
η φορεσιά - suit
φορώ or φοράω - I wear
η φούστα - skirt
το φουστάνι - dress

B. GRAMMAR - ΓΡΑΜΜΑΤΙΚΗ

The Imperative - The imperative expresses command, entreaty or exhortation. There are two forms of imperative, the present tense imperative which describes continuous action and the past simple imperative describing temporary action.

The present tense imperative is formed from the present tense root or stem of the verb. The ending is:

<u>-ε for the first conjugation</u> -

τρώγω - I eat (root = τρωγ-)   τρώγε - be eating

γράφω - I write (root = γραφ-)   γράφε - be writing

<u>-α for the second</u>

αγαπώ - I love (root = αγαπ -)   αγάπα - be loving

πηδώ - I jump (root = πηδ -)   πήδα - be jumping

<u>-ει for the third</u>

οδηγώ - I drive   (root = οδηγ-)   οδήγει - be driving

ευχαριστώ - I thank (root = ευχαριστ) **ευχαρίστει** - be thanking

The past simple tense imperative is formed from the stem of the past simple tense and the suffix -<u>ε</u>:

τρέχω - P.S. έτρεξα - (root - τρεξ-) Imp. **τρέξε** - run

τρώγω - P.S. έφαγα - (root = φαγ-)Imp. **φάγε** - eat

αγαπώ - P.S. αγάπησα - (root = αγαπησ-) Imp. **αγάπησε** - love

απαντώ - P.S. απάντησα - (root = απαντησ) Imp. **απάντησε** - answer

οδηγώ - P.S. - οδήγησα - (root = οδηγησ-) Imp. **οδήγησε**

ευχαριστώ - P.S. ευχαρίστησα - Imp. **ευχαρίστησε**

Verbs of the passive voice (which we consider as group 4) do not have a present tense (continuous form) imperative, only past tense:

ντύνομαι - I dress myself - **ντύσου** - be dressed

σηκώνομαι - I get up - **σηκώσου** - get up

αγαπιέμαι - I am loved - **αγαπήσου** - be loved

κάθομαι - I sit - **κάθου** - be sitting, **κάθισε** - sit
έρχομαι - I come - **έρχου** - be coming - **έλα** - come

D. CONVERSATION- ΣΥΝΔΙΑΛΕΞΗ

- Πάνο, πηγαίνουμε ένα ταξίδι;	*Shall we go on a trip?*
- Πηγαίνουμε. Πού θα πάμε;	*Let's go. Where will we go?*
- Όπου θέλουμε!	*Any place we want.*
- Πώς θέλεις να πάμε;	*How do you want to go?*
Με το αυτοκίνητο;	*By car?*
Έχουμε δυο αυτοκίνητα,	*We have two cars,*
μα δεν είναι καινούργια και τα	*but they are not new*
λάστιχά τους δεν είναι	*and their tires are not in*
σε καλή κατάσταση.	*good condition.*
- Τότε να πάμε με κάτι άλλο.	*Then we should go by something else.*
- Με τι;	*By what?*
- Να πάμε με το τρένο.	*Let's go by train.*
- Με το τρένο;	*By train?*
- Μάλιστα, με το τρένο.	*Yes, by train.*
Δεν σου αρέσει το τρένο;	*Don't you like the train?*
- Μου αρέσει, μα κάνει πολλές ώρες.	*I like it, but it takes too many hours.*
- Ώστε δε θέλεις να πας ούτε με το τρένο;	*So you do not wish to go by train either?*
- Όχι.	*No.*
- Πώς θα πάμε τότε;	*How shall we go then?*
- Θα πάμε με αεροπλάνο.	*We shall go by plane.*
- Ναι, με αεροπλάνο.	*Yes, by plane.*
Το αεροπλάνο είναι γρήγορο	*The airplane is fast*
και αναπαυτικό. Θα πάμε	*and comfortable.*
εκεί που θέλουμε	*We will go where we want*

πολύ γρήγορα.
- Εγώ προτιμώ να πάω με
το πλοίο (βαπόρι). Τα σημερινά
πλοία είναι γρήγορα και
αναπαυτικά. Έχεις δει τις κα-
μπίνες τους; Είναι σαν
τα δωμάτια των ξενοδοχείων.

- Μα εκεί που θα πάμε το
πλοίο δεν μπορεί να πάει. Τα
πλοία ταξιδεύουν μόνο στη
- θάλασσα. Και πού θα πάμε;

- Θα πάμε από την Ουά-
σιγκτων στο Σικάγο.

- Τότε πρέπει να πάμε με
το αεροπλάνο. Είναι ο καλύ-
τερος τρόπος.

- Εντάξει. Επί τέλους συμφωνή-
σαμε. Μπορούμε να πάρουμε
και τα ποδήλατά μας;
- Τι θα κάμουμε τα ποδήλατα;

- Θα πηγαίνουμε περίπατο.
- Μην είσαι ανόητος.
Δεν τα χρειαζόμαστε.

-

very quickly.
I prefer to go by boat.
Today's boats are fast
and comfortable. Have you
seen their cabins? They are
like hotel rooms.

The boat cannot go where
we are going. Boats travel
only in the sea.
Where are we going?

We are going from
Washington to Chicago.

Then we have to go
by plane. It is the best
way.

Fine. At last we have
agreed. Can we take
our bicycles too?
What are we going to do
with the bicycles?
We will be taking rides.
Do not be silly.
We do not need them.

LESSON TWENTY EIGHT - ΜΑΘΗΜΑ ΕΙΚΟΣΤΟ ΟΓΔΟΟ

In this lesson
  1. You will study the Present Perfect tense
  2. You will learn the numerals from 100 to 1,000.000
  3. You will read about a trip to the mountains

<u>Τι έχω κάμει</u>

A. READING - ΑΝΑΓΝΩΣΗ
  (Verbs in the Present Perfect Tense)

- Μητέρα, με ρωτήσατε τι <u>έχω κάμει μέχρι τώρα.</u>
  Mother you have asked me what I have done till now.
- Λοιπόν θα σας πω: <u>Έχω κάμει μπάνιο</u> και έχω
  λούσει τα μαλλιά μου.
  Well, I will tell you: I have taken a shower and I have washed my hair.
- Τα <u>έχω στεγνώσει</u> με ένα πιστολάκι.
  I have dried them with a hair dryer.
- <u>Έχω βουρτσίσει</u> τα δόντια μου με μια βούρτσα
  και με οδοντόκρεμα.
  I have brushed my teeth with a tooth brush
  and tooth paste.
- <u>Έχω φορέσει</u> τα ρούχα μου.
  I have put on my clothes.
- <u>Έχω πάρει</u> το πρωινό μου (<u>έχω φάει</u> το πρωινό
  μου).
  I have taken my breakfast (I have eaten my breakfast).
- <u>Έχω πιεί</u> δυο φλιτζάνια καφέ χωρίς γάλα και
  χωρίς ζάχαρη.
  I have drunk two cups of coffee without milk or sugar.
  - <u>Έχω ρίξει</u> μια ματιά στην εφημερίδα.
  I have looked at the newspaper.
  <u>Έχω διαβάσει</u> τα σπουδαιότερα νέα.
  I have read the most important news.

B. All the underlined verbs in the reading above are in the <u>Present</u>
    <u>Perfect Tense</u>.
    The Present Perfect Tense describes an action of the past which
    has just been completed: I have eaten, I have come.
    It is formed with the auxiliary verb *I have* and the *infinitive* of the verb,
    the infinitive being the same as the third person of the
    subjunctive.
    Γράφω - Past Simple Tense *έγραψα* - subjunctive *γράψω*, third person
    <u>γράψει</u>, Present Perfect Tense *έχω γράψει*.
    Here is the present perfect tense of some verbs:

Present	Past Simple	Infinitive	Present Perfect
τρώγω	έφαγα	φάγει	έχω φάγει
γράφω	έγραψα	γράψει	έχω γράψει
λέ(γ)ω	είπα	πει	έχω πει
αγαπώ	αγάπησα	αγαπήσει	έχω αγαπήσει
κάθομαι	κάθισα	καθίσει	έχω καθίσει
ευχαριστώ	ευχαρίστησα	ευχαριστήσει	έχω ευχαριστήσει
πίνω	ήπια	πιει	έχω πιεί
διαβάζω	διάβασα	διαβάσει	έχω διαβάσει

**In the conjugation of the Present Perfect Tense the infinitive
remains the same. Only the auxiliary verb changes:**

έχω γράψει - I have written   *έχω αγαπήσει* - I have loved
έχεις γράψει - you have written   *έχεις αγαπήσει*
έχει γράψει - he has written   *έχει αγαπήσει*
έχουμε γράψει - we have written   *έχουμε αγαπήσει*
έχετε γράψει - you have written   *έχετε αγαπήσει*
έχουν γράψει - they have written   *έχουν αγαπήσει*

C. VOCABULARY - ΛΕΞΙΛΟΓΙΟ
σπουδαίος - σπουδαία - σπουδαίο - important
σπουδαιότερος - σπουδαιότερη - σπουδαιότερο - more important
μέχρι τώρα - till now
μια ματια - a glance, a look
τα νέα - news

D. READING (using different tenses)

Το <u>περασμένο</u> <u>Σαββατοκύριακο</u>, ένας <u>φίλος</u> μου, ο Θάνος, κι εγώ <u>αποφασίσαμε</u> να το <u>περάσουμε</u> στο <u>βουνό</u>. Μαζί μας ήρθαν και δυο <u>φίλες</u> μας, η Τιτίκα και η Λούλα. Πήγαμε με το αυτοκίνητό μου.

Το βουνό ήταν <u>μαγευτικό</u>, είχε <u>πλούσια</u> <u>βλάστηση</u>, και <u>χιλιάδες</u> δέντρα. Ο αέρας ήταν <u>ολόδροσος</u>.

Ενώ ανεβαίναμε στο βουνό είδαμε πολλά <u>άγρια</u> <u>ζώα</u> και <u>πουλιά</u>. Περπατήσαμε πολλά <u>μίλια</u> και πρέπει να σας πω πως <u>κουραστήκαμε</u> πολύ. Μας άρεσε όμως <u>υπερβολικά</u>.

- Τι λέτε, είπα στους φίλους μου, δε μένουμε εδώ το βράδυ; Έχουμε φέρει μια <u>σκηνή</u> μαζί μας. Θα περάσουμε τη νύχτα στη σκηνή. Θα είναι πολύ ωραία.
- Και δεν μένουμε; απάντησαν όλοι.
- Εμείς θα <u>μαγειρέψουμε</u>, είπαν τα κορίτσια.
- <u>Θαυμάσια</u>, μα ξέρετε να μαγειρεύετε; είπα.
- Δημήτρη, μας <u>κοροϊδεύεις</u> τώρα; απάντησαν τα κορίτσια.

Πραγματικά, τα κορίτσια ετοίμασαν ένα πολύ ωραίο φαγητό. Ήπιαμε και <u>κρασί</u>, που είχαμε μαζί μας.

Το πρωί, όταν σηκωθήκαμε, είδαμε ότι έβρεχε. Μείναμε <u>αρκετή</u> ώρα μέσα στη σκηνή, μα <u>σύντομα</u> η βροχή <u>σταμάτησε</u> και τότε βγήκαμε έξω. Η Τιτίκα ήθελε να ζωγραφίσει.
Εγώ κι ο φίλος μου πήγαμε ένα περίπατο στο δάσος. Ο ήλιος <u>έλαμπε</u> πολύ και ο ουρανός ήταν τώρα καθαρός.

Όταν <u>πλησίαζε</u> το βράδυ μπήκαμε στο αυτοκίνητο και φύγαμε. Φτάσαμε στα σπίτια μας <u>αργά</u>. Ήμαστε πολύ ευχαριστημένοι που περάσαμε τόσο ωραία το Σαββατοκύριακο στο βουνό.

E. VOCABULARY OF THE ABOVE READING

άγριος ‐ άγρια ‐ άγριο - wild
αποφασίζω (1) - I decide
αργά - late
αρκετός ‐ αρκετή ‐ αρκετό - enough, sufficient
η βλάστηση - vegetation
το βουνό - mountain
το δάσος - forest
το ζώο - animal
κουράζομαι (4) - I get tired
κοροϊδεύω (1) - I laugh at, I mock
το κρασί - wine
λάμπω (1) - I shine
μαγειρεύω (1) - I cook
μαγευτικός ‐ μαγευτική ‐ μαγευτικό - enchanting
το μίλι - mile
ολόδροσος ‐ ολόδροση ‐ ολόδροσο - refreshing, cool
περασμένος ‐ περασμένη ‐ περασμένο - passed, past
περνώ (2) - I pass
πλησιάζω - I approach
πλούσιος ‐ πλούσια ‐ πλούσιο - rich
το πουλί - bird
το Σαββατοκύριακο - weekend
η σκηνή - tent
σύντομα - soon
υπερβολικά - excessively
ο φίλος - friend (male)
η φίλη - friend (female)
η χιλιάδα - thousand

F. The tenses of the new verbs:

αποφασίζω ‐ απεφάσιζα ‐ απεφάσισα ‐ θα αποφασίζω ‐ θα αποφασίσω
έχω αποφασίσει
κουράζομαι ‐ κουραζόμουν ‐ κουράστηκα ‐ θα κουράζομαι
θα κουραστώ ‐ έχω κουραστεί

λάμπω - έλαμπα - έλαμψα - θα λάμπω - θα λάμψω - έχω λάμψει
μαγειρεύω - μαγείρευα - μαγείρεψα - θα μαγειρεύω -
θα μαγειρέψω - έχω μαγειρέψει
πλησιάζω - πλησίαζα - πλησίασα - θα πλησιάζω - θα πλησιάσω
έχω πλησιάσει

G. The numbers from 100 to 10,000 (The first is the masculine form
the second the feminine and the third the neuter)

εκατό - 100   (same for masculine, feminine, and neuter)
διακόσιοι - διακόσιες - διακόσια - 200
τριακόσιοι - τριακόσιες - τριακόσια - 300
τετρακόσιοι - τετρακόσιες - τετρακόσια - 400
πεντακόσιοι - πεντακόσιες - πεντακόσια - 500
εξακόσιοι - εξακόσιες - εξακόσια - 600
εφτακόσιοι - εφτακόσιες - εφτακόσια - 700
οχτακόσιοι - οχτακόσιες - οχτακόσια 800
εννιακόσιοι - εννιακόσιες - εννιακόσια 900
χίλια - 1000
δέκα χιλιάδες - 10,000
είκοσι χιλιάδες - 20,000
τριάντα χιλιάδες - 30,000
εκατό χιλιάδες - 100,000
ένα εκατομμύριο - 1,000,000

*Note: Greek uses the period (.) to separate the thousands. It uses
the comma (,) to separate decimals .*
   *In English it is the opposite: the comma (,) is for the thousands
and the period (.)for the decimals.*

155 - εκατό πενήντα πέντε
239 - διακόσια τριάντα εννιά
468 - τετρακόσια εξήντα οχτώ
775 - εφτακόσια εβδομήντα πέντε
999 - εννιακόσια ενενήντα εννιά
1.800 - χίλια οχτακόσια
1.856.738 - ένα εκατομμύριο οχτακόσιες πενήντα έξι χιλιάδες
εφτακόσια τριάντα οχτώ

H. Questions based on the above reading (Answers on the tape)

   1. Πού απεφάσισαν να πάνε ο Δημήτρης και ο Τάκης;

2. Ποιες θα πήγαιναν μαζί τους;
3. Πώς θα πήγαιναν;
4. Πώς ήταν το βουνό;
5. Πώς ήταν η βλάστηση του βουνού;
6. Πώς ήταν ο αέρας;
7. Τι είδαν ενώ ανέβαιναν στο βουνό;
8. Πόσα μίλια περπάτησαν;
9. Τι απεφάσισαν να κάμουν το βράδυ;
10. Πού θα έμεναν;
11. Ποιός θα μαγείρευε;
12. Πώς ήταν το φαγητό που μαγείρεψαν τα κορίτσια;
13. Τι ήπιαν;
14. Πού βρήκαν το κρασί;
15. Τι έκαμε η Τιτίκα;
16. Πότε γύρισαν σπίτι;
17. Πώς γύρισαν σπίτι;

LESSON TWENTY NINE - ΜΑΘΗΜΑ ΕΙΚΟΣΤΟ ΕΝΑΤΟ

(In lesson 29 you will learn the Past Perfect tense and
   you will read an anecdote)

Τι είχα κάμει

A. ΑΝΑΓΝΩΣΗ ‐ READING (With verbs in the past perfect tense)

Η Μαρία μας λέει τι <u>είχε κάμει</u>* στο σπίτι προτού συμβεί αυτό που θα μας πει <u>παρακάτω</u>.

- <u>Είχα σηκωθεί</u> * και είχα κάμει ένα μπάνιο. <u>Είχα λούσει</u>* τα μαλλιά μου και τα <u>είχα στεγνώσει</u>* με το πιστολάκι.

<u>Είχα βουρτσίσει</u>* τα δόντια μου με μια βούρτσα και <u>είχα φορέσει</u> * τα ρούχα μου. Ύστερα <u>είχα κατεβεί</u> *από το δεύτερο πάτωμα στην κουζίνα για να πάρω το πρόγευμά μου. Μόλις <u>είχα τελειώσει</u> * το πρόγευμά μου και <u>είχα πιεί</u> * δυό φλυτζάνια καφέ άκουσα τον πατέρα μου να μου λέει: "Θέλεις να διαβάσεις την εφημερίδα, Μαρία;" "Αν την έχεις διαβάσει εσύ, θέλω να ρίξω κι εγώ μια ματιά", του είπα.

Μόλις <u>είχα ρίξει</u> *μια ματιά στην εφημερίδα <u>ένοιωσα</u> το σπίτι να <u>κουνιέται</u>. Δεν ήξερα τι <u>είχε συμβεί</u> *. Άκουσα τη μητέρα και τον πατέρα να φωνάζουν: "<u>Σεισμός</u>... σεισμός γίνεται".

Βγήκαμε όλοι από το σπίτι και τρέξαμε στον δρόμο. Ο σεισμός <u>κράτησε</u> μόνο μερικά δευτερόλεπτα, μα σας λέω πως όλοι <u>είχαμε φοβηθεί</u> * πολύ.

B. Verbs with an asterisk (*) are in the Past Perfect tense:
   είχα κάμει - I had taken   είχα σηκωθεί - I had risen
   είχα λούσει - I had washed   είχα στεγνώσει - I had dried
   είχα βουρτσίσει - I had brushed   είχα φορέσει - I had put on

εἶχα κατεβεί - I had come down   εἶχα τελειώσει- I had finished
εἶχα ρίξει - I had looked   εἶχε συμβεί - it had happened
εἶχαμε φοβηθεί - we had been afraid

The Past Perfect tense describes an action which had taken place and had been completed before some other action.

I had eaten before you came.

To form the Past Perfect Tense we use the past tense of the auxiliary verb **ἔχω,** which is **εἶχα,** and the infinitive of the verb.

The Past Perfect Tense:

εἶχα γράψει - I had written   εἶχα πει - I had said
εἶχες γράψει - you had written   εἶχες πει - you had said
εἶχε γράψει - he had written   εἶχε πει - he had said
εἶχαμε γράψει - we had written   εἶχαμε πει - we had said
εἶχατε γράψει - you had written   εἶχατε πει - you had said
εἶχαν γράψει - they had written   εἶχαν πει - they had said

C. New words of the reading:

κουνιέμαι (4) I am shaken, I shake   νιώθω (1) - I feel
φοβούμαι or φοβάμαι (4) - I am afraid   ο σεισμός - earthquake
προτού συμβεί - before it happened

Conjugation of:
φοβούμαι - φοβάμαι - **I am afraid**
φοβάσαι
φοβάται
φοβούμαστε
φοβάστε
φοβούνται

D. Questions - Ερωτήσεις (Based on the reading. You will find the answers to the questions on the tape.)

1. Τι εἶχε κάμει η Μαρία προτού λούσει τα μαλλιά της;

2. Τι είχε βουρτσίσει;

3. Πού είχε κατεβεί;

4. Γιατί είχε κατεβεί στην κουζίνα;

5. Τι είχε πει;

6. Τι είχε διαβάσει;

7. Τι ένιωσε να κουνιέται;

8. Τι είχε συμβεί;

9. Γιατί είχε φοβηθεί η Μαρία;

10. Πόση ώρα κράτησε ο σεισμός;

E. Ένα ανέκδοτο - **An anecdote**

Κάποτε ήρθε στην Αθήνα για <u>μάρτυρας</u> σε μια <u>δίκη</u> ένας <u>τσοπάνος</u>. Στην <u>δίκη</u> ο <u>δικαστής</u> τον ρώτησε:

- Πώς ονομάζεσαι;
- Γιάννης Παγωμένος.
- Είσαι παντρεμένος;
- Ποιος; ιγώ (ιγώ = εγώ);
- Ναι, εσύ.
- Είμαι.
- Με ποιάν;
- Ποιος; ιγώ (ιγώ = εγώ);
- Να μην πεις άλλη φορά: Ποιος; εγώ; <u>Εμπρός</u> λέγε: Με ποιαν είσαι παντρεμένος;
- Με μια γυναίκα.
- Βρε <u>κούτσουρο</u>, ξέρεις κανένα που είναι παν-τρεμένος με άντρα;
- Ποιος; ιγώ....; Ξέρω!
- Ποιον;
- Την αδελφή μου!

ο μάρτυρας - the witness	η δίκη - trial
ο τσοπάνος - shepherd	ο δικαστής - judge
εμπρός - go on, go ahead	το κούτσουρο - ignorant, stupid

LESSON THIRTY - ΜΑΘΗΜΑ ΤΡΙΑΚΟΣΤΟ

REVIEW - LESSONS 22 - 29

In Lessons 22-29 we found:

1. The following **masculine words**:

(Remember: masculine words are accompanied by the definite article
ο or the indefinite article *ένας*)

ο αέρας	- wind, air	ο άνεμος	- wind
ο δικαστής	- judge	ο δικηγόρος	- lawyer
ο θάμνος	- bush	ο καιρός	- weather
ο καναπές	- couch	ο μάρτυρας	- witness
ο μπουφές	- chest	ο ουρανός	- sky
ο οφθαλμίατρος	- eye doctor	ο οφθαλμός	- eye
ο σεισμός	- earthquake	ο τσοπάνος	- shepherd
ο τύπος	- type, character	ο φίλος	- friend
ο φοιτητής	- college student		

2. **The feminine words**: Accompanied by the articles **η** or **μια**:

η αλήθεια	- truth	η βλάστηση	- vegetation
η βροχή	- rain	η γραβάτα	- tie
η δίκη	- trial	η δουλειά	- work
η ελευθερία	- liberty, freedom	η ευχαρίστηση	- pleasure
η ζωγραφιά	- drawing	η ζώνη	- belt
η ηλεκτρική κουζίνα	- electric stove	η θερμοκρασία	- temperature
η θέση	- place, position	η ιατρική	- the study of medicines
η κάλτσα	- sock, stocking	η κουβέρτα	- blanket
η κουζίνα	- kitchen	η κρεβατοκάμαρα	- bedroom
η λάμπα	- lamp	η λέξη	- word
η λεωφόρος	- avenue	η μπανάνα	- banana
η μπλούζα	- blouse	η μπύρα	- beer
η νοικοκυρά	- house wife	η οικογένεια	- family

η πόλη - city, town
η σκάλα - strairway
η τουαλέτα - bath room
η τυρόπιτα - cheese pie
η φίλη - girl friend
η φούστα - skirt
η φωτογραφία - photograph

η σάλα - living room
η σκηνή - tent
η τραπεζαρία - dining room
η φανέλα - under shirt
η φορεσιά - suit
η φράουλα - strawberry

3. **Neuter words,** accompanied by the articles το and ένα:

το απίδι - pear
το αχλάδι - pear
το βουνό - mountain
το γυμνάσιο - high school
το δέντρο - tree
το δωμάτιο - room
τα ελληνικά - Greek
το εσώρουχο - underwear
το σακάκι - jacket
το καπέλο - hat
το κομμό - night stand
το κούτσουρο - ignorant
το κρεβάτι - bed
το λουλούδι - flower
το μαντήλι - handkerchief
το μήλο - apple
το μπάνιο - bathroom
τα νέα - news
το παλτό - overcoat
το πανωφόρι - overcoat
το πεζοδρόμιο - side walk
το πλυντήριο - dish washer
το πορτοκαλί - orange (color)
το ροζ - pink
το Σαββατοκύριακο - weekend
το σκαλί - stairway step

το αστείο - joke
το βερύκοκο - apricot
το γκαζόν - grass
το δάσος - forest
το δημοτικό σχολείο - elementary school
το έπιπλο - furniture
το ζώο - animal
το καρπούζι - watermelon
το κεράσι - cherry
το κομμοδίνο - chest
το κρασί - wine
το λεμόνι - lemon
το μανταρίνι - tangerine
το μαξιλάρι - pillow
το μίλι - mile
το μπαρ - bar
το ντουλάπι - cupboard
το πανεπιστήμιο - university
το πάτωμα - floor
το πεπόνι - cantaloupe
το πορτοκάλι - orange
το πουλί - bird
το ροδάκινο - peach
το σεντόνι - sheet
το σκουφί - hat, cap

το σταφύλι ‑ grape

το σύννεφο ‑ cloud

το τραπεζάκι ‑ small table

το φουστάνι ‑ dress

το χαλί ‑ carpet

το χορτάρι ‑ grass

το σύκο ‑ fig

το τοπίο ‑ landscape, view

το υπόγειο ‑ basement

το φρούτο ‑ fruit

το χιόνι ‑ snow

το χόρτο ‑ grass

4. **Verbs of the first conjugation** and their tenses:

(Order of the tenses - Present -P, Past Copntinuous - P.C., Past Simple - P.S., Furure Continuous - F.C., Future Simple - F.S., Present Perfect - Pr.P. Past Perfect - P.P.)

αγοράζω ‑ I buy - αγόραζα, αγόρασα, θα αγοράζω, θα αγοράσω, έχω αγοράσει, είχα αγοράσει

αλλάζω ‑ I change ‑ άλλαζα, άλλαξα, θα αλλάζω, θα αλλάξω, έχω αλλάξει, είχα αλλάξει

ανεβαίνω ‑ I climb up - ανέβαινα, ανέβηκα, θα ανεβαίνω, θα ανεβώ, έχω ανεβεί, είχα ανεβεί

αποφασίζω ‑ I decide - απεφάσιζα, απεφάσισα, θα αποφασίζω, θα αποφασίσω, έχω αποφασίσει, είχα αποφασίσει

βρίσκω ‑ I find - έβρισκα, βρήκα, θα βρίσκω, θα βρω, έχω βρει, είχα βρει

δουλεύω ‑ I work - δούλευα, δούλεψα, θα δουλεύω, θα δουλέψω, έχω δουλέψει, είχα δουλέψει

εξετάζω ‑ I examine - εξέταζα, εξέτασα, θα εξετάζω, θα εξετάσω, έχω εξετάσει, είχα εξετάσει

καθαρίζω ‑ I clean - καθάριζα, καθάρισα, θα καθαρίζω, θα καθαρίσω, έχω καθαρίσει, είχα καθαρίσει

κατεβαίνω ‑ I descend - I go down, κατέβαινα, κατέβηκα, θα κατεβαίνω, θα κατεβώ, έχω κατεβεί, είχα κατεβεί

κοροϊδεύω ‑ I laugh at, I mock - κορόιδευα, κορόιδεψα, θα κοροϊδεύω, θα κοροϊδέψω, έχω κοροϊδέψει, είχα κοροϊδέψει

λάμπω ‑ I shine - έλαμπα, έλαμψα, θα λάμπω, θα λάμψω, έχω λάμψει, είχα λάμψει

μαγειρεύω - I cook - μαγείρευα, μαγείρεψα, θα μαγειρεύω,
     θα μαγειρέψω, έχω μαγειρέψει, είχα μαγειρέψει
μένω - I stay - έμενα, έμεινα, θα μένω, θα μείνω, έχω
     μείνει, είχα μείνει
νιώθω - I feel, - ένιωθα, ένιωσα, θα νιώθω, θα νιώσω,
     έχω νιώσει, είχα νιώσει
ξαναρωτάω - I ask again - ξαναρωτούσα, ξαναρώτησα, θα
     ξαναρωτάω, θα ξαναρωτήσω, έχω ξαναρωτήσει,
     είχα ξαναρωτήσει
παραγγέλνω - I order - παράγγελνα - παράγγειλα, θα
     παραγγέλνω, θα παραγγείλω, έχω παραγγείλει,
     είχα παραγγείλει
πέφτω - I fall - έπεφτα, έπεσα, θα πέφτω, θα πέσω, έχω
     πέσει, είχα πέσει
πληρώνω - I pay - πλήρωνα, πλήρωσα, θα πληρώνω, θα
     πληρώσω, έχω πληρώσει, είχα πληρώσει
πλησιάζω - I approach - πλησίαζα, πλησίασα, θα πλησιάζω,
     θα πλησιάσω, έχω πλησιάσει, είχα πλησιάσει
προφταίνω - I am in time - πρόφταινα, πρόφτασα, θα προφταίνω,
     θα προφτάσω, έχω προφτάσει, είχα προφτάσει
στολίζω - I decorate - στόλιζα, στόλισα, θα στολίζω, θα
     στολίσω, έχω στολίσει, είχα στολίσει
τελειώνω - I finish - τέλειωνα, τέλειωσα, θα τελειώνω, θα
     τελειώσω, έχω τελειώσει, είχα τελειώσει
φέρνω - I bring - έφερνα, έφερα, θα φέρνω, θα φέρω, έχω
     φέρει, είχα φέρει

5. __Verbs in the second conjugation:__

αγαπώ - I love - αγαπούσα, αγάπησα, θα αγαπώ, θα
     αγαπήσω, έχω αγαπήσει, είχα αγαπήσει
διψώ - I am thirsty - διψούσα, δίψασα, θα διψώ, θα διψάσω,
     έχω διψάσει, είχα διψάσει
κλωτσώ - I kick - κλωτσούσα, κλώτσησα, θα κλωτσώ, θα
     κλωτσήσω, έχω κλωτσήσει, είχα κλωτσήσει
κρατώ - I hold - κρατούσα, κράτησα, θα κρατώ, θα κρατήσω,
     έχω κρατήσει, είχα κρατήσει

ξεχνώ ⁻ I forget - ξεχνούσα, ξέχασα, θα ξεχνώ, θα ξεχάσω, έχω ξεχάσει, είχα ξεχάσει

πεινώ ⁻ I am hungry - πεινούσα, πείνασα, θα πεινώ, θα πεινάσω, έχω πεινάσει, είχα πεινάσει

περνώ ⁻ I pass - περνούσα, πέρασα, θα περνώ, θα περάσω, έχω περάσει, είχα περάσει

περπατώ ⁻ I walk ⁻ περπατούσα, περπάτησα, θα περπατώ, θα περπατήσω, έχω περπατήσει, είχα περπατήσει

πετώ ⁻ I fly - πετούσα, πέταξα, θα πετώ, θα πετάξω, έχω πετάξει, είχα πετάξει

πουλώ ⁻ I sell - πουλούσα, πούλησα, θα πουλώ, θα πουλήσω, έχω πουλήσει, είχα πουλήσει

τηλεφωνώ ⁻ I phone - τηλεφωνούσα, τηλεφώνησα, θα τηλεφωνώ, θα τηλεφωνήσω, έχω τηλεφωνήσει, είχα τηλεφωνήσει

τιμώ ⁻ I honor - τιμούσα, τίμησα, θα τιμώ, θα τιμήσω, έχω τιμήσει, είχα τιμήσει

τραγουδώ ⁻ I sing - τραγουδούσα, τραγούδησα, θα τραγουδώ, θα τραγουδήσω, έχω τραγουδήσει, είχα τραγουδήσει

φυσώ ⁻ I blow - φυσούσα, φύσηξα, θα φυσώ, θα φυσήξω, έχω φυσήξει, είχα φυσήξει

χτυπώ ⁻ I hit - χτυπούσα, χτύπησα, θα χτυπώ, θα χτυπήσω, έχω χτυπήσει, είχα χτυπήσει

5. Verbs in the third conjugation:

ευχαριστώ ⁻ I thank - ευχαριστούσα, ευχαρίστησα, θα ευχαριστώ, θα ευχαριστήσω, έχω ευχαριστήσει, είχα ευχαριστήσει

6. Verbs in the fourth conjugation:

κουνιέμαι ⁻ I shake - κουνιόμουν, κουνήθηκα, θα κουνιέμαι θα κουνηθώ, έχω κουνηθεί, είχα κουνηθεί

κουράζομαι ⁻ I get tired - κουραζόμουν, κουράστηκα, θα κουράζομαι, θα κουραστώ, έχω κουραστεί, είχα κουραστεί

λυπάμαι - I am sorry, I grieve - λυπόμουν, λυπήθηκα, θα
        λυπάμαι, θα λυπηθώ, έχω λυπηθεί, είχα λυπηθεί
φοβούμαι - φοβάμαι - I am afraid - φοβόμουν, φοβήθηκα, θα
        φοβούμαι, θα φοβηθώ, έχω φοβηθεί, είχα φοβηθεί
χαίρομαι - I am glad - χαιρόμουν, χάρηκα, θα χαίρομαι
        θα χαρώ, έχω χαρεί, είχα χαρεί
χρειάζομαι - I need - χρειαζόμουν, χρειάστηκα, θα χρειάζομαι
        θα χρειαστώ, έχω χρειαστεί, είχα χρειαστεί

7. **Adjectives:**

άγριος - άγρια - άγριο - wild
ανοιξιάτικος - ανοιξιάτικη - ανοιξιάτικο - spring (adj.)
αρκετός - αρκετή - αρκετό - sufficient
άσπρος - άσπρη - άσπρο - white
αστείος - αστεία - αστείο - funny
γλυκός - γλυκιά - γλυκό - sweet
δυνατός - δυνατή - δυνατό - strong
ο Ελληνο-αμερικανός, η Ελληνο-αμερικανίδα -Greek-
        American
ζεστός - ζεστή - ζεστό - warm, hot
ζουμερός - ζουμερή - ζουμερό - juicy
θαυμάσιος - θαυμάσια - θαυμάσιο - wonderful
καθαρός - καθαρή - καθαρό - clean, clear
καλοκαιρινός - καλοκαιρινή - καλοκαιρινό - summer (adj.)
κρεμασμένος - κρεμασμένη - κρεμασμένο - hanging
κρυμμένος - κρυμμένη - κρυμμένο - hidden
κρύος - κρύα - κρύο - cold
μαγευτικός - μαγευτική - μαγευτικό - enchanting
ολόδροσος - ολόδροση - ολόδροσο - very fresh
ολοκάθαρος - ολοκάθαρη - ολοκάθαρο - very clean
παντρεμένος - παντρεμένη - παντρεμένο - married
περίεργος - περίεργη - περίεργο - curious, strange
περασμένος - περασμένη - περασμένο - passed
πλούσιος - πλούσια - πλούσιο - rich
πολύς - πολλή - πολύ - much
σπουδαίος - σπουδαία - σπουδαίο - important

στρογγυλός - στρογγυλή - στρογγυλό - round
τετράγωνος - τετράγωνη - τετράγωνο - square
τρίγωνος - τρίγωνη - τρίγωνο - triangular

8. Numbers:

εκατό - 100, διακόσια - 200, τριακόσια - 300,
τετρακόσια - 400, πεντακόσια - 500, εξακόσια - 600,
εφτακόσια - 700, οχτακόσια - 800, εννιακόσια - 900,
χίλια - 1000, δέκα χιλιάδες - 10,000 -
εκατό χιλιάδες 100,000, ένα εκατομμύριο - 1,000,000

9. Weather terms:

η βροχή - rain
η βροντή - thunder
ο άνεμος - wind
η υγρασία - humidity
χιονίζει - it snows
αστράφτει - it is lightning
κάνει ζέστη - it is warm, it is hot
φυσά - it is blowing
βραδιάζει - it is getting dark

η αστραπή - lightning
το χιόνι - snow
η ατμόσφαιρα - atmosphere
βρέχει - it rains
βροντά - it thunders
κάνει κρύο - it is cold
ξημερώνει - it is dawning
νυχτώνει - it is getting dark

10. Shapes:

στρογγυλό - round
τρίγωνο - triangular
πεντάγωνο - pentagon
οκτάγωνο - octagon

οβάλ - oval
τετράγωνο - square
εξάγωνο - hexagon

LESSON THIRTY FIRST- ΜΑΘΗΜΑ ΤΡΙΑΚΟΣΤΟ ΠΡΩΤΟ

In lesson 31 you will learn:
1. About the land of Greece
2. The cardinal points
3. The active, middle and passive voice of the verbs
4. Transitive and intransitive verbs

Η Ελλάδα

Α. ΑΝΑΓΝΩΣΗ

Ελάτε τώρα να <u>γνωρίσουμε</u> την Ελλάδα. Είναι μια μικρή <u>χώρα</u> και <u>βρίσκεται</u> στο <u>νοτιοανατολικό</u> μέρος της Ευρώπης.

Έχει <u>έκταση</u> πενήντα δυο χιλιάδες τετραγωνικά μίλια και <u>πληθυσμό</u> δέκα <u>εκατομμύρια</u>.

Η Ελλάδα <u>περιβάλλεται</u> από θάλασσα από τρία μέρη. Στο <u>ανατολικό</u> είναι το <u>Αιγαίο Πέλαγος</u>, στο <u>νότιο</u> είναι <u>η Μεσόγειος θάλασσα</u> και στο <u>δυτικό</u> το <u>Ιόνιο Πέλαγος</u>.

Η Ελλάδα έχει πολλά νησιά. Το μεγαλύτερο είναι η Κρήτη που βρίσκεται στο νότιο μέρος. Άλλα νησιά είναι τα Δωδεκάνησα και οι Κυκλάδες.

Το <u>κλίμα</u> της Ελλάδας είναι <u>ήπιο</u>, η θάλασσά της <u>μαγευτική</u>, ο ουρανός της καταγάλανος και πάντοτε καθαρός.

<u>Πρωτεύουσα</u> της Ελλάδας είναι η Αθήνα, που είναι μια από τις πιο <u>ένδοξες</u> πόλεις του κόσμου.

Η Ελλάδα έχει <u>μακροχρόνια</u> και ένδοξη ιστορία.

Έδωσε στον κόσμο τη <u>δημοκρατία</u>, και τα φώτα

του <u>πολιτισμού</u>. Πολλές από τις σημερινές <u>επιστήμες</u> είδαν <u>τα πρώτα φώτα</u> στην Ελλάδα.

<u>Οι Ολυμπιακοί αγώνες</u>, που γίνονται κάθε τέσσερα χρόνια και σ΄ αυτούς παίρνουν μέρος όλες οι χώρες του κόσμου, είχαν για πρώτη φορά γίνει στην Ολυμπία, μια πόλη της Ελλάδας, οχτακόσια περίπου χρόνια πριν από τον <u>Χριστό</u>.

Εκατομμύρια <u>τουρίστες</u> <u>επισκέπτονται</u> κάθε χρόνο την Ελλάδα <u>μαγεμένοι</u> από το ωραίο της κλίμα, τον γαλάζιο της ουρανό, τα όμορφα νησιά της, τις μαγευτικές της παραλίες, τα πλούσια <u>μουσεία</u> της και την <u>φιλοξενία</u> <u>του κόσμου</u>.

Β. ΛΕΞΙΛΟΓΙΟ - VOCABULARY

το Αιγαίο Πέλαγος - Aegean Sea
η αρχή - beginning
βρίσκομαι (4) - I am found, situated
γνωρίζω - I know, I get acquainted
η δημοκρατία - democracy
τα Δωδεκάνησα - the Dodecanese Islands
το εκατομμύριο - million
η έκταση - area
ένδοξος - ένδοξη - ένδοξο - glorious
επισκέπτομαι (4) - I visit
η επιστήμη - science
η Ευρώπη - Europe
ήπιος - ήπια - ήπιο - mild
το Ιόνιο Πέλαγος - the Ionian Sea
το κλίμα - climate
ο κόσμος - world, people
οι Κυκλάδες - Cyclades
μαγεμέν-ος, -η, -ο - enchanted
μαγευτικ-ός - ή - ό - enchanting
μακροχρόνιος - μακροχρόνια - μακροχρόνιο - of long duration
η Μεσόγειος Θάλασσα - Mediterranean Sea
οι Ολυμπιακοί αγώνες - Olympic games
ο ορίζοντας - horizon

η Πελοπόννησος - Peloponnese
περιβάλλομαι (4) - I am surrounded
ο πληθυσμός - population
ο πολιτισμός - civilization
τα πρώτα φώτα - the first lights (of civilization)
η πρωτεύουσα - capital
το σημείο - point
ο τουρίστας - tourist
η φιλοξενία - hospitality
ο Χριστός - Christ
η χώρα - country

The cardinal points: - Τα σημεία του ορίζοντα

η ανατολή - east	νοτιο-ανατολικός - south-eastern
η δύση - west	νοτιο-δυτικός - south-western
ο βορράς - north	βορειο-ανατολικός - north-eastern
ο νότος - south	βορειο-δυτικός - north-western

ανατολικός - eastern
δυτικός - western
βόρειος - northern
νότιος - southern

B. ΓΡΑΜΜΑΤΙΚΗ - GRAMMAR

The voices of the verbs:

Verbs have active, middle and passive voice:

πλένω - I wash (active voice, the subject acts)

πλένομαι - I wash myself (middle voice, the action of the subject returns to itself)

πλένομαι - I am washed (by someone else) - (passive voice, the subject is acted upon).

Transitive verbs (verbs which take an object), have all three voices. Some verbs have only middle voice (the action of the verb remains with the doer) κάθομαι - I sit, έρχομαι - I come φαίνομαι - I seem, I look.

These verbs are called deponent verbs and have no active form.
(There are not such verbs as κάθω, έρχω, φαίνω)

Intransitive verbs are verbs which do not take an object, like: είμαι, έρχομαι, κάθομαι, ησυχάζω

Examples of transitive verbs in the active, middle and passive voices:

πλένω - I wash, **ντύνω** - I dress, **χτενίζω** - I comb, **βρίσκω** - I find, **περιβάλλω** - I surround

Active: Η μητέρα πλένει το παιδί - The mother washes the child.
Middle: Το παιδί πλένεται - The child washes himself.
Passive: Το παιδί πλένεται από τη μητέρα - The child is being washed by the mother.

Active: Η νοσοκόμα ντύνει τον άρρωστο - The nurse dresses the sick man.
Middle: Ο άρρωστος ντύνεται - The sick man is dressing himself.
Passive: Ο άρρωστος ντύνεται από τη νοσοκόμα - The sick man is being dressed by the nurse.

Active: Ο κουρέας χτενίζει τα μαλλιά του Νίκου.
The barber combs Nick's hair.
Middle: Ο Νίκος χτενίζεται - Nick combs his hair.
Passive: Ο Νίκος χτενίζεται από τον κουρέα. Nick is being combed by the barber.

Active: Βρήκαμε τη λύση του προβλήματος - We found the solution of the problem.
Passive: Η λύση του προβλήματος βρέθηκε. The solution of the problem was found.

Active: Η θάλασσα περιβάλλει το νησί. - The sea surrounds the island.
Passive: Το νησί περιβάλλεται από τη θάλασσα. The island is surrounded by the sea.

Conjugation (of the passive voice) of the verb ντύνομαι

Present tense

ντύνομαι - I am being
ντύνεσαι   dressed
ντύνεται
ντυνόμαστε
ντύνεστε
ντύνονται

Past Continuous

ντυνόμουν - I was being dressed
ντυνόσουν
ντυνόταν
ντυνόμαστε
ντυνόσαστε
ντύνονταν

Past Simple

ντύθηκα - I was dressed,
ντύθηκες   I dressed
ντύθηκε
ντυθήκαμε
ντυθήκατε
ντύθηκαν

Future Continuous

θα ντύνομαι - I shall be dressed
θα ντύνεσαι
θα ντύνεται
θα ντυνόμαστε
θα ντύνεστε
θα ντύνονται

Future Simple

θα ντυθώ - I shall be
θα ντυθείς   dressed
θα ντυθεί
θα ντυθούμε
θα ντυθείτε
θα ντυθούν

Present Perfect

έχω ντυθεί - I have been dressed
έχεις ντυθεί
έχει ντυθεί
έχουμε ντυθεί
έχετε ντυθεί
έχουν ντυθεί

Past Perfect

είχα ντυθεί - I had been dressed
είχες ντυθεί
είχε ντυθεί
είχαμε ντυθεί
είχατε ντυθεί
είχαν ντυθεί

Conjugation of the verb αγαπιέμαι

Present tense
Ενεστώτας

αγαπιέμαι - I am being loved,
αγαπιέσαι   I am loved
αγαπιέται
αγαπιόμαστε
αγαπιέστε
αγαπιούνται

Past Continous Tense
Παρατατικός

αγαπιόμουν - I was being
αγαπιόσουν - loved
αγαπιόταν
αγαπιόμαστε
αγαπιόσαστε
αγαπιόνταν

Past Simple tense	**Future Continuous**
Αόριστος	Μέλλοντας Εξακολουθητικός
αγαπήθηκα - I was loved	θα αγαπιέμαι - I shall be loved
αγαπήθηκες	θα αγαπιέσαι
αγαπήθηκε	θα αγαπιέται
αγαπηθήκαμε	θα αγαπιόμαστε
αγαπηθήκατε	θα αγαπιέστε
αγαπήθηκαν	θα αγαπιούνται

Future Simple Tense	**Present Perfect**
Μέλλοντας Στιγμιαίος	Παρακείμενος
θα αγαπηθώ - I shall be loved	έχω αγαπηθεί - I have been loved
θα αγαπηθείς	έχεις αγαπηθεί
θα αγαπηθεί	έχει αγαπηθεί
θα αγαπηθούμε	έχουμε αγαπηθεί
θα αγαπηθείτε	έχετε αγαπηθεί
θα αγαπηθούν	έχουν αγαπηθεί

Past Perfect

Υπερσυντέλικος

είχα αγαπηθεί - I had been loved	είχαμε αγαπηθεί
είχες αγαπηθεί	είχατε αγαπηθεί
είχε αγαπηθεί	είχαν αγαπηθεί

D. Ερωτήσεις - Questions: (You will find the answers to the questions on the tape.)

1. Σε ποια ήπειρο είναι η Ελλάδα;
2. Σε ποιο μέρος της Ευρώπης βρίσκεται η Ελλάδα;
3. Πόση είναι η έκτασή της;
4. Πόσο πληθυσμό έχει;
5. Ποια θάλασσα βρίσκεται στο ανατολικό μέρος;
6. Ποια θάλασσα βρίσκεται στο δυτικό και ποια στο νότιο;
7. Ποιο είναι το μεγαλύτερο νησί της Ελλάδας;
8. Πώς είναι το κλίμα της Ελλάδας;
9. Πώς είναι η θάλασσά της;
10. Πώς είναι ο ουρανός της;
11. Ποια είναι η πρωτεύουσα της Ελλάδας;
12. Πώς είναι η ιστορία της Ελλάδας;
13. Πού γίνονταν οι Ολυμπιακοί αγώνες την <u>αρχαία εποχή</u>;
14. Που είναι η Ολυμπία;
15. Τι πράγματα κάνουν τους τουρίστες να επισκέπτονται την Ελλάδα;

LESSON THIRTY TWO - ΜΑΘΗΜΑ ΤΡΙΑΚΟΣΤΟ ΔΕΥΤΕΡΟ

Ο κύρ Γιάννης Δημητριάδης, γνώστης πολλών γλωσσών
Mr. John Demetriades, master of many languages

- Καλημέρα, κύριε Δημητριάδη.
- Καλημέρα, <u>αγαπητέ</u> μου φίλε.
- Πώς είσαι, κύριε Δημητριάδη,
- Πολύ καλά ευχαριστώ.
- Βλέπω πως κάθεσαι στον ήλιο.
- Ναι, μ᾽ αρέσει πολύ ο ήλιος. Κάθομαι εδώ στον ήλιο, πίνω το καφεδάκι μου, διαβάζω την εφημερίδα μου και βλέπω τον <u>κοσμάκη</u> να πηγαίνει στις δουλειές του και τα <u>ψώνια</u> του.
- Καλά κάνεις, <u>κυρ</u> Δημητριάδη. Είσαι τώρα <u>ηλικιωμένος</u> και πρέπει να <u>ξεκουράζεσαι</u>.
- Ναι, είμαι ηλικιωμένος και μπορεί να πει κάποιος πως είμαι <u>γέρος</u>. Είμαι γέρος στα χρόνια, δεν είμαι όμως γέρος ούτε στο σώμα, ούτε στο <u>μυαλό.</u>
- <u>Μπράβο</u>, κύριε Δημητριάδη. Και δε μου λέτε, <u>επιτρέπεται</u> να σας ρωτήσω πόσων χρόνων είστε;
- Γιατί δεν επιτρέπεται; Νομίζεις πως <u>κρύβω</u> τα χρόνια μου; ᾽Ισα - ίσα, <u>υπερηφανεύομαι</u> που είμαι τόσων χρόνων και δεν το δείχνω. Είμαι ογδόντα χρόνων.
- ῎Οποιος σε βλέπει νομίζει πως είσαι μόνο πενήντα.
- Αυτό μου λένε όλοι.
- Να τα <u>εκατοστίσεις</u>, κυρ Δημητριάδη.
- Ευχαριστώ παιδί, μου. Επίσης.
- Μου λέτε πόσες γλώσσες ξέρετε;
- Α! Από τον καιρό που ήμουνα μικρός ήθελα να μάθω πολλές γλώσσες. Μου άρεσαν πολύ οι γλώσσες.
- Κι <u>έμαθες</u> πολλές;
- Ου... πολλές. Ξέρεις πως ο πατέρας μου ήταν πλούσιος <u>βιομήχανος</u>. Είχαμε πολλά λεφτά. ῎Ημουν <u>μοναχοπαίδι</u> και ο πατέρας μου ήθελε να με κάμει

επιστήμονα με όνομα. Γι αυτό μ΄ έστειλε στα πιο καλά πανεπιστήμια της Ευρώπης. Και όταν τέλειωνα το ένα πήγαινα στο άλλο. Έτσι πήγα πρώτα στην Ιταλία. Εκεί έμαθα ιταλικά. Μετά στη Γαλλία, όπου έμαθα γαλλικά, στην Αγγλία έμαθα αγγλικά και στη Γερμανία γερμανικά.

- Ώστε ξέρεις όλες αυτές τις γλώσσες;
- Ναι, τις ξέρω και μάλιστα πολύ καλά.
- Σε ποια άλλα μέρη του κόσμου έχεις πάει, μπάρμπα Δημητριάδη; - Πειράζει που σε λεω μπάρμπα;
- Όχι, παιδί μου δεν πειράζει καθόλου. Λοιπόν έχω πάει και στην Ασία, στις Ινδίες, στην Κίνα και στην Ιαπωνία. Δεν έμαθα όμως ούτε την Ινδική γλώσσα, ούτε κινέζικα, ούτε Ιαπωνικά.
- Στην Αφρική, πήγατε;
- Μόνο στην Αίγυπτο. Εκεί ο κόσμος μιλάει αραβικά. Ξέρω λίγα αραβικά.
- Στην Αμερική πήγατε;
- Πως, πήγα. Πήγα στη Βόρεια και στη Νότια Αμερική. Μεγάλη χώρα η Αμερική. Εκεί βέβαια μιλούν αγγλικά, τα οποία ξέρω πολύ καλά.
- Σε ποια άλλα μέρη πήγατε;
- Πήγα στη Ρωσσία, στη Σουηδία και στη Νορβηγία.
- Ώστε είστε κοσμογυρισμένος, όπως λέμε.
- Ναι, κοσμογυρισμένος και πολύγλωσσος.

- Πρέπει τώρα να σ΄ αφήσω, μπάρμπα Γιάννη, γιατί πρέπει να πάω στη δουλειά μου. Γεια σου.
- Γεια σου, παιδί μου. Στο καλό.

Β. ΛΕΞΙΛΟΓΙΟ - VOCABULARY

αγαπητός - αγαπητή - αγαπητό - dear, loved one
ο βιομήχανος - industrialist
ο γνώστης - he who knows something
εκατοστίζω (1) - I live to be one hundred

ο επιστήμονας - scientist

ηλικιωμένος- ηλικιωμένη- ηλικιωμένο- aged, advanced in years

κοσμογυρισμένος - κοσμογυρισμένη - κοσμογυρισμένο - he who has traveled all over the world

κρύβω (1) - I hide

κυρ - abbreviated form of κύριε - Mister, Sir

μαθαίνω (1) - I learn

το μοναχοπαίδι - the only child

το μυαλό - brain

ξεκουράζομαι (4) - I rest

πολύγλωσσος, -η, -ο - one who knows many languages

υπερηφανεύομαι (4) - I am proud of

τα ψώνια - shopping

Special words:

a. countries:

η Αγγλία - England
η Αμερική - America
η Γερμανία - Germany
οι Ηνωμένες Πολιτείες της Αμερικής - the United States of America
η Ιαπωνία - Japan
οι Ινδίες - η Ινδία - India
η Ισπανία - Spain
η Κίνα - China
η Νορβηγία - Norway
η Σουηδία - Sweden

η Αίγυπτος - Egypt
η Γαλλία - France
η Ελλάδα - Greece
η Ιταλία - Italy
το Ισραήλ - Israel
ο Καναδάς - Canada
η Κύπρος - Cyprus
η Ρωσσία - Russia
η Τουρκία - Turkey

b. Languages:

τα αγγλικά - Englisah
τα αραβικά - Arabic
τα γαλλικά - French
τα γερμανικά - German
τα ελληνικά - Greek

c. The continents - οι ήπειροι

η Αμερική - America
η Βόρεια Αμερική - North America
η Νότια Αμερική - South America

τα ιαπωνικά - Japanese   η Ανταρκτική - Artarctic
τα ισπανικά - Spanish   η Ασία - Asia
τα ιταλικά - Italian   η Αυστραλία - Australia
τα κινέζικα - Chinese   η Αφρική - Africa
τα ρωσσικά - Russian   η Ευρώπη - Europe
τα σουηδικά - Swedish

d. Other words:

επιτρέπεται - it is allowed.

δεν επιτρέπεται - it is not allowed.

απαγορεύεται - it is prohibited.

απαγορεύεται το κάπνισμα - no smoking

επιτρέπεται η είσοδος; - is it allowed to enter?

απαγορεύεται η είσοδος - no entrance

ο κοσμάκης - instead of ο κόσμος (diminutive)

From masculine words we can form diminutive masculines as:
ο Γιάννης - ο Γιαννάκης , ο Δημήτρης - ο Δημητράκης,
Feminines: η Ελένη - η Ελενίτσα, η Μαρία - η Μαρίτσα,
η πατάτα - η πατατίτσα, η τομάτα - η τοματίτσα
Neuters: το τυρί - το τυράκι, το παπούτσι - το παπουτσάκι,
το παιδί - το παιδάκι, το κορίτσι - το κοριτσάκι

Μάλιστα means "yes"; it also means "as a matter of fact".

Ξέρεις να κολυμπάς; - Do you know how to swim?

Ξέρω και μάλιστα πολύ καλά. Yes, I know, and as a matter of
                         fact, I know very well.

ο μπάρμπας - a word used to address old men.

Ο μπάρμπα Γιάννης, ο μπάρμπα Κώστας,

Πώς είσαι μπάρμπα Θανάση;

πειράζει - The verb "πειράζω" means "I bother". In the third
person it means "it matters".

Ποιος σε πειράζει - Who bothers you?

Δεν πειράζει - It does not matter.

<u>Στο καλό</u> - It is a greeting wishing someone who leaves, to have a good trip or to meet with good on his way.

C. CONVERSATION - ΣΥΝΔΙΑΛΕΞΗ

- Καλημέρα, αγαπητέ μου φίλε.	- Good morning dear friend.
- Καλημέρα, Γιώργο.	- Good morning, George
- Κάθισε Γιώργο.	- Have a seat, George.
- Ευχαριστώ.	- Thank you.
- Θέλεις να πάρεις κάτι;	- Do you like to have something?
Θα σε <u>κεράσω</u> εγώ.	- I am treating.
- Ένα καφέ.	- A coffee.
- Ελληνικό καφέ, αμερικανικό,	- Greek coffee, American,
νεσκαφέ, εσπρέσσο;	nescafe, espresso?
- Ελληνικό καφέ, παρακαλώ.	- Greek coffee, please.
- Τι διαβάζεις;	- What are you reading?
- Διαβάζω μια εφημερίδα.	- I am reading a newspaper.
- Είναι ελληνική;	- Is it Greek?
- Μάλιστα, είναι η πρωινή	- Yes, it is the morning
εφημερίδα.	paper.
- Τι νέα;	- What news?
- Τα ίδια.	- Same.
- Θέλεις να την δεις;	- Do you wish to see it?
- Όχι, <u>βαριέμαι</u> να διαβάζω	- No, I get bored reading
εφημερίδα.	the newspaper.
- Μήπως θέλεις την αγγλική	- Do you want the English
εφημερίδα;	paper?
- Έχεις και αγγλική εφημερίδα;	- Do you have an English paper too?
- Ναι, μ' αρέσει να διαβάζω	- Yes, I like to read different
διάφορες εφημερίδες.	papers.
Θέλω να ξέρω τι λέει ο	I want to know what the people
κόσμος στις άλλες χώρες.	in other countries say.
- Δε με ενδιαφέρει και τόσο.	- I do not care much.
- Να, ήρθε ο καφές σου.	- Here is your coffee.
- Ευχαριστώ. Στην υγειά σου.	- Thank you. Cheers. (To your health)
- Εις υγείαν.	- Cheers.

LESSON THIRTY THREE- ΜΑΘΗΜΑ ΤΡΙΑΚΟΣΤΟ ΤΡΙΤΟ

In lesson 33 you will read:
1. A letter and how to write a letter in Greek

2. A conversation

3. The idiomatic uses of some words

Ένα γράμμα

Α. ΑΝΑΓΝΩΣΗ

Την περασμένη εβδομάδα πήρα ένα <u>γράμμα</u> από τον φίλο μου τον Κώστα. Το είχε γράψει πριν δέκα μέρες.

Στο γράμμα μου έλεγε ότι πήγε ένα ταξίδι με τη γυναίκα του και τα παιδιά του στη Χαβάη. Να τι έγραφε το γράμμα:

Αγαπητέ μου φίλε Γιώργο,
Μόλις γυρίσαμε από ένα ταξίδι στη Χαβάη. Αυτόν τον χρόνο, εγώ και η γυναίκα μου δουλέψαμε πολύ <u>σκληρά</u>. Γι' αυτό αποφασίσαμε να πάμε <u>κάπου</u> να <u>ξεκουραστούμε</u>. <u>Διαλέξαμε</u> τη Χαβάη. Δεν είχαμε πάει ποτέ εκεί.

Είδαμε στις εφημερίδες πολλές <u>διαφημίσεις</u>. Μια από αυτές μας άρεσε πολύ. "Δέκα μέρες στη Χαβάη, με όλα τα <u>έξοδα</u> πληρωμένα, μαζί και τα <u>αεροπορικά</u> <u>εισιτήρια</u>, χίλια δολλάρια το <u>άτομο</u>."

Τηλεφώνησα λοιπόν σ' ένα φίλο μου, που έχει <u>τουριστικό</u> γραφείο. Μας <u>εξυπηρέτησε</u> <u>αμέσως</u>. Μας έβγαλε τα εισιτήρια και μας έδωσε <u>πληροφορίες</u> για το ταξίδι.

Το αεροπλάνο έφυγε το μεσημέρι κι έφτασε

στη Χαβάη αργά το απόγευμα. Το ξενοδοχείο, στο οποίο μείναμε, ήταν μοντέρνο και πολύ όμορφο. Τα φαγητά ήταν νόστιμα και η υπηρεσία θαυμάσια. Κάναμε μικρές εκδρομές στα γύρω νησιά, παίξαμε γκολφ (ξέρεις πόσο μ' αρέσει το γκολφ), κολυμπήσαμε και περπατήσαμε στην εξοχή. Περάσαμε πολύ ωραία. Αυτό το ταξίδι θα μου μείνει αξέχαστο. Άξιζε τον κόπο και τα έξοδα.

Όταν ήμαστε εκεί, σας σκεφτήκαμε. Κρίμα, είπαμε, να μη πούμε και στον Γιώργο να έρθει μαζί μας με την οικογένειά του. Θα περνούσαμε πολύ ωραία.
Ίσως κάποια άλλη φορά να μπορέσουμε να πάμε μαζί.

Ασφαλώς θα σε κούρασα με το γράμμα μου, αγαπητέ μου Γιώργο. Σ' αφήνω τώρα. Δώσε χαιρετίσματα στην οικογένειά σου.

Σε χαιρετούν όλοι οι δικοί μου.

Δικός σου,
ο φίλος σου
Κώστας

B. ΛΕΞΙΛΟΓΙΟ
αεροπορικός - αεροπορική - αεροπορικό - air (adj.)
αμέσως - at once
αξέχαστος - αξέχαστη - αξέχαστο - unforgettable
αξίζει τον κόπο - it is worth while
το άτομο - atom, person
το γκολφ - golf   το γράμμα - letter
διαλέγω (1) - I choose   η διαφήμιση - advertisement
οι δικοί μου - my own (people) το εισιτήριο - ticket, fare
η εκδρομή - excursion   ίσως - perhaps

το έξοδο - expense
τα έξοδα - expenses
εξυπηρετώ (3) - I serve,
    I accommodate
μοντέρνος - μοντέρνα -
μοντέρνο modern
νόστιμος - νόστιμη -
νόστιμο - tasty
ξεκουράζομαι (4) - I rest
ο οποίος - η οποία -
το οποίο - who, which
η πληροφορία - information
σκληρά - hard

κολυμπώ (2) - I swim
ο κόπος - trouble
κρίμα - it is a pity
κάπου - somewhere
κουράζω - I tire
το ξενοδοχείο - hotel
σκέφτομαι (4) - I think
τουριστικός - τουριστική -
τουριστικό - tourist
τα χαιρετίσματα -
    greetings
η υπηρεσία - service

C. Tenses of the verbs in this lesson:

διαλέγω (1) - I choose
διάλεγα - διάλεξα - θα διαλέγω - θα διαλέξω - έχω δια-
λέξει, είχα διαλέξει

εξυπηρετώ (3) - I serve, I accomodate
εξυπηρετούσα - εξυπηρέτησα - θα εξυπηρετώ -
θα εξυπηρετήσω - έχω εξυπηρετήσει - είχα εξυπηρετήσει

κολυμπώ (2) - I swim
κολυμπούσα - κολύμπησα - θα κολυμπώ - θα κολυμπή-
σω - έχω κολυμπήσει - είχα κολυμπήσει

κουράζω (1) - I tire
κούραζα - κούρασα - θα κουράζω - θα κουράσω - έχω
κουράσει - είχα κουράσει

ξεκουράζομαι (4) - I rest
ξεκουραζόμουν - ξεκουράστηκα - θα ξεκουράζομαι - θα
ξεκουραστώ - έχω ξεκουραστεί - είχα ξεκουραστεί

σκέφτομαι (4) - I think
σκεφτόμουν - σκέφτηκα - θα σκέφτομαι - θα σκεφτώ -
έχω σκεφτεί - είχα σκεφτεί

D. Some words of the lesson and their special uses:

αεροπορική εταιρεία - airline
αεροπορικό εισιτήριο - air fare
αεροπορικό δυστύχημα - air accident

Αξίζει τον κόπο να κάμουμε ένα ταξίδι στην Ελλάδα -
It is worth while (to us) to take a trip to Greece.
Αξίζει τον κόπο να μάθουμε ελληνικά.
It is worth while (to us) to us to learn Greek.

ο οποίος - η οποία - το οποίο - is a relative pronoun
having the same meaning as the word **που**
Ο άνθρωπος, ο οποίος έφτασε = Ο άνθρωπος που
έφτασε - *The man who arrived.* ...
Η γυναίκα, η οποία κάθεται εκεί = Η γυναίκα που
κάθεται εκεί. - *The woman who sits there.*
Το παιδί, το οποίο γράφει = Το παιδί που γράφει -
The child who writes.

οι δικοί μου - my own people - my family

δικός σου - yours

κάπου - somewhere - Πήγε κάπου - He went somewhere.

πουθενά - nowhere - Δεν πήγε πουθενά -He did not go
anywhere. (We have here two negatives δεν and πουθενά)

E. Answer the following questions taken from the reading. You may find the answers on the tape:

1. Ποιός έγραψε το γράμμα στον Γιώργο;
2. Πού είχε πάει ο Κώστας με την οικογενειά του;
3. Πόσες μέρες έμειναν στη Χαβάη;
4. Πόσα ήταν τα έξοδα για το κάθε άτομο;
5. Ποιός τους εξυπηρέτησε;
6. Πώς ήταν το ξενοδοχείο;
7. Πώς ήταν η υπηρεσία;
8. Πότε έφυγε το αεροπλάνο;
9. Πού πήγαν μικρές εκδρομές;

10. Τι στέλνει ο Κώστας στην οικογένεια του Γιώργου;
11. Πώς τελειώνει το γράμμα του;

F. ΣΥΝΔΙΑΛΕΞΗ - CONVERSATION
- Τι κάνεις Γιώργο;
- Γράφω ένα γράμμα.
- Σε ποιον γράφεις;
- Σ' ένα φίλο μου.
- Τον ξέρω;
- Όχι, δεν τον ξέρεις
- Που μένει;
- Μένει στην Ελλάδα.
- Και τι του γράφεις;
- Του γράφω πως το καλοκαίρι θα κάμω ένα ταξίδι στην
  Ελλάδα και θέλω να τον δω.
- Με παίρνεις και μένα μαζί σου;
- Αν έχεις τα λεφτά για το εισιτήριό σου, σε παίρνω.
- Πόσο κάνει το εισιτήριο;
- Χίλια δολλάρια.
- Α! τόσο μεγάλο ποσό δεν το έχω.
- Τότε δεν πηγαίνεις μαζί μου.
- Έτσι είναι οι φίλοι;
- Τι θέλεις, να σου πληρώσω εγώ το εισιτήριο;
- Σαν φίλοι που είμαστε, μπορείς να μου κάμεις ένα
  μικρό δώρο.
- Μικρό δώρο το λες αυτό;
- Όχι βέβαια! Μα αν θέλεις την παρέα μου, μπορείς να
  μου πληρώσεις το εισιτήριο!
- Αστειεύεσαι;
- Και βέβαια αστειεύομαι. Όσο φίλοι και να είμαστε δε
  θα ήθελα να πληρώσεις τόσα πολλά λεφτά για μένα.
  Γράψε χαιρετίσματα στον φίλο σου, παρόλο που δεν
  τον ξέρω.

- Αυτό μπορώ να το κάμω χωρίς να πληρώσεις μια <u>δεκάρα</u>.
- Εντάξει, δέχομαι.

Λέξεις:

αστειεύομαι (4) - I am joking
η δεκάρα - dime
το δώρο - gift
τα λεφτά - money - τα χρήματα
παίρνω (1) - I take

η παρέα - company
παρόλο - although
το ποσό - amount

G. How to write a letter in Greek:

a. the date: When we write the date in English, the name of the month comes first. In Greek the day comes first, then the month and last the year. Ex.:

English: February 2, 1989 Greek: 2 Φεβρουαρίου 1989

(Note: The name of the month is in the possessive case. In the above example it is: The second day **of** February, 1989.)

<u>We address people as follows</u>:

Our father: **Σεβαστέ μου πατέρα**: - Dear father (respected)
Our mother: **Σεβαστή μου μητέρα**: - Dear mother (respected)
Our parents: **Σεβαστοί μου γονείς**: Dear parents (respected parents)
A friend: **Αγαπητέ μου φίλε** ... Dear friend ...
Your wife or a girl you love: **Λατρευτή μου** or
         πολυαγαπημένη μου - Dear, beloved
A person not very close to you or a business man: **Αξιότιμε κύριε,**
         or **Αγαπητέ κύριε,** - Honorable Sir, Dear sir, Sir
A woman: **Αξιότιμη κυρία, Αγαπητή κυρία** - Dear Mrs.
A teacher, a professor or someone in the educational field: **Ελλόγιμε**
         κύριε... Learned Sir, Erudite ....
A priest: **Σεβαστέ μου Πάτερ** - Dear Father

An archbishop : Σεβασμιώτατε: Most reverend, Very reverend
A governor, a senator, or a political figure: Εξοχώτατε:
       Your excellency ..
The President : Έντιμε κύριε, ... Honorable Sir
A prince: Υψηλότατε - Your Highness
A King - Μεγαλειότατε - Your Majesty

Closing a letter:

To our parent: Με σεβασμό - With respect
To a friend or a loved one: Με αγάπη - With love
To a friend: Φιλικώτατα - Very friendly
To an acquaintance - Με εκτίμηση - With esteem
            or
      Δικός σου - or Υμέτερος - Yours
            or
      Με τιμή - With esteem
To a business man , a teacher, a professor etc. - Μεθ' υπολήψεως
                                      with esteem
To an archbishop - Μετά σεβασμού - Respectfully

LESSON THIRTY FOUR - ΜΑΘΗΜΑ ΤΡΙΑΚΟΣΤΟ ΤΕΤΑΡΤΟ

In this lesson you will learn:
  1. The names of the Greek sweets and meals
  2. The verb <u>γεννιέμαι</u>
  3. You will read an anecdote

Ο Κύριος Σμιθ μαθαίνει ελληνικά

Α. ΑΝΑΓΝΩΣΗ

Ο κύριος Σμιθ, είναι Αμερικανός. Πηγαίνει σε μια από τις νυχτερινές τάξεις του ελληνικού σχολείου.

- Πότε έχετε μάθημα, κύριε Σμιθ;
- Έχω μάθημα κάθε Τετάρτη βράδυ.
- Ποια ώρα είναι το μάθημα σας;
- Το μάθημα μου είναι από τις εφτά μέχρι τις εννιά.
- Τι ώρα τελειώνετε τη δουλειά σας;
- Τελειώνω τη δουλειά μου στις πέντε η ώρα.
- Έρχεστε κατευθείαν στο σχολείο από τη δουλειά σας;
- Κάποτε πηγαίνω στο σπίτι και τρώγω βραδινό με την οικογένειά μου. Άλλες φορές τρώγω έξω.
- Που τρώτε, κύριε Σμιθ;
- Τρώγω σ ' ένα <u>εστιατόριο</u>.
- <u>Απόψε</u>, πήγατε στο εστιατόριο;
- Μάλιστα, πήγα. Δεν είχα ώρα να πάω σπίτι, γιατί έμεινα και δούλεψα λίγο περισσότερο στο γραφείο.
- Και πώς ήρθατε στο σχολείο;
- Ήρθα με το λεωφορείο.
- Γιατί, δεν έχετε αυτοκίνητο;
- Έχω, αλλά <u>έχει χαλάσει</u> και το άφησα στον <u>μηχανικό</u> να το <u>διορθώσει</u>.
- Πέστε μας, κύριε Σμιθ, τα ελληνικά πώς σας φαίνονται;
  Είναι <u>εύκολα</u> ή <u>δύσκολα</u>;

- Νομίζω πως η ελληνική γλώσσα είναι πιο δύσκολη από την αγγλική.
- Μπορείτε να μας πείτε τότε γιατί θέλετε να μάθετε ελληνικά;
- Για πολλούς λόγους.
- Πέστε μας ένα.
- Πρώτα - πρώτα είμαι παντρεμένος με ελληνίδα.
- Από πού είναι η γυναίκα σας;
- Είναι από την Ελλάδα.
- Γεννήθηκε στην Ελλάδα;
- Μάλιστα, εκεί γεννήθηκε. Στο σπίτι η γυναίκα μου και τα παιδιά μιλούν πολλές φορές ελληνικά. Εγώ, δεν καταλαβαίνω τι λένε κι αυτό δε μ᾽ αρέσει. Θέλω να μάθω κι εγώ τη ελληνική γλώσσα για να καταλαβαίνω τι λένε.
- Ωραία. Και ποιοι είναι οι άλλοι λόγοι;
- Κατά δεύτερο λόγο έχω αγαπήσει κάθε τι ελληνικό: Μ᾽ αρέσουν η ελληνική κουζίνα και τα ελληνικά φαγητά. Η γυναίκα μου είναι μια θαυμάσια μαγείρισσα. Ξέρει να μαγειρεύει νόστιμα ελληνικά φαγητά, παστίτσιο, μουσακά, αρνάκι ψητό, αρνάκι στη σούβλα, σούπα αυγολέμονο, ντολμάδες, κάνει ταραμοσαλάτα, ελληνική σαλάτα και ένα σωρό ελληνικά γλυκίσματα, όπως είναι ο μπακλαβάς, το γαλατομπούρεκο, το καταΐφι, τα κουλουράκια, τα φοινίκια και άλλα.
- Μου αρέσει ακόμα η ελληνική μουσική και το ελληνικό τραγούδι, ο ελληνικός χορός, το μπουζούκι, και το ελληνικό κρασί, το ούζο και το κονιάκ.

B. ΛΕΞΙΛΟΓΙΟ
απόψε - tonight
γεννιέμαι (4) - I am born
το γλύκισμα, τα γλυκίσματα - sweets
διορθώνω (1) - I repair
δύσκολος - δύσκολη - δύσκολο - difficult
η ελληνίδα - Greek girl or woman
εύκολος - εύκολη - εύκολο - easy

καταλαβαίνω (1) I understand
το κονιάκ - cognac
ο λόγος - word, reason
ο μηχανικός - mechanic
η μουσική - music
το μπουζούκι - Greek musical instrument
το ούζο - ouzo
πρώτα - πρώτα - first of all
ο σωρός - pile
σωρός από γλυκίσματα - many and different sweets
το τραγούδι - song
χαλνώ (2) - I destroy, I break down

Greek dishes:
το αρνί - lamb
αρνάκι ψητό - roasted lamb
αρνάκι στη σούβλα - lamb on the skewer
η μπριζόλα - pork chop
ο μουσακάς - Greek dish with egg plant and ground meat
οι ντολμάδες - grape leaves stuffed with rice and ground meat
η σούπα αυγολέμονο - chicken soup with eggs and lemon
σαλάτα - salad
ταραμοσαλάτα - a spread made with caviar
χωριάτικη σαλάτα - kind of Greek salad with tomatoes,
cucumbers, onions, olives and feta cheese

Greek Sweets:
οι δίπλες - very thin dough, fried lightly, and covered with
honey and chopped walnuts
ο μπακλαβάς - baklava
το καταήφι - cataif - a sweet resembling shredded wheat,
filled with chopped walnuts and covered with syrup.
τα κουλουράκια - kind of Greek cookies
τα φοινίκια - another kind of Greek cookies

D. Uses of words found in the reading above:

γεννιέμαι - I am born
γεννήθηκα - I was born
έχω γεννηθεί - I have been born.

Γεννήθηκα στην Ελλάδα. - I was born in Greece.
Που γεννήθηκε ο Χριστός; - Where was Christ born?
Ο Χριστός γεννήθηκε στη Βηθλεέμ. - Christ was born in Bethlehem.

εύκολα - δύσκολα

The neuter plural of adjectives is also used as an adverb.

Τα ελληνικά δεν είναι εύκολα. - Greek is not easy. (εύκολα
here is an adjective.)

Διαβάζω το γράμμα εύκολα - I read the letter easily (without
difficulty.) (Here εύκολα is an adverb.)

Τα πράγματα φαίνονται δύσκολα - The situation seems difficult.
(Δύσκολα here is an adjective).

Το βράδυ βλέπω δύσκολα - At night I see with difficulty.
(Δύσκολα here is an adverb).

διορθώνω (1) - I repair
διόρθωνα, διόρθωσα - θα διορθώνω, θα διορθώσω, έχω
διορθώσει, είχα διορθώσει

Ο μηχανικός διορθώνει το αυτοκίνητο. The mechanic repairs
the car.

E. An anecdote - Ένα ανέκδοτο

Ο Βασιλάκης ήταν ένα τσοπανόπουλο. Ήρθε όμως η
σειρά του να πάει στον στρατό, όπως πηγαίνουν όλοι οι
νέοι. Γράμματα καλά-καλά δεν ήξερε. Ήταν και λίγο βλάκας κι
έτσι η κατάσταση χειροτέρευε. Με μεγάλη δυσκολία μπόρεσαν
οι αξιωματικοί να τον διδάξουν λίγα πράγματα.

Ο βασιλιάς, από καιρό σε καιρό, επισκεπτόταν τον
στρατό και συνήθιζε να κάνει στους στρατιώτες πάντοτε τις

ίδιες ερωτήσεις: -Πόσων χρόνων είσαι; - Πόσο καιρό είσαι στον στρατό; - Ζουν οι γονείς σου;

Μια μέρα, λοιπόν, ο βασιλιάς ήρθε στο <u>στρατόπεδο</u> κι άρχισε να πηγαίνει γύρω και να ρωτά τους <u>στρατιώτες</u>. Έφτασε και στον Βασιλάκη. Ο Βασιλάκης ήταν βέβαιος πως ήξερε να απαντήσει στις ερωτήσεις "<u>απ' έξω κι ανακατωτά</u>".

Αλλά ο βασιλιάς άλλαξε λίγο τη σειρά των ερωτήσεων:
- Πόσο καιρό είσαι στον στρατό;
- Είκοσι έξι χρόνια, λέει ο Βασιλάκης.
- Και πόσων χρονών είσαι;
- Έξι μηνών.
    Ο βασιλιάς άρχισε να <u>θυμώνει</u>.
    - Ένας από τους δυο μας πρέπει να είναι <u>τρελλός</u>! Ποιος είναι, εσύ ή εγώ;
    - Και οι δυο, απαντά ο Βασιλάκης.

Λέξεις - Words:

το τσοπανόπουλο - a young shepherd
από καιρό σε καιρό - from time to time
ο στρατός - army
καλά - καλά - not very well
ο βλάκας - stupid
απ έξω κι ανακατωτά - by heart (by heart and mixed)
η κατάσταση - situation
χειροτερεύω (1) - I become worse, I get worse, I worsen
ο βασιλιάς - king
η σειρά - turn
συνηθίζω (1) - I use to
το στρατόπεδο - camp
ο στρατιώτης - soldier
θυμώνω (1) - I get angry
τρελλ-ός, -ή, -ό - crazy

LESSON THIRTY FIVE - ΜΑΘΗΜΑ ΤΡΙΑΚΟΣΤΟ ΠΕΜΠΤΟ

In lesson 35, in addition to the reading, you will
  *1. Study the conjugation of the transitive verb **διδάσκω** in the active*
     and passive voice
  2. Review the adjective endings

Ο κύριος Σμιθ μιλά για την Ελλάδα

Α. ΑΝΑΓΝΩΣΗ

Ο κύριος Σμιθ εξακολουθεί να μας λέει γιατί θέλει να μάθει ελληνικά.

- Λοιπόν, κύριε Σμιθ, μας είπατε δυο λόγους, που σας έκαμαν να θέλετε να μάθετε ελληνικά. Υπάρχει και τρίτος λόγος;

- Μάλιστα, υπάρχει, και αυτός, μπορώ να πω, είναι και ο σπουδαιότερος.

- Και ποιος είναι αυτός ο λόγος;

- Θα σας τον πω: Όλα τα χρόνια μου, στα σχολεία, διάβαζα για την Ελλάδα. Στο δημοτικό, στο γυμνάσιο, στο πανεπιστήμιο, διδαχτήκαμε την ελληνική ιστορία, τον ελληνικό πολιτισμό, την ελληνική δημοκρατία.

Διάβασα για τους μεγάλους άντρες της αρχαίας Ελλάδας, για τους τραγικούς ποιητές, τον Αισχύλο, τον Σοφοκλή και τον Ευριπίδη.

Διάβασα για τους φιλοσόφους, τον Πλάτωνα, τον Αριστοτέλη και τον Σωκράτη. Είδα και θαύμασα τους μεγαλόπρεπους ναούς, τα αγάλματα και τα αγγεία που κατασκεύαζαν οι αρχαίοι Έλληνες.

Όλα αυτά μου δημιούργησαν μια βαθιά αγάπη για τον αρχαίο ελληνικό πολιτισμό. Η αγάπη μου αυτή προς την Ελλάδα μεγάλωσε πιο πολύ, όταν συνάντησα και παντρεύτηκα την ελληνίδα γυναίκα μου, που έχει μάλιστα και αρχαίο ελληνικό όνομα: Τη λένε Ιφιγένεια.

Μας λέτε τώρα, κύριε Σμιθ, κάτι για την <u>προσωπική</u> σας ζωή; Ποιο είναι το <u>επάγγελμά</u> σας;

- Είμαι <u>δικηγόρος</u>. Είμαι σαράντα χρόνων και έχω γεννηθεί στην Αμερική. Οι γονείς μου ήταν Άγγλοι. Ο παππούς και η γιαγιά μου ήταν <u>μετανάστες</u> από την Αγγλία.

Εγώ <u>σπούδασα</u> δικηγόρος και άνοιξα γραφείο στην πόλη μας. Έχουμε τέσσερα παιδιά, ηλικίας από δέκα μέχρι είκοσι χρόνων. Μένουμε στα <u>προάστεια</u>, είκοσι μίλια από το κέντρο της πόλης.

- Σας ευχαριστούμε πολύ, κύριε Σμιθ.
- Παρακαλώ.

B. ΛΕΞΙΛΟΓΙΟ

το *άγαλμα* - statue

το *αγγείο* - *τα αγγεία* - pottery

βαθύς - **βαθιά** - **βαθύ** - deep

δημιουργώ (3) - I create

ο *δικηγόρος* - lawyer

το *επάγγελμα* - profession, work

κατασκευάζω - (1) - I make, I manufacture

ο *μετανάστης* - immigrant

ο *μεγαλόπρεπ‑ος*, ‑η, ‑ο* - magnificent

μεγαλώνω (1) - I grow up

παντρεύομαι (4) - I get married

το *προάστειο* - suburb

η *προσωπική ζωή* - personal life

σπουδαί‑ος, ‑α, ‑ο* -important

ο *τραγικός ποιητής* - tragic poet - Aeschylus, Sophocles and
Euripides are called tragic poets.

ο *φιλόσοφος* - philosopher

---

*The three forms of an adjective may be listed in an abbreviated
orm, as : καλ‑ός, ‑ ή, ‑ό,   ωραί‑ος, ‑α, ‑ο*

C. GRAMMAR - ΓΡΑΜΜΑΤΙΚΗ

We have talked about verbs in the active and passive voice.

In this lesson we find the verb διδάσκω - I teach and διδάσκομαι - I am taught. Following is the conjugation of the verb in the active and passive voice.

A C T I V E   V O I C E

Present tense
διδάσκω - I teach
διδάσκεις
διδάσκει
διδάσκουμε
διδάσκετε
διδάσκουν

Past Continuous
δίδασκα - I was
δίδασκες   teaching
δίδασκε
διδάσκαμε
διδάσκατε
δίδασκαν

Past Simple
δίδαξα - I taught
δίδαξες
δίδαξε
διδάξαμε
διδάξατε
δίδαξαν

Furute Continuous
θα διδάσκω - I shall be
θα διδάσκεις   teaching
θα διδάσκει
θα διδάσκουμε
θα διδάσκετε
θα διδάσκουν

Future Simple
θα διδάξω - I shall
θα διδάξεις   teach
θα διδάξει
θα διδάξουμε
θα διδάξετε
θα διδάξουν

Present Perfect
έχω διδάξει - I have
έχεις διδάξει   taught
έχει διδάξει
έχουμε διδάξει
έχετε διδάξει
έχουν διδάξει

Past Perfect
είχα διδάξει - I had
είχες διδάξει   taught
είχε διδάξει
είχαμε διδάξει
είχατε διδάξει
είχαν διδάξει

Future Perfect
θα έχω διδάξει - I shall have taught
θα έχεις διδάξει
θα έχει διδάξει
θα έχουμε διδάξει
θα έχετε διδάξει
θα έχουν διδάξει

P A S S I V E   V O I C E

Present Tense
διδάσκομαι I am taught,
διδάσκεσαι   I am being
διδάσκεται   taught
διδασκόμαστε
διδάσκεστε
διδάσκονται

Past Continuous
διδασκόμουν - I was
διδασκόσουν   being
διδασκόταν   taught
διδασκόμαστε
διδασκόσαστε
διδάσκονταν

Past Simple
διδάχτηκα - I was
διδάχτηκες   taught
διδάχτηκε
διδαχτήκαμε
διδάχτήκατε
διδάχτηκαν

Future Continuous

θα διδάσκομαι I shall be taught   θα διδασκόμαστε
θα διδάσκεσαι   θα διδάσκεστε
θα διδάσκεται   θα διδάσκονται

Future Simple	Present Perfect
θα διδαχτώ - I shall be taught	έχω διδαχτεί - I have been taught
θα διδαχτείς	έχεις διδαχτεί
θα διδαχτεί	έχει διδαχτεί
θα διδαχτούμε	έχουμε διδαχτεί
θα διδαχτείτε	έχετε διδαχτεί
θα διδαχτούν	έχουν διδαχτεί

Past Perfect	Future Perfet*
είχα διδαχτεί - I had been taught	θα έχω διδαχτεί - I shall have been
είχες διδαχτεί	θα έχεις διδαχτεί taught
είχε διδαχτεί	θα έχει διδαχτεί
είχαμε διδαχτεί	θα έχουμε διδαχτεί
είχατε διδαχτεί	θα έχετε διδαχτεί
είχαν διδαχτεί	θα έχουν διδαχτεί

* The future perfect tense shows an action which will be completed before some other action. Ex.: I shall have finished my lesson before dinner.

The names of the tenses - Τα ονόματα των χρόνων
- ο Ενεστώτας - Present
- ο Παρατατικός - Past Continuous or Imperfect
- ο Αόριστος - Past Simple or Aorist
- ο Εξακολουθητικός Μέλλοντας - Future Continuous
- ο Στιγμιαίος Μέλλοντας - Future Simple
- ο Παρακείμενος - Present Perfect
- ο Υπερσυντέλικος - Past Perfect
- ο Τετελεσμένος Μέλλοντας - Future Perfect

D. A reading from the Greek Mythology:

Ένας ποιητής λέγει: Όταν οι θεοί έπλασαν τον κόσμο, έδωσαν στο καθένα από τα δημιουργήματα κάτι που θα τα βοηθούσε στη ζωή τους. Έτσι, στον ταύρο έδωσαν τα κέρατα, στα άλογα τις οπλές, στα πουλιά τα φτερά κτλ. (και τα λοιπά = etc.)

Στον άντρα έδωσαν την <u>ανδρεία</u> και στην γυναίκα την <u>ομορφιά</u>. Η γυναίκα έχει γίνει η πιο δυνατή από όλα τα πλάσματα, γιατί με την ομορφιά της <u>κυβερνά</u> τον άντρα.

Words - Λέξεις:

έπλασαν - πλάθω (1) - I create	τα φτερά - wings, feathers
το δημιούργημα - creation	η ανδρεία - bravery
ο ταύρος - bull	η ομορφιά - beauty
το κέρατο - horn	κυβερνώ (2) - I control
η οπλή - hoof	

E. Another story from the Greek Mythology:

Κάθε άνθρωπος φέρει (carries) δυο <u>σακούλες</u>, μια <u>μπροστά</u> και μια <u>πίσω του</u>. Η σακούλα, που είναι μπροστά του, <u>περιέχει</u> όλα τα <u>κακά</u> των άλλων ανθρώπων. Η σακούλα, που είναι πίσω του, περιέχει τα δικά του κακά. Γιαυτό οι άνθρωποι τα δικά τους κακά δεν τα βλέπουν, τα κακά όμως των άλλων τα βλέπουν πολύ καλά.

η σακούλα - bag
μπροστά του - in front
πίσω του - in the back
περιέχει - it contains, περιέχω (1) - I contain
τα κακά - bad things, evil things

F. Ερωτήσεις: (You will find the answers on the tape)

1. Όταν οι θεοί έπλασαν τον κόσμο, τί έδωσαν στον ταύρο;
2. Τι έδωσαν στα πουλιά;
3. Τι έδωσαν στα άλογα;
4. Τι έδωσαν στον άντρα;
5. Τι έδωσαν στη γυναίκα;
6. Πόσες σακούλες έχει κάθε άνθρωπος;
7. Τι περιέχει η μια σακούλα που είναι μπροστά του;
8. Τι περιέχει η σακούλα που είναι πίσω του;

LESSON THIRTY SIX - ΜΑΘΗΜΑ ΤΡΙΑΚΟΣΤΟ ΕΚΤΟ

In lesson 36, in addition to the reading, you will learn:
1. Some new verbs and their tenses
*2. Irregular feminines ending in -**η***
*3. Proper feminine nouns ending in -**ω***

Ο κύριος Μπράουν μαθαίνει ελληνικά

A. Ανάγνωση

Ένας άλλος μαθητής, που πηγαίνει στις νυχτερινές τάξεις, είναι ο κύριος Μπράουν. Είναι νέος, περίπου τριάντα χρόνων και έχει <u>σπουδάσει</u> <u>οικονομικά</u>. <u>Εργάζεται</u> σε ένα μεγάλο κατάστημα σαν <u>οικονομικός</u> <u>σύμβουλος</u>.

Πολλές φορές, μετά το μάθημα, μένει στην τάξη και <u>πιάνει</u> <u>κουβέντα</u> με τον δάσκαλο. Έχει μεγάλη <u>επιθυμία</u> να μάθει να μιλά ελληνικά <u>άπταιστα</u>.

" Ξέρετε, " λέει στον δάσκαλο, "έχω ένα μήνα <u>διακοπές</u> και σκεφτομαι να πάω ένα ταξίδι στην Ελλάδα. Νομίζω πως έτσι θα μάθω να μιλώ ελληνικά πιο καλά. "

" Πολύ καλή <u>ιδέα</u>," απαντά ο δάσκαλος. " Θέλετε να σας <u>βοηθήσω</u> <u>σε</u> <u>κάτι</u>;"
" Θα ήθελα ένα τουριστικό <u>οδηγό</u> της Ελλάδας. Πού μπορώ να βρω ένα τέτιο οδηγό;"
" Είμαι βέβαιος ότι όλα τα <u>βιβλιοπωλεία</u> έχουν οδηγούς."
" Και ποια είναι η καλύτερη εποχή που μπορεί κανένας να επισκεφθεί την Ελλάδα;"

Οι πιο καλές εποχές είναι η άνοιξη, το καλοκαίρι και το φθινόπωρο. Τον χειμώνα κάνει κρύο και δεν σε <u>συμβουλεύω</u> να πας τότε."
" Παίρνω την <u>άδειά</u> μου τον Σεπτέμβριο. Μπορώ να πάω τότε."

"Πολύ ωραία εποχή, η καλύτερη, μπορώ να πω. Ο καιρός τότε δεν είναι πολύ ζεστός, η θάλασσα είναι _συνήθως ήσυχη_ και υπάρχει _αφθονία_ φρούτων. Τον Σεπτέμβριο δεν υπάρχουν πολλοί τουρίστες, ώστε μπορείς να βρεις δωμάτια στα ξενοδοχεία και θέσεις στα αεροπλάνα. Με λίγα λόγια θα κάνεις πολύ καλές διακοπές. "

" Ευχαριστώ πολύ για τις _πληροφορίες_. "
" Παρακαλώ. "

B. <u>Λεξιλόγιο</u>

η άδεια - permission, vacation
άπταιστα - fluently
η αφθονία - abundance
το βιβλιοπωλείο - bookstore
βοηθώ (2) - I help
οι διακοπές - vacation
η επιθυμία - wish
εργάζομαι (4) - I work
ήσυχ-ος, -η, -ο - quiet, calm
η θέση - place, position
η ιδέα - idea
ο οδηγός - guide
τα οικονομικά - economics
οικονομικός - economist, economic
πιάνω (1) - I take
σε κάτι - in something
πιάνω κουβέντα - I strike a conversation
η πληροφορία - information
σπουδάζω (1) - I study
συμβουλεύω (1) - I advise
ο σύμβουλος - adviser
συνήθως - usually

C. Tenses of the new verbs in the reading:
βοηθώ (2) - I help
βοηθούσα, βοήθησα, θα βοηθώ, θα βοηθήσω, έχω βοηθήσει
είχα βοηθήσει

εργάζομαι (4) - I work
εργαζόμουν, εργάστηκα, θα εργάζομαι, θα εργαστώ,
έχω εργαστεί, είχα εργαστεί
ζητώ (2) - I ask
ζητούσα, ζήτησα, θα ζητώ, θα ζητήσω, έχω ζητήσει,
είχα ζητήσει
πιάνω (1) - I take
έπιανα, έπιασα, θα πιάνω, θα πιάσω, έχω πιάσει, είχα
πιάσει
σπουδάζω (1) - I study
σπούδαζα, σπούδασα, θα σπουδάζω, θα σπουδάσω, έχω
σπουδάσει, είχα σπουδάσει

D. Some feminine nouns ending in -η belong to a separate group of
feminines which has its own declension. These words come from
nouns which in classical Greek end is -ις: like η Ακρόπολη = η
Ακρόπολις, η τάξη = η τάξις, η γνώση = η γνώσις,
η πόλη = η πόλις.
They are declined as follows:

Singular number

η πόλη - the city, town   η θέση - place, position
της πόλης   της θέσης
την πόλη   τη θέση
   πόλη   θέση

Plural number

οι πόλεις   οι θέσεις
των πόλεων   των θέσεων
τις πόλεις   τις θέσεις
   πόλεις   θέσεις

Other, similar words are:

η αναχώρηση - departure   η διαφήμιση - advertisement
η άνοιξη - spring   η κρίση - crisis, judgement
η βλάστηση - vegetation   η λέξη - word
η γνώση - knowlegde   η λύση - solution
η διεύθυνση - address   η τάξη - class, classroom
η δύση - sunset   η υπόθεση - hypothesis

Feminine nouns ending in -ω. This group contains only proper nouns.

Singular number

η Φρόσω   η Κατίγκω
της Φρόσως   της Κατίγκως
τη Φρόσω   την Κατίγκω
Φρόσω   Κατίγκω

(Proper nouns have no plural)

E. Special words in the lesson:

The word **άδεια** means permission, license. It also means the vacation period of an employee. Ex.:

Έχω άδεια να οδηγώ - I have a license for driving.

Ο γιατρός μου έδωσε άδεια να περπατώ λίγο κάθε μέρα. - The doctor gave me permission to walk a little every day.

Φέτος θα πάρω την άδειά μου στον Αύγουστο. - This year I will take my vacation in August.

Σπουδάζω means I study in a university. Ex.:

Σπουδάζω γιατρός - I study to become a physician.
Σπουδάζω χημικός - I study to become a chemist.
Σπουδάζω μαθηματικός - I study to become a mathematician.

Πιάνω κουβέντα - I strike a conversation, I talk
Πιάσαμε κουβέντα για τα πολιτικά. - We talked about politics.

F. CONVERSATIO N - ΣΥΝΔΙΑΛΕΞΗ

(Questions based on the lesson. You will find the answers on the tape.)

1. Πόσων χρόνων είναι ο κύριος Μπράουν;
2. Τι σπούδασε;
3. Πού εργάζεται;
4. Γιατί πηγαίνει στις νυχτερινές τάξεις του ελληνικού σχολείου;
5. Τι κάνει πολλές φορές μετά το μάθημα;
6. Τι θέλει να κάμει στις διακοπές;
7. Γιατί θέλει να πάει στην Ελλάδα;
8. Τι <u>ζητά</u> από τον δάσκαλό του;
9. Πού μπορεί να αγοράσει ένα τουριστικό χάρτη;
10. Ποια εποχή δεν είναι και τόσο καλή για να επισκεφτεί κάποιος την Ελλάδα;
11. Ποιος μήνας είναι ο καλύτερος για διακοπές στην Ελλάδα;
12. Πώς είναι τα ξενοδοχεία τον Σεπτέμβριο;

G. A short reading from the Greek Mythology:

Ο Προμηθέας έκαμε ανθρώπους και <u>θηρία</u>. Είδε όμως πως τα θηρία ήταν πολύ περισσότερα από τους ανθρώπους. Έτσι άλλαξε μερικά από τα θηρία και τα έκαμε ανθρώπους. Γιαυτό υπάρχουν πολλοί, που έχουν σώμα ανθρώπων αλλά την <u>ψυχή</u> θηρίων.

Words - Λέξεις

το θηρίο - wild beast
η ψυχή - soul

LESSON THIRTY SEVEN - ΜΑΘΗΜΑ ΤΡΙΑΚΟΣΤΟ ΕΒΔΟΜΟ

In this lesson you will read
1. about a person who is preparing for a trip to Greece
2. an anecdote

Προετοιμασίες για ένα ταξίδι

Α. Ανάγνωση

- Μπορώ να σας εξυπηρετήσω; ρωτά ο <u>υπάλληλος</u> τον κύριο Μπράουν, που μπαίνει σ΄ ένα βιβλιοπωλείο. - Τι θέλετε, παρακαλώ;
- Θέλω ένα οδηγό της Ελλάδας.
- Αμέσως, <u>ορίστε</u>. Για την Ελλάδα έχουμε αυτά τα τρία βιβλία.
- Μπορώ να τα <u>κοιτάξω</u> για μερικά λεπτά;
- Και βέβαια, μπορείτε.

Ο κύριος Μπράουν ρίχνει μια ματιά στα τρία βιβλία και διαλέγει ένα απ΄ αυτά.
- Πόσο κάνει; ρωτά τον υπάλληλο.
- Έξι δολλάρια.

Ο κύριος Μπράουν πληρώνει στο <u>ταμείο</u> και φεύγει.

Στον οδηγό βλέπει ότι στην Ελλάδα πηγαίνουν πολλές αεροπορικές εταιρείες. Διαλέγει την Ολυμπιακή, που είναι <u>η εθνική αεροπορική εταιρεία</u> της Ελλάδας, και τηλεφωνάει στα γραφεία της.
- Θέλω μερικές πληροφορίες για τις <u>πτήσεις</u> που έχετε προς την Ελλάδα, λέει.
- Ευχαρίστως. Έχουμε μια πτήση κάθε μέρα από τη Νέα Υόρκη κατευθείαν για την Αθήνα.
- Τι ώρα φεύγει το αεροπλάνο;

- Φεύγει στις έξι το βράδι.
- Τι ώρα φτάνει στην Αθήνα;
- Φτάνει στις έντεκα το πρωί, την άλλη μέρα.
- Πόσο <u>διαρκεί</u> η πτήση;
- Διαρκεί περίπου οχτώ ώρες.
- Πόσο κάνει το εισιτήριο.
- Θέλετε <u>εισιτήριο με επιστροφή</u>;
- Μάλιστα, με επιστροφή.
- Κάνει χίλια δολλάρια.
- Μπορώ να <u>κρατήσω</u> μια θέση;
  Ποια ημερομηνία θέλετε να φύγετε;
- Την πρώτη Σεπτεμβρίου.
- Μια στιγμή, παρακαλώ, να <u>ελέγξω</u> το κομπιούτερ.
  Μάλιστα, μπορώ να σας δώσω μια θέση για την πρώτη Σεπτεμβρίου.
- Ακόμα μια άλλη ερώτηση: Μπορώ να πληρώσω με <u>πι στωτική κάρτα</u>;
- Βέβαια, μπορείτε.
- Πότε πρέπει να πάρω το εισιτήριο;
- Τουλάχιστο δεκαπέντε μέρες πριν την <u>αναχώρηση</u>.
  Μπορείτε τώρα να μου δώσετε το όνομά σας;
- Ευχαρίστως. Ονομάζομαι Τζον Μπράουν.
- <u>Διεύθυνση</u>, παρακαλώ;
- <u>Κεντρική Οδός</u>, αριθμός 555.
- Το τηλέφωνό σας;
- <u>Κωδικός</u> 785 και τηλέφωνο 397-1022
- Εντάξει, σας έχουμε κρατήσει μια θέση για την πτήση της πρώτης Σεπτεμβρίου.
- Ευχαριστώ πολύ.
- Ευχαριστώ, που θα <u>πετάξετε</u> με την Ολυμπιακή.

B. ΛΕΞΙΛΟΓΙΟ
    διαρκώ (3) - I last
    η διεύθυνση - address
    η εθνική αεροπορική εταιρεία - the national airline

εισιτήριο με επιστροφή ‑ round trip ticket
ελέγχω (1) ‑ I check
η κεντρική οδός ‑ central street
κοιτάζω (1) ‑ I look, I take a look
κρατώ (2) ‑ I hold, I reserve
ο κωδικός ‑ area code
ορίστε ‑ here, here it is
πετώ (2) ‑ I fly
η πτήση ‑ flight
το ταμείο ‑ cashier's office
ο υπάλληλος ‑ employee, salesman
η πιστωτική κάρτα ‑ charge card

The tenses of the new verbs:
διαρκώ (3) ‑ I last
διαρκούσα, διάρκεσα, θα διαρκώ, θα διαρκέσω, έχω διαρκέ‑
σει, είχα διαρκέσει
ελέγχω (1) ‑ I check
ήλεγχα, ήλεγξα, θα ελέγχω, θα ελέγξω, έχω ελέγξει, είχα
ελέγξει
κοιτάζω (1) ‑ I look
κοίταζα, κοίταξα, θα κοιτάζω, θα κοιτάξω, έχω κοιτάξει,
είχα κοιτάξει
κρατώ (2) ‑ I hold
κρατούσα, κράτησα, θα κρατώ, θα κρατήσω, έχω κρατήσει
είχα κρατήσει
πετώ (2) ‑ I fly
πετούσα, πέταξα, θα πετώ, θα πετάξω, έχω πετάξει, είχα
πετάξει

D. CONVERSATION ‑ ΣΥΝΔΙΑΛΕΞΗ
 Τι κάνουν τα πουλιά;   ‑ Τα πουλιά πετούν.
‑ Τι κάνουν τα αυτοκίνητα; ‑ Τα αυτοκίνητα τρέχουν.
‑ Τι κάνουν τα ψάρια;   ‑ Τα ψάρια κολυμπούν.
‑ Οι άνθρωποι κολυμπούν;   ‑ Πολλοί άνθρωποι κολυμπούν.

- Τα αεροπλάνα πετούν;   - Μάλιστα, πετούν.
- Τα αυτοκίνητα πετούν;   - Όχι, τα αυτοκίνητα δεν
                              πετούν.

- Τι κάνουν τα τρένα;   - Τα τρένα τρέχουν.
- Τα ποδήλατα;   - Και τα ποδήλατα τρέχουν.

E.   An anecdote - Ένα ανέκδοτο
      Μια μέρα ένας <u>ποντικός</u> <u>έπεσε</u> μέσα σ' ένα <u>ασκί</u> από
κρασί. Τη στιγμή εκείνη περνούσε απ' εκεί ένας <u>γάτος</u>. Ο
γάτος άκουσε τις φωνές του ποντικού κι έτρεξε να δει τι
<u>συμβαίνει</u>.
      - Γιατί φωνάζεις έτσι; λέει στον ποντικό.
      - Δε βλέπεις; απαντά ο ποντικός. <u>Πνίγομαι</u> και δεν
μπορώ να βγω έξω από το ασκί.
      - Τι θα μου δώσεις, αν σε βγάλω έξω;
      - Ό,τι θέλεις, λέει ο ποντικός. Τι θέλεις;
   - Να τι θέλω, λέει ο γάτος. Να έρθεις αμέσως κοντά μου
μόλις σε φωνάξω.
      - <u>Δέχομαι,</u> σου το <u>υπόσχομαι.</u>
      - <u>Ορκίζεσαι;</u>
      - Και βέβαια <u>ορκίζομαι,</u> φωνάζει ο ποντικός.

      Ο γάτος βγάζει τον ποντικό από το ασκί και τον αφήνει
να φύγει.
      Περνά λίγος καιρός και μια μέρα ο γάτος δεν έχει
τίποτε να φάει. Θυμάται τότε τον ποντικό, πηγαίνει στην
<u>τρύπα</u> του και τον φωνάζει.
      Ο ποντικός απαντά: " OXI".
      Ο γάτος φωνάζει τώρα πιο <u>δυνατά</u>: - Θυμάσαι τι
υποσχέθηκες;
      Ο ποντικός <u>γελάει</u>: - Ναι, μα σήμερα δεν είμαι
<u>μεθυσμένος</u>.

Vocabulary - Λεξιλόγιο

ο ποντικός - mouse   υπόσχομαι (4) - I promise
το ασκί - flask   ορκίζομαι (4) - I swear
ο γάτος - cat   η τρύπα - hole
συμβαίνει - it happens   δυνατά - loudly
πνίγομαι - I drown   γελώ (2) - I laugh
δέχομαι (4) - I accept   μεθυσμέν-ος, -η, -ο - drunk

- 205 -

LESSON THIRTY EIGHT - ΜΑΘΗΜΑ ΤΡΙΑΚΟΣΤΟ ΟΓΔΟΟ

(In lesson 38 you will study the conditional sentences)

Έτοιμος για το ταξίδι

Α. ΑΝΑΓΝΩΣΗ

- Ώστε φεύγετε για την Ελλάδα, κύριε Μπράουν;
- Μάλιστα.
- Πότε φεύγετε;
- Σε δυο μέρες.
- Και είστε έτοιμος;
- Πανέτοιμος.
- Τι παίρνετε μαζί σας;
- Πρώτα απ᾽ όλα δυο <u>βαλίτσες</u>.
- Τι έχετε στις βαλίτσες;
- Τα ρούχα μου.
- Τι άλλο;
- Μερικά <u>δώρα</u>.
- Παίρνετε και δώρα;
- Γιατί όχι;
- Τι θα κάμετε τα δώρα;
- Θα τα <u>δωρίσω</u>.
- Σε ποιους;
- Να, αν ο <u>ταξιτζής</u> είναι καλός κι <u>ευγενικός</u> θα του δώσω ένα δώρο. Κι αν ο <u>ξενοδόχος</u> με περιποιηθεί θα δώσω και σ᾽ αυτόν κάτι.
- Σε ποιον άλλον θα δώσεις κάτι;
- Στον <u>εστιάτορα</u>, αν μου <u>σερβίρει</u> νόστιμο φαγητό.
- Πολύ ωραία σκέπτεσαι. Τι άλλο παίρνεις μαζί σου;
- Μια <u>φωτογραφική μηχανή</u>.
- Τι θα κάμεις τη φωτογραφική μηχανή;
- Μ᾽ αυτή θα πάρω φωτογραφίες.
- Τι φωτογραφίες;

- Φωτογραφίες τοπίων, <u>αρχαιολογικών τόπων</u>, ανθρώπων κ.τ.λ. <u>(και τα λοιπά)</u>.
- Τι άλλο παίρνεις;
- Παίρνω δυο-τρία <u>μπανιερά</u>.
- Γιατί παίρνεις τα μπανιερά;
- Γιατί <u>σκοπεύω</u> να κολυμπώ κάθε μέρα που θα είμαι εκεί.
- Σου αρέσει το κολύμπι;
- <u>Τρελλαίνομαι</u> για το κολύμπι.
- Για τι άλλο τρελλαίνεσαι;
- Τρελλαίνομαι για τη <u>φύση</u>. Μου αρέσει πολύ η φύση.
- Τότε θα πας σε πολλές εκδρομές.
- Ελπίζω να πάω.
- Έχεις το <u>διαβατήριό</u> σου;
- Και βέβαια το έχω.
- Το εισιτήριό σου;
- Κι αυτό το έχω.
- Πότε φεύγεις;
- Σε δυο μέρες.
- Σου εύχομαι καλό ταξίδι.
- Ευχαριστώ πολύ.

B. VOCABULARY - ΛΕΞΙΛΟΓΙΟ

ο αρχαιολογικός τόπος - archaeological site
η βαλίτσα - suitcase
το διαβατήριο - passport
δωρίζω (1) - I give as a gift
το δώρο - gift
ο εστιάτορας - restaurateur
ευγενικός, -ή, -ό - gentle, polite
και τα λοιπά - (abbreviated κ.τ.λ.= etc. = and the rest)
το μπανιερό - bathing suit
ο ξενοδόχος - hotel-keeper, inn-keeper
σερβίρω (1) - I serve
σκοπεύω (1) - I intend

ο ταξιτζής - taxi driver
τρελλαίνομαι (4) - I go crazy about something
η φύση - nature
η φωτογραφική μηχανή - camera

C. GRAMMAR - ΓΡΑΜΜΑΤΙΚΗ
  The Conditional - Υποθετικές προτάσεις
A Conditional sentence consists of two parts: the condition,
or if clause, and the answer clause (result).
Ex.: If I go in the rain   my clothes will get wet.
    (condition)   (answer clause)
        Αν βγω έξω στη βροχή   τα ρούχα μου θα βραχούν.

There are four kinds of conditional sentences:
  First kind: The condition is presented as real -
  Η υπόθεση παρουσιάζεται σαν πραγματική.

    In the first part we may have indicative of any tense   (except Past
Continuous or Past Perfect) or subjunctive, and in the answer any tense and any
mood. Ex.:
        Αν ενδιαφέρεσαι, έλα να με δεις. - If you are interested, come
and see me. (In the condition we have present tense and in the answer imperative)
        Αν δουλεύει, θα έχει λεφτά.   If he works, he will have money.
(Present tense and future)
        Αν το κατόρθωσε, είναι σπουδαίος - If he succeeded, he is
commendable. (Past tense and present)

  Second kind: The condition is unlikely (opposite to real)
  Αντίθετο με το πραγματικό
Tenses used are: in the condition Past Continuous or Past perfect, and in the
  answer indicative with θα. Ex.:
Αν είχα τελειώσει το σχολείο, σήμερα θα ήμουν
καλύτερος - If I had finished school, I would have been better today.
  (Past Perfect and past continuous with θα)
        Αν μπορούσα, θα του έδινα τα λεφτά. - If I could, I would
have given him the money. (Past continuous tenses with θα in the answer)

Third kind: Plain supposition - Απλή σκέψη
In the condition we have Past Continuous tense and in the answer Past Continuous with θα.

Ex.: Αν <u>έρχονταν</u> χτες, <u>θα</u> τους <u>έβλεπα</u> -
If they came yesterday, I would have seen them.

(Past Continuous and Past Continuous with θα)

Αν <u>διάβαζες</u> περισσότερο, <u>θα γινόσουν</u> καλύτερος. -
If you studied more, you would have become a better man.

(Two Past Continuous tenses)

Αν <u>δούλευες</u> εσύ, εγώ <u>θα μπορούσα</u> να κάμω κάτι άλλο.
If you were working, I could do something else.

(Past Continuous tenses with θα)

Fourth kind: It includes two different kinds of conditional sentences:
a. The expected: Προσδοκώμενο
In the condition we have past simple subjunctive and in the answer future tense or imperative.

'Αν το <u>βρω</u>, <u>θα</u> σου το <u>δώσω</u> -
If I find it, I will give it to you.

(Past simple tense subjunctive and future simple tense)

Αν <u>έχεις</u> λεφτά, <u>έλα</u> να πάμε ένα ταξίδι.
If you have money, let's go on a trip. (Subjunctive and imperative)

b. Repeated - Το επαναλαμβανόμενο
Both in the condition and in the answer we have present tense.

Αν δεν <u>δουλεύεις</u>, δεν <u>μπορείς</u> να ζήσεις. -
If you do not work, you cannot live. (Subjunctive and present tense)

Αν δε διαβάζεις, δεν κάνεις τίποτα. -
If you do not study, you do not achieve anything.

(Subjunctive and present tnese)

It may be difficult for the casual student to remember all the different kinds of Conditional Sentences. It will be sufficient if he would remember basic conditions, as in the following examples:

Αν έρθουν, θα τους δω. - If they come, I will see them.

Αν δουλεύει, θα πετύχει. - If he works, he will succeed.

Αν πάω, θα σε ειδοποιήσω. - If I go, I will let you know.

Αν ήρθαν, θα τους έβλεπα. - If they came, I would have seen them.

Αν έβρεχε, θα πήγαινα σπίτι. If it rained, I would have gone home.

Αν δούλευε, θα είχε χρήματα - If he worked, he would have money.

Αν αποφασίσω να πάω, θα σου τηλεφωνήσω -
  Should I decide to go, I will call you.

Αν ο ξενοδόχος με περιποιηθεί, θα του δώσω ένα δώρο.
  If the hotel-keeper looks after me, I will give him a gift.

Αν έρχονταν χτες, θα τους έβλεπα.
  If they had come yesterday, I would have seen them.

Αν είχε βρέξει, θα πήγαινα σπίτι.
  If it had rained, I would have gone home.

Αν δούλευε , θα μας είχε στείλει μερικά χρήματα.
  If he had been working, he would have sent us some money.

Sometimes the condition is omitted:

  I would like to have a guide of Greece (if you have one) - omitted
    Θα ήθελα να έχω ένα οδηγό της Ελλάδας (αν έχετε ένα)

  I would like to have fish today (if you have cooked fish) - omitted
    Θα ήθελα σήμερα να έχω ψάρι (αν έχετε μαγειρέψει ψάρι)

D. An anecdote - Ένα ανέκδοτο

           Φίλοι μέχρι θανάτου

       Δυο φίλοι, που ήταν και οι δυο πολύ <u>φιλάργυροι</u>, βρή-
καν μια μέρα ένα <u>σακούλι</u> <u>γεμάτο</u> <u>χρυσάφι</u>.

       Επειδή το σακούλι ήταν πολύ <u>βαρύ</u> και δεν
μπορούσαν να το <u>μεταφέρουν</u>, σκέφτηκαν ο ένας από αυτούς
να πάει στην πόλη να βρει ένα γαϊδούρι, και ο άλλος να
μείνει να <u>φυλάγει</u> το χρυσάφι.
       <u>Εν τω μεταξύ</u>, αυτός που έμεινε, σκέφτεται με ποιο
τρόπο μπορεί να <u>σκοτώσει</u> τον φίλο του και να πάρει όλο το
χρυσάφι.
       Μα και ο άλλος σκέφτεται το ίδιο. Κι αυτός θέλει
να <u>ξεκάμει</u> τον φίλο του, <u>ώστε</u> να του μείνει το χρυσάφι.

Γιαυτό παίρνει δυο ψωμιά, βάζει μέσα <u>δηλητήριο</u> και γυρίζει με ένα γαϊδούρι πίσω στον φίλο του.

     - Φάγε ψωμί, για να πάρεις <u>δύναμη</u>, του λέει.

     Εκείνος όμως βγάζει ένα μαχαίρι και τον σκοτώνει. Ύστερα κάθεται, τρώει το ένα ψωμί και δίνει το άλλο στο γαϊδούρι. Σε λίγα λεπτά πέφτουν και οι δυο κάτω <u>νεκροί</u>.

Vocabulary - Λεξιλόγιο

ο θάνατος - death

το σακούλι - sack

γεμάτος, -η, -ο - full

το χρυσάφι - gold

βαρύς - βαριά - βαρύ - heavy

μεταφέρω (1) - I carry

σκοτώνω (1) - I kill

εν τω μεταξύ - meanwhile

ξεκάνω (1) - I kill

ώστε - so, thus

το δηλητήριο - poison

η δύναμη - strength

νεκρός, -ή, -ό - dead

LESSON THIRTY NINE - ΜΑΘΗΜΑ ΤΡΙΑΚΟΣΤΟ ΕΝΑΤΟ

In lesson 39 you will read :
1. about Mr. Brown's arrival in Athens
2. Learn the three cases of the personal pronoun and their uses

Ο Κύριος Μπράουν στην Αθήνα

Α. Ανάγνωση

Ο κύριος Μράουν βρίσκεται τώρα στην Αθήνα. Το ταξίδι του ήταν ωραίο, <u>γρήγορο</u> και <u>αναπαυτικό</u>. Η πτήση διάρκεσε λίγο περισσότερο από οχτώ ώρες, Στο αεροπλάνο εί-χε <u>εξαιρετική</u> <u>περιποίηση.</u>

Προτού βγει από το <u>αεροδρόμιο</u> θέλει να αλλάξει μερικά <u>δολλάρια</u> και να πάρει <u>δραχμές.</u> Πηγαίνει λοιπόν στην <u>τράπεζα</u> του αεροδρομίου.

- Θέλω να αλλάξω 200 δολλάρια και να πάρω δραχμές, λέει. Πόσες δραχμές έχει το δολλάριο σήμερα;
- Διακόσιες τριάντα δραχμές. Με τα διακόσια δολλάρια θα πάρετε σαράντα έξι χιλιάδες δραχμές <u>ακριβώς.</u>

Θέλει τώρα να στείλει ένα <u>τηλεγράφημα</u> στους δικούς του στην Αμερική, να τους πει ότι έφτασε καλά και να μην <u>ανησυχούν</u>. Στο αεροδρόμιο υπάρχει <u>τηλεγραφείο</u>. Ρωτά τον υπάλληλο.
- Μπορώ να στείλω ένα τηλεγράφημα στην Αμερική;
- Βέβαια, μπορείτε. Γράψετε το <u>μήνυμά</u> σας σ'αυτή τη <u>φόρμα</u>. Θα το στείλω αμέσως.
- Πόσες ώρες κάνει να φτάσει το τηλεγράφημα;
- Σε δυο ώρες θα είναι εκεί.

Ο κύριος Μπράουν γράφει: " Έφτασα καλά. Μην <u>ανησυχείτε</u> - John." <u>Δίνει</u> το τηλεγράφημα στον υπάλληλο, πληρώνει και φεύγει.

Βγαίνει από το αεροδρόμιο. Βρίσκει ένα ταξί και με τα λίγα ελληνικά που ξέρει, λέει στον ταξιτζή:

    - Με παίρνετε, παρακαλώ, σε ένα <u>ξενοδοχείο</u> στην Αθήνα;

    - Τι ξενοδοχείο θέλετε; Πρώτης, <u>δεύτερης</u> ή τρίτης <u>κατηγορίας</u>

    - <u>Δευτέρης</u>, παρακαλώ.

    Ο ταξιτζής παίρνει τον κύριο Μπράουν στο ξενοδοχείο <u>Ζευς</u>, που βρίσκεται στο κέντρο της Αθήνας.

    - Πόσα σας <u>οφείλω</u>; ρωτά

    - Χίλιες δραχμές.

Δίνει στον ταξιτζή χίλιες δραχμές και τον ευχαριστεί.

Του δίνει για <u>πουρμπουάρ</u> ακόμα διακόσιες δραχμές.

    Στη <u>ρεσεψιόν</u> του ξενοδοχείου ρωτά την υπάλληλο, ένα όμορφο κορίτσι, με μεγάλα μαύρα μάτια και ολόμαυρα μαλλιά:

    - Έχετε δωμάτια, παρακαλώ;

    - Μάλιστα, έχουμε.

    - Θέλω ένα δωμάτιο, <u>μονόκλινο</u>. Πόσο κάνει;

    - Δέκα χιλιάδες δραχμές το βραδι. Η τιμή περιλαμβάνει και το πρόγευμα. Έχετε την καλωσύνη να μου πείτε πόσες μέρες θα μείνετε;

    - <u>Τουλάχιστο</u> μια <u>εβδομάδα</u>. Μετά θα φύγω για μια <u>περιοδεία</u> στα νησιά και θα ξαναγυρίσω στην Αθήνα.

    - Εντάξει, σας δίνω το δωμάτιο 505, στον πέμπτο <u>όροφο.</u> Έχει <u>ιδιαίτερο</u> <u>λουτρό</u>, <u>κλιματισμό</u> και <u>θέα</u> προς την Ακρόπολη.

    - Ευχαριστώ πολύ.

    - Μου δίνετε, παρακαλώ, το διαβατήριό σας; Πρέπει να γράψω το όνομά σας στον <u>κατάλογό</u> μας.

    - Ευχαρίστως. Πάρτε το διαβατήριό μου.

    - Ευχαριστώ, πολύ. Ο υπάλληλος θα φέρει τις βαλίτσες

σας στο δωμάτιό σας. <u>Καλωσορίσατε</u> στην Ελλάδα. Είμαι βέβαιη πως θα περάσετε πολύ ωραία.

- Κι εγώ το <u>πιστεύω</u>.

B. VOCABULARY - Λεξιλόγιο

το αεροδρόμιο - airport
αλλάζω (1) - I change
αναπαυτικ-ός, -ή, -ό - comfortable
ανησυχώ (3) - I worry
η βδομάδα or εβδομάδα - week
γρήγορ-ος, -η, -ο - quick, fast
δεύτερη or δευτέρα - second
δίνω (1) - I give
το δολλάριο - dollar
η δραχμή - drachma (the Greek currency is the drachma)
εξαιρετικά - exceptionally
ο Ζευς - Zeus (the father of Gods and men in ancient Greece)
η θέα - view
ιδιαίτερος, -η, -ο - private
καλωσορίσατε - welcome
ο κατάλογος - list, catalogue
η κατηγορία - category
ο κλιματισμός - air condition
το λουτρό - bathroom
το μήνυμα - message
μονόκλινο δωμάτιο - single-bed room
το ξενοδοχείο - hotel
ο όροφος - floor
οφείλω (1) - I owe
περιλαμβάνω (1) - I include
η περιοδεία - tour
η περιποίηση - service
πιστεύω (1) - I believe
το πουρμπουάρ - tip
η ρεσεψιόν - reception desk
το τηλεγραφείο - telegraph office

το τηλεγράφημα - telegram
η τιμή - price, cost
τουλάχιστο - at least
η τράπεζα - bank
η φόρμα - form

C. GRAMMAR - ΓΡΑΜΜΑΤΙΚΗ
The personal pronoun:

Singular number

	Nominative	Possessive	Objective
First Person	εγώ - I	μου - my	με - me
Second person	εσύ - you	σου - your	σε you
Third (masc.)	αυτός - he	του - his	αυτόν (τον) - him
Third (fem.)	αυτή - she	της - her	αυτήν (την) - her
Third (neu.)	αυτό - it	του - its	αυτό (το) - it

Plural number

First	εμείς - we	μας - our	εμάς (μας) - us
Second	εσείς - you	σας - your	εσάς (σας) - you
third (masc.)	αυτοι - they	τους - their	αυτούς (τους) -them
third (fem.(	αυτές - they	τους - their	αυτές (τες,τις)-them
third (neu.)	αυτά - they	τους - their	αυτά (τα) - them

Uses of the personal pronouns:

The nominative case of the personal pronoun is used as the subject
of a sentence. Ex.:

Εγώ γράφω, **εσύ** διαβάζεις, **αυτοί** παίζουν, **αυτές**
ράβουν, **αυτός** πηδά.

Note: *The personal pronoun is omitted, since the suffix of the verb indicates the person .*
It is usually used for emphasis or contrast.

Ενώ **εγώ** διαβάζω, **εσύ** φωνάζεις - While I am reading you
shout. (Contrast)

Εγώ θέλω καρπούζι κι **εσύ** θέλεις πεπόνι -
I want watermelon and you want cantaloupe. (Emphasis or contrast)

Examples of uses of the possessive and the objective forms of the personal pronoun:

Το βιβλίο **μου** - My book (Possessive)

Τα παιδιά **τους** - Their children. (Possessive)

Ο δάσκαλός **μας** - Our teacher (Possessive)

Μας έδωσαν τα βιβλία **μας**- They gave us our books.

The first **μας** indicates the indirect object (the person to which
the action of the verb is transferred.)

The second **μας** is possessive, it shows to whom the books belong.

Σας γράψαμε ένα γράμμα - We wrote you a letter.

(Here **σας** is the indirect object)

Σας βλέπουμε - We see you.

(Here **σας** is the object of the verb, therefore it is in the objective case.)

Τους γνωρίζουμε - We know them.

(Here **τους** is in the objective case, being the object of the verb.)

D. QUESTIONS - ΕΡΩΤΗΣΕΙΣ (Based on the reading. You will find
   the answers on the tape.)

1. Πώς ήταν το ταξίδι του κυρίου Μπράουν;
2. Πόσες ώρες διάρκεσε το ταξίδι;
3. Τι έκαμε πριν φύγει από το αεροδρόμιο;
4. Πόσες δραχμές είχε το δολλάριο;
5. Από πού έστειλε το τηλεγράφημα;
6. Σε ποιους έστειλε το τηλεγράφημα;
7. Τι έγραψε στο τηλεγράφημα;
8. Ποιος πήρε τον κύριο Μπράουν στο ξενοδοχείο;
9. Τι ήταν το όνομα του ξενοδοχείου;
10. Τι κατηγορίας ξενοδοχείο ήταν;
11. Τι δωμάτιο πήρε ο κύριος Μπράουν;
12. Πόσο έκανε το δωμάτιο για ένα βράδυ;
13. Πόσο καιρό θα έμενε στο ξενοδοχείο ο κύριος
    Μπράουν;
14. Τι είχε το δωμάτιο;
15. Πώς χαιρέτησε τον κύριο Μπράουν η υπάλληλος
    της ρεσεψιόν;

Ε. Μια ιστορία από την ελληνική μυθολογία -
A story from the Greek Mythology

Ο Αέρας και ο Ήλιος

Κάποτε ο Αέρας και ο Ήλιος μάλωναν ποιος είναι δυνατότερος.

Σε λίγο είδαν ένα γέρο, που φορούσε μια κάπα. Τότε ο Ήλιος είπε: " Γιατί μαλώνουμε; Όποιος είναι δυνατότερος θα βγάλει από τον γέρο την κάπα. "

Ο Αέρας δέχτηκε αμέσως. Άρχισε τότε να φυσά με όλη του τη δύναμη. Αλλά ο γέρος κρύωσε περισσότερο και τυλίχτηκε πιο πολύ μέσα στη κάπα του.

Ήρθε ύστερα και η σειρά του Ήλιου. Έφεξε με όλη τη λαμπρότητά του. Ζεστάθηκε ο γέρος και πέταξε την κάπα του.

Έτσι ο Ήλιος έδειξε στον Αέρα πως είναι πιο δυνατός.

Λεξιλόγιο:
δυνατότερος - stronger - δυνατός - strong
ο γέρος - old man
η κάπα - cape,
μαλώνω (1) - I quarrel
να φυσά - to blow
η δύναμη - power, strength
τυλίχτηκε - he wrapped himself
έφεξε - it shone - φέγγω (1) - I shine
η σειρά - turn
η λαμπρότητα - brightness
ζεστάθηκε - he became hot, he got warm ζεσταίνομαι (1) - I become warm

The above story in verse:

Ο ΑΕΡΑΣ ΚΑΙ Ο ΗΛΙΟΣ

1
Ο αέρας θύμωσε
με τον ήλιο μάλωσε
Ο άερας έλεγε
" σε περνώ στη δύναμη".

2
Ένας γέρος άνθρωπος
με τη μαύρη κάπα του
στο χωράφι πήγαινε.

3
Ο αέρας λάλησε:
"όποιος έχει δύναμη
παίρνει από τον γέροντα
τη χοντρή τη κάπα του."

4
Φύσηξε, ξεφύσησε
έσκασε στο φύσημα
άδικος ο κόπος του.
Κρύωσε ο γέροντας
και διπλά τυλίχτηκε
στη χοντρή τη κάπα του.

5
Και ο ήλιος λάλησε
" Όποιος έχει δύναμη
παίρνει από τον γέροντα
τη χοντρή τη κάπα του."

6
Έφεξε ολόλαμπρος
καλοσύνη σκόρπισε
κι έβγαλε ο γέροντας
τη χοντρή τη κάπα του.

7
Άκουσε και μάθε το
σε περνώ στη δύναμη
γιατί πας με το κακό
κι εγώ πάω με το καλό.

(Poem by the Greek Poet
George Drosinis)

Λέξεις:

σε περνώ στη δύναμη - I surpass you in strength
το χωράφι - the field
λάλησε - spoke - λαλώ (3) - I speak
φύσηξε - ξεφύσησε - he blew and blew   φυσώ (2) - I blow
έσκασε - he burst - σκάζω (1) - I burst
άδικος ο κόπος του - his trouble was in vain
διπλά - doubly
η καλοσύνη - kindness
και μάθε το - and learn it - and know it

LESSON FORTY - ΜΑΘΗΜΑ ΤΕΣΣΑΡΑΚΟΣΤΟ

In lesson 40 you will:
  1. Take a walk in the streets of Athens
  2. Learn the degrees of adverbs
  3. Learn the superlative degree of adjectives
  4. Read an anecdote

Περπατώντας στους δρόμους της Αθήνας

Α. ΑΝΑΓΝΩΣΗ

Την άλλη μέρα ο κύριος Μπράουν ξυπνά πρωί. Κατεβαίνει στο εστιατόριο για το πρόγευμα. Το γκαρσόνι είναι πολύ περιποιητικό.

- Τι έχετε για πρόγευμα; ρωτά.

- Έχουμε πορτοκαλάδα, ψωμί με βούτυρο και μαρμελάδα, κέικ, καφέ ή τσάι και, αν θέλετε, αυγά με μπέικον ή λουκάνικο.

- Θέλω ένα ελαφρό πρόγευμα, λέει. Δε θα φάω αυγά σήμερα.

- Όπως θέλετε, λέει το γκαρσόνι.

Τελειώνει το πρόγευμα και πηγαίνει στη ρεσεψιόν. Το ίδιο κορίτσι που ήταν χτες είναι και σήμερα εκεί.

- Σας παρακαλώ, μπορείτε να μου δώσετε μερικές πληροφορίες; λέει.

- Ευχαρίστως, τι πληροφορίες θέλετε;

- Μπορείτε να μου πείτε πού είναι το μουσείο;

- Μάλιστα, είναι στο κέντρο της πόλης.

- Μπορώ να πάω απ' εδώ με το λεωφορείο;

- Βέβαια, μπορείτε. Το λεωφορείο αριθμός 20 σας βγάζει μπροστά στο μουσείο. Μπορείτε όμως να πάτε και με τα πόδια. Δεν είναι μακριά. Είναι κοντά.

- Αν πάω με το λεωφορείο, από που θα το πάρω;

- Θα το πάρετε από το <u>περίπτερο</u> που είναι <u>απέναντι</u>. Βλέπετε εκεί, το κίτρινο περίπτερο;

- Ναι, το βλέπω.

- Ε, απ' εκεί θα το πάρετε.

- Και πού θα βγω;

- Θα πείτε στον <u>οδηγό να σας βγάλει</u> στη <u>στάση</u> που λέγεται Μουσείο. Θα δείτε το μουσείο <u>ακριβώς</u> απέναντι. Στα δεξιά είναι ένα πάρκο, στα αριστερά, μια βιβλιοθήκη. Απέναντι είναι ένα <u>θέατρο</u> και πίσω μια <u>εκκλησία</u>. <u>Απέξω</u> το μουσείο είναι άσπρο και είναι <u>χτισμένο</u> με <u>κλασσικό ρυθμό</u>.

- Ευχαριστώ για τις πληροφορίες. Αλλά <u>ξέχασα</u> να σας <u>συστηθώ</u>. Ονομάζομαι Τζον Μπράουν, είμαι αμερικανός και ξέρω λίγα ελληνικά. Βλέπετε ότι τα μιλώ <u>σπασμένα</u>.

- Καθόλου. Μιλάτε πολύ ωραία. <u>Εξάλλου</u> η <u>προσπάθεια</u> που κάνετε να μιλήσετε ελληνικά είναι <u>αξιέπαινη</u>.

- Ευχαριστώ πολύ. Κι εσείς, πώς ονομάζεστε;

- Ονομάζομαι Ειρήνη.

- Ωραίο όνομα. Τι <u>σημαίνει</u> η λέξη <u>ειρήνη</u>;

- Σημαίνει "peace".

- Η <u>σημασία</u> του ονόματος το κάνει ακόμα πιο όμορφο.

- Ευχαριστώ πολύ για το <u>κομπλιμέντο</u>.

- Θα θέλατε ένα βράδυ να πάμε μαζί έξω για φαγητό; Έτσι θα μου <u>δοθεί η ευκαιρία</u> να μιλήσω μαζί σας ελληνικά.

- <u>Δέχομαι</u> με μεγάλη ευχαρίστηση.

- Σήμερα το βράδυ;

- Όχι, <u>δυστυχώς</u> απόψε δεν μπορώ.

- Τότε αύριο βράδυ;
- Αύριο βράδυ, μάλιστα, Είμαι <u>ελεύθερη</u>.
- Λοιπόν, θα μιλήσουμε <u>αργότερα</u>. Εντάξει;
- Εντάξει.
- Πάω τώρα για το μουσείο. Αντίο.
- Αντίο.

B. VOCABULARY - ΛΕΞΙΛΟΓΙΟ

ακριβώς - exactly
αξιέπαινος, -η, -ο   praiseworthy
απέναντι - opposite
απέξω - outside
αργότερα - later
βγάζω (1) - I take out
να σας βγάλει - will take you
σας βγάζει - it takes you
το γκαρσόνι - waiter
δέχομαι (4) - I accept
δυστυχώς - unfortunately
η εκκλησία - church
ελαφρ-ός, -ιά, -ό - light
ελεύθερ-ος, -η, -ο - free
η ευκαιρία - chance
εξάλλου - on the other hand
να μου δοθεί η ευκαιρία -   I will have the chance
το θέατρο - theater
κλασσικ-ός, -ή, -ό - classical
το κοπλιμέντο - compliment
ξεχνώ (2) - I forget
ο οδηγός - guide, driver
περιποιητικ-ός, -ή, -ό - accommodating, helpful
το περίπτερο - kiosk
η προσπάθεια - effort
ο ρυθμός - order (architectural order)

σημαίνει - it means
η σημασία - meaning
σπασμένα - broken
η στάση - bus stop
συστήνω (1) - I introduce
συστήνομαι (4) - I introduce myself
χτισμένος, -η, -ο - built

C. Explanation of words:

Ακριβώς - exactly
Είναι <u>ακριβώς</u> δέκα η ώρα - It is exactly ten o ' clock.
Πες μου <u>ακριβώς</u> τι είπες - Tell me exactly what you said.
Απέναντι - opposite
Το σπίτι μου είναι <u>απέναντι</u> στο ταχυδρομείο - My house is
opposite to the post office.
Αργότερα - later
Θα έλθω αργότερα - I will come later.
Το αεροπλάνο έφτασε αργότερα από ότι περιμέναμε.
The airplane came later than we expected.

<u>Adverbs, as the adjectives, have degrees.</u>
They form the comparative degree by adding to their stem the ending
-ότερα.
αργά - αργότερα - late - later
σοβαρά - σοβαρότερα - seriously - more seriously
απλά - απλότερα - plainly - more plainly
σιγά - σιγότερα - quietly - more quietly
απαλά - απαλότερα - softly - more softly

<u>δέχομαι</u> (4) - I accept, (deponent verb, does not have an active voice)
δεχόμουν, δέχτηκα, θα δέχομαι, θα δεχτώ, έχω δεχτεί , είχα δεχτεί
δυστυχώς - unfortunately
ευτυχώς - fortunately
<u>Ευτυχώς</u> φύγαμε πριν αρχίσει η βροχή. Fortunately we left

before the rain started.

<u>Δυστυχώς</u> δεν προλάβαμε το αεροπλάνο. - Unfortunately we missed the plane.

<u>Σημαίνει</u> = <u>it means</u> - is an impersonal verb. (Occurs only in the third person , singular and plural)

Τι σημαίνει αυτή η λεξη; - What is the meaning of this word?

Τι σημαίνουν αυτά που είπες - What is the meaning of what you said?

D. The superlative degree of the adjectives is formed:

1. By adding in front of the comparative degree the article **ο** for the masculine, **η** for the feminine and **το** for the neuter.

Positive degree	Comparative	Superlative
καλός - good	πιο καλός - better	ο πιο καλός - best
καλή	πιο καλή	η πιο καλή
καλό	πιο καλό	το πιο καλό
ωραίος -beautiful	πιο ωραίος -more	ο πιο ωραίος - most
ωραία	πιο ωραία beautiful	η πιο ωραία beautiful
ωραίο	πιο ωραίο	το πιο ωραίο

2. By adding to the positive the endings - <u>ότατος</u>, <u>ότατη</u>, <u>ότατο</u> for adjectives ending is -ος, -η, (-α), -ο and the -<u>ύτατος</u>, <u>ύτατη</u> <u>ύτατο</u> for adjectives ending in -υς, -ιά, -ύ

Positive degree	Comparative	Superlative
ωραίος -beautiful	πιο ωραίος	ωραιότατος
ωραία	πιο ωραία	ωραιότατη
ωραίο	πιο ωραίο	ωραιότατο
βαθύς - deep	πιο βαθύς	βαθύτατος

| βαθιά | πιο βαθιά | βαθύτατη |
| βαθύ | πιο βαθύ | βαθύτατο |

μεγάλος -big, great	πιο μεγάλος	ο πιο μεγάλος
μεγάλη	πιο μεγάλη	η πιο μεγάλη
μεγάλο	πιο μεγάλο	το πιο μεγάλο

μικρός - small	πιο μικρός	ο πιο μικρός
μικρή	πιο μικρή	η πιο μικρη
μικρό	πιο μικρό	το πιο μικρό

3. By adding in front of the positive degree the words <u>πολύ</u> or <u>πολύ πολύ</u>

ωραίος - beautiful	πιο ωραίος	πολύ ωραίος or
		πολύ πολύ ωραίος
ωραία	πιο ωραία	πολύ ωραία or
		πολύ πολύ ωραία
ωραίο	πιο ωραίο	πολύ ωραίο or
		πολύ πολύ ωραίο

E. Ένα ανέκδοτο - An Anecdote

Ένας άνθρωπος πήγε κάποτε σ' ένα <u>πανηγύρι</u> κι α-
γόρασε τέσσερα <u>γαϊδούρια</u>. <u>Καβαλίκεψε</u> στο ένα και γύρι-
ζε πίσω στο χωριό του.

Στο δρόμο σκέφτηκε να μετρήσει τα γαϊδούρια. Τα
μετρά και τα βρίσκει τρία, ξεχνώντας να μετρήσει κι αυ-
τό πάνω στο οποίο καβαλίκευε.

Όταν έφτασε στο σπίτι λέει στη γυναίκα του:
" Παράξενο πράγμα, εγώ αγόρασα τέσσερα γαϊδούρια και
τώρα τα μετρώ και τα βρίσκω μόνο τρία."

Η γυναίκα του τον κοιτάζει έκπληκτη και του λέει:

"Πολύ παράξενο! Εσύ βλέπεις μόνο τρία γαϊδούρια μα εγώ βλέπω πέντε."

Vocabulary

το γαϊδούρι - donkey
καβαλικεύω (1) - I ride (a horse, donkey etc.)
το πανηγύρι - fair

Ερωτήσεις - Questions: (Based on the two readings; the correct answers will be given on the tape.)

1. Τι πρόγευμα είχε το ξενοδοχείο;
2. Ποιο κορίτσι ήταν στη ρεσεψιόν;
3. Τι ζητά από το κορίτσι ο κύριος Μπράουν;
4. Πού ήθελε να πάει ο κύριος Μπράουν;
5. Πώς θα πήγαινε στο μουσείο ο κύριος Μπράουν;
6. Από πού θα έπαιρνε το λεωφορείο;
7. Τι χρώμα είχε το περίπτερο;
8. Τι είχε το μουσείο στα δεξιά του;
9. Τι είχε στα αριστερά του το μουσείο;
10. Τι ήταν απέναντι από το μουσείο;
11. Πώς λεγόταν το κορίτσι της ρεσεψιόν;
12. Τι σημαίνει η λέξη ειρήνη στα αγγλικά;

1. Το ανέκδοτο μας λέει ότι ο άνθρωπος πήγε σ' ένα ....
2. Τι αγόρασε ο άνθρωπος;
3. Όταν μέτρησε τα γαϊδούρια, πόσα τα βρήκε;
4. Τι είπε στη γυναίκα του, όταν έφτασε σπίτι;
5. Τι του απάντησε η γυναίκα του;

LESSON FORTY ONE- ΜΑΘΗΜΑ ΤΕΣΣΑΡΑΚΟΣΤΟ ΠΡΩΤΟ

In this lesson you will :
1. Learn about Greek food and meals
2. Study the participle
3. Study the imperative

Στο εστιατόριο

Α. Ανάγνωση

‐ Καλησπέρα, δεσποινίς Ειρήνη.
‐ Καλησπέρα, κύριε Μπράουν. Πώς είστε απόψε;
‐ Πολύ καλά, ευχαριστώ. Κι εσείς;
‐ Ωραία. Χαίρομαι που σας βλέπω. Δουλέψατε σήμερα;
‐ Όχι, σας είπα πώς σήμερα είχα ρεπό. Γι αυτό μπορώ να έρθω μαζί σας αυτό το βράδυ για φαγητό.
‐ Ωραία. Λοιπόν, πού θα πάμε;
‐ Ξέρω ένα καλό εστιατόριο εδώ κοντά. Μπορούμε να πάμε με τα πόδια.
‐ Μ΄ αρέσει να περπατώ.
‐ Περπατώντας θα δούμε και μερικά μαγαζιά. Η Αθήνα έχει ωραία μαγαζιά.
‐ Πολύ ωραία.
‐ Λοιπόν, σας αρέσουν τα ελληνικά φαγητά, κύριε Μπράουν;
‐ Μ΄ αρέσουν πολύ. Κάποτε, στην Αμερική, είχα πάει μ΄ένα φίλο μου σ΄ένα ελληνικό εστιατόριο. Θυμάμαι πως φάγαμε μουσακά και ελληνική σαλάτα. Ήπιαμε ρετσίνα και στο τέλος πήραμε μπακλαβά με ελληνικό καφέ. Μου άρεσε πολύ αυτό το δείπνο. Ήταν η πρώτη φορά που έπινα ελληνικό καφέ.

‐ Νομίζω πως πλησιάζουμε στο εστιατόριο, είναι εδώ κοντά. Λέγεται Διόνυσος. Ξέρετε πως ο Διόνυσος ήταν ο θεός του κρασιού.
‐ Να, εδώ είναι το εστιατόριο. Ας μπούμε μέσα.

- Καλησπέρα σας.   Τραπέζι για πόσα άτομα;
- Για δυο άτομα, παρακαλώ.
- Σας αρέσει αυτή η γωνιά;
- Ωραία. Μπορούμε να έχουμε το μενού;
- Αμέσως.
- Βλέπω πως έχετε αρκετά μεγάλο μενού.
- Ναι, αρκετά μεγάλο.
- Και έχετε απ' όλα.
- Ναι, το εστιατόριό μας είναι από τα καλύτερα.

Τ Ι Μ Ο Κ Α Τ Α Λ Ο Γ Ο Σ

Κρέατα	Meats	τιμή, δραχμές
Κοτόπουλο με ρύζι	Chicken with rice	500
Μπριζόλες αρνίσιες	Lamb chops	700
Μπριζόλες χοιρινές	Pork chops	600
Αρνί ψητό στον φούρνο	Roasted lamb	700
Μοσχαράκι με πατάτες	Veal with potatoes	700
Αρνί με μπάμιες	Lamb with okra	600
Μουσακάς	Moussaka	400
Γεμιστά	Stuffed tomatoes, peppers and egg plant	400
Σουβλάκι με πατάτες τηγανιτές	Souvlaki with potatoes	500
Παστίτσιο	Pastistio	400
Ντολμάδες	Stuffed grape leaves	400

Ψάρια	Fish	
Καλαμαράκια τηγανιτά	Fried squid	300
Καλαμαράκια γεμιστά	Stuffed squid	400
Αστακός	Lobster	1.500
Μπαρμπούνι τηγανιτό	Red mallet, fried	800
Ξιφίας στη σχάρα	Broiled swordfish	800
Χταπόδι στα κάρβουνα	Octopus on the charcoal	700

Σαλάτες	Salads	
Τοματοσαλάτα	Tomato salad	150
Αγγουρο-τοματο-σαλάτα	Tomato and cucumber	150
Πατατοσαλάτα	Potato salad	200

| Ρωσσική σαλάτα | Russian salad | 350 |
| Χωριάτικη σαλάτα με φέτα | Old style peasant salad with tomatoes, cucumber, olives, onions and feta | 300 |

Διάφορα   Other

Σαρδέλλες	Sardines	200
Σολομός	Salmon	400
Ρέγγα	Herring	200
Μανιτάρια	Mushrooms	200
Σέλινο	Celery	
Καρότα	Carrots	
Λάχανο	Cabbage	
Μαρούλι	Lettuce	
Σπανάκι	Spinach	
Φρέσκα κρεμμυδάκια	Fresh onions	
Ρεπανάκια	Radishes	
Διάφορα τυριά	Various cheeses	

Γλυκά   Desserts

Μπακλαβάς	Baklava	150
Γαλατομπούρεκο	Galatoboureko	150
Καταήφι	Kataif	150
Κρέμα καραμελέ	pudding caramel	100
Ελληνικός καφές	Greek coffee	100

Φρούτα   Fruit

Καρπούζι	Watermelon	150
Πεπόνι	cantaloupe	150
Σταφύλια	Grapes	100
Αχλάδι	Pear	100
Ροδάκινο	Peach	100
Κεράσια	Cherries	150

Ποτά   Drinks

Κρασί	wine, bottle	900
ρετσίνα	retsina (resinated wine) bottle	900
ουίσκυ	whiskey	400
ούζο	ouzo	200

μπύρα	beer	100
μικτά ποτά	mixed drinks	400
κονιάκ	cognac	200
Μεταξά	Metaxa	200

Η Ειρήνη παραγγέλνει αρνάκι με πατάτες, και μια χωριάτικη σαλάτα. Ο Κύριος Μπράουν σουβλάκι με πατάτες και αγγουρο‑τοματο‑σαλάτα.

Και οι δυο παίρνουν ελληνικό καφέ και μπακλαβά.

‑ Πολύ μου άρεσε αυτό το δείπνο, λέει ο κύριος Μπράουν. Σας ευχαριστώ για την παρέα. Θα σας <u>συνοδεύσω</u> μέχρι το σπίτι σας.

‑ Κι εγώ σας ευχαριστώ για την ωραία βραδιά που περάσαμε μαζί στο εστιατόριο.

B. VOCABULARY ‑ ΛΕΞΙΛΟΓΙΟ

η γωνιά ‑ corner
το δείπνο ‑ dinner
θυμάμαι (4) ‑ I remember
το μαγαζί ‑ shop
το μενού ‑ menu
το τέλος ‑ end

περπατώντας ‑ walking
το ρεπό ‑ day off
η ρετσίνα ‑ resinated wine
συνοδεύω (1) ‑ I accompany

Articles on a dinner table:

το τραπέζι ‑ table
το τραπεζομάντηλο ‑ tablecloth
το ποτήρι ‑ glass
το φλιτζάνι ‑ cup
το πιρούνι ‑ fork
το κουτάλι ‑ spoon
το μαχαίρι ‑ knife
η πετσέτα ‑ napkin
το αλάτι ‑ salt
το πιπέρι ‑ pepper
το λάδι ‑ oil

το ξύδι - vinegar

η μουστάρδα - mustard

η τραπεζαρία - dining room

η καρέκλα - the chair

C. GRAMMAR - ΓΡΑΜΜΑΤΙΚΗ

a. The participle:

Verbs have two participles, one in the active voice and one in the passive.

The participle of the active voice is formed from the present tense stem by adding the ending -οντας for verbs of the First Conjugation and ώντας for verbs of the second and third conjugations.

λέγω - λέγοντας - say - saying (first conjugation)

παίζω - παίζοντας - play - playing - (first conjugation)

αγαπώ - αγαπώντας - love - loving - (second conjugation)

πηδώ - πηδώντας - jump - jumping - (second conjugation)

οδηγώ - οδηγώντας - guide - guiding (third conjugation)

ευχαριστώ - ευχαριστώντας - thank - thanking (third conjugation)

The passive participle may have the following endings:
If the verb in the passive past simple tense ends in - θηκα
the participle ends in -μένος
If it ends in -φτηκα , in -μμένος
If it ends in -χτηκα , in -γμένος
If it ends in -στηκα, in -σμένος

Examples:

Verb	Passive Past simple tense	Participle	
δένω	δέθηκα	δεμένος -	tied
τρώγω	φαγώθηκα	φαγωμένος -	eaten
κρύβω	κρύφτηκα	κρυμμένος -	hidden
γράφω	γράφτηκα	γραμμένος -	written

φτιάχνω	φτιάχτηκα	φτιαγμένος	- made
πλέκω	πλέχτηκα	πλεγμένος	- knit
ποτίζω	ποτίστηκα	ποτισμένος	- watered
περνώ	περάστηκα	περασμένος	- passed
κάθομαι -	κάθισα	καθισμένος	- seated
χτίζομαι -	χτίστηκα	χτισμένος	- built

b. The Imperativre

1. There are two imperatives, the present tense imperative showing continuous action and the past simple imperative showing a simple action. Imperatives do not have tense.

We form the imperative of verbs in the first conjugation by adding to the stem of the verb the ending ‾ε. Ex.:

παίζω - I play   παίζε - be playing- keep playing
                   παίξε - play

γράφω - I write   γράφε - be writing - keep writing
                  γράψε - write

παίζω - I play   παίζε - be playing, keep playing
                  παίξε - play

c. Conjugation of the imperative:

Present: **Past Simple**

τρώγε - be eating   φάγε - eat
ας τρώγει- let him be eating   ας φάγει - let him eat
τρώγετε - be eating (you, more than one)   φάγετε - φάτε - eat
ας τρώγουν - let them be eating   ας φάνε - let them eat

2. Verbs in the second conjugation take ‾α for the continuous form and ‾ε for the simple form.

αγαπώ - I love

αγάπα - be loving   αγάπησε - love
ας αγαπά - let him be loving   ας αγαπήσει - let him love
αγαπάτε - love   αγαπήστε - love
ας αγαπούν - let them be loving   ας αγαπήσουν - let them love

3. Verbs in the third group have -ει for the continuous form and -ε for the simple form.

οδηγώ - I drive

οδήγει - be driving , keep driving   οδήγησε - drive

ας οδηγεί - let him be driving   ας οδηγήσει - let him drive

οδηγείτε - be driving (plural)   οδηγείστε - drive (plural)

ας οδηγούν - let them be driving   ας οδηγήσουν -let them drive

4. The fourth conjugation has -ου and - ε.

εργάζομαι - I work

εργάζου - be working   εργάσθου - work

ας εργάζεται - let him work   ας εργασθεί - let him work

εργάζεστε - be working (plural)   εργασθείτε - work

ας εργάζονται - let them be working   ας εργασθούν - let them work

κάθομαι - I sit   κάθου - be sitting (not common)

κάθισε - sit

LESSON FORTY TWO - ΜΑΘΗΜΑ ΤΕΣΣΑΡΑΚΟΣΤΟ ΔΕΥΤΕΡΟ

In lesson 42 you will study:
1. *Feminine words ending in -ος and their declension*
2. *The vocative case*
3. *The reflexive pronoun*
4. *An anecdote*

Ο Κύριος Μπράουν ψωνίζει

Α. Ανάγνωση

    Την άλλη μέρα ο κύριος Μπράουν πηγαίνει περίπατο στην αγορά. Θέλει να δει τα μαγαζιά και να ψωνίσει μερικά πράγματα.

    Σταματά μπροστά σε ένα περίπτερο και το θαυμάζει. "Τι μικρό που είναι κι όμως έχει τόσα πράγματα!" λέει με τον νου του. Εφημερίδες πρωινές, απογευματινές και βραδινές: ελληνικές, αγγλικές, γαλλικές, ιταλικές, γερμανικές, εφημερίδες από όλα τα μέρη του κόσμου.

    Περιοδικά σε όλες τις γλώσσες, βιβλία της τσέπης, τουριστικά βιβλία, κάρτες πολύχρωμες με διάφορα μνημεία και τοπία. Μεθόδους για αγγλικά, γαλλικά, γερμανικά, ιταλικά, ρωσσικά.

    Γραμματόσημα, γυαλιά του ήλιου, σιγαρέττα, λεπίδες, ξυραφάκια, τσίχλες, σοκολάτες, παγωτό, αναψυκτικά, και χίλια δυο άλλα πράγματα.

    Μέσα-μέσα κάθεται ένας άνθρωπος που απλώνει το χέρι του και σου δίνει ό,τι του ζητήσεις. Να μια τέλεια εξοικονόμηση χώρου και προσωπικού.

    "Πρέπει να αγοράσω μερικές κάρτες για να στείλω στους φίλους μου", λέει και πλησιάζει το περίπτερο.
  - Θέλω μερικές κάρτες, παρακαλώ.
  - Διαλέξετε όποιες θέλετε.

- Πόσο κάνει η μια;
- Τριάντα δραχμές.
- Πήρα δέκα, ορίστε τριακόσιες δραχμές.
- Ευχαριστώ πολύ. Μήπως θέλετε και φακέλλους;
- Όχι, ευχαριστώ. Θα τις στείλω <u>χωρίς</u> φάκελλο.
- Μήπως έχετε <u>γραμματόσημα;</u>
- Δυστυχώς δεν έχω. Μπορείτε όμως να πάρετε από το <u>ταχυδρομείο,</u> που είναι στον άλλο δρόμο, εδώ κοντά.

<u>Προχωρεί</u> στον άλλο δρόμο και εκεί βλέπει το ταχυ-δρομείο. Μπαίνει μέσα.
- Μπορείτε να μου δώσετε δέκα γραμματόσημα για κάρτες;
- Πού πηγαίνουν οι κάρτες;
- Στην Αμερική.
- Πενήντα δραχμές για την κάθε μια. <u>Ολικό</u> <u>ποσό</u> πεντακόσιες δραχμές.

Ο κύριος Μπράουν πληρώνει και φεύγει.
Στον δρόμο συναντά έναν <u>αστυνομικό.</u>
- Πού είναι ο <u>ηλεκτρικός σταθμός,</u> παρακαλώ; ρωτά.
- Προχωρείστε κατευθείαν. Περίπου διακόσια <u>μέτρα,</u> δεξιά, είναι ο ηλεκτρικός σταθμός.

Πηγαίνοντας προς τον ηλεκτρικό σταθμό συναντά ένα βιβλιοπωλείο. Θέλει να αγοράσει ένα <u>αγγλο-ελληνικό</u> και <u>ελληνο-αγγλικό</u> <u>λεξικό</u> και μερικά βιβλία σε <u>απλή</u> ελληνική γλώσσα.
Ένας υπάλληλος του δείχνει μερικά λεξικά και μερικά βιβλία. Διαλέγει ένα λεξικό και τρία βιβλία. Ένα από αυτά έχει τον τίτλο "Ο <u>Τρωϊκός πόλεμος</u>" και ένα άλλο "Οι <u>Μύθοι του Αισώπου.</u>"
Ο κύριος Μπράουν κάνει ένα περίπατο μέχρι τον ηλεκτρικό σταθμό και μετά γυρίζει στο δωμάτιό του. Ανοίγει ένα από τα ελληνικά βιβλία και με <u>έκπληξή</u> του βλέπει ότι μπορεί να το διαβάσει.

B. VOCABULARY - ΛΕΞΙΛΟΓΙΟ

αγγλο-ελληνικό λεξικό -English-Greek dictionary
τα αναψυκτικά - soft drinks
απλώνω (1) -I stretch out, I spread
ο αστυνομικός - policeman
το βιβλίο τσέπης - pocket book
τα γυαλιά του ήλιου - sun glasses
το γραμματόσημο - stamp
η έκπληξη - surprise
ελληνο-αγγλικό λεξικό - Greek-English dictionary
η εξοικονόμηση - saving
ο ηλεκτρικός σταθμός - subway
θαυμάζω (1) - I wonder, I marvel
η κάρτα - card
η λεπίδα - blade
το λεξικό - lexicon, dictionary
η μέθοδος - method
μέσα-μέσα - deep inside
το μέτρο - meter
οι Μύθοι του Αισώπου - Aesop's Fables
το ξυραφάκι - shaving blade
ο νους - mind
ολικ-ός, -ή, -ό - total
όποιος - όποια - όποιο - whoever, whichever, whatever
το παγωτό - icecream
το περιοδικό - magazine, periodical
πολύχρωμ-ος, -η, -ο - multi-colored
το ποσό - amount
το προσωπικό - personnel
προχωρώ (2,3) - I proceed, I go ahead, I advance
το σιγαρέττο - cigarette
η σοκολάτα - chocolate

σταματώ (2) - I stop
ταξιδεύω (1) - I travel
το ταχυδρομείο - post office
ο Τρωικός πόλεμος - the Trojan War
η τσίχλα - chewing gum
ο φάκελλος - envelope
χίλια-δυο - thousand and one things
χωρίς - without
ο χώρος - space
ψωνίζω, ψουνίζω (1) - I shop

C. GRAMMAR - ΓΡΑΜΜΑΤΙΚΗ

1. Tenses of the new verbs in this lesson

απλώνω (1) - I spread
άπλωνα, άπλωσα, θα απλώνω, θα απλώσω, έχω απλώσει, είχα απλώσει

θαυμάζω (1) - I marvel, I wonder
θαύμαζα, θαύμασα, θα θαυμάζω, θα θαυμάσω, έχω θαυμάσει, είχα θαυμάσει

σταματώ (2) - I stop
σταματούσα, σταμάτησα, θα σταματώ, θα σταματήσω, έχω σταματήσει, είχα σταματήσει

ταξιδεύω (1) - I travel
ταξίδευα, ταξίδεψα, θα ταξιδεύω, θα ταξιδέψω, έχω ταξιδέψει, είχα ταξιδέψει

ψουνίζω (1) - I shop
ψούνιζα, ψούνισα, θα ψουνίζω, θα ψουνίσω, έχω ψουνίσει είχα ψουνίσει

2. Feminines ending in -ος

Some feminines end in -ος. They are declined as the masculines of the same ending. Only the article changes.

Singular number

η μέθοδος ⁻ the method   ο οδός ⁻ street
της μεθόδου   της οδού
τη μέθοδο   την οδό
    μέθοδος   οδός

Plural number

οι μέθοδοι   οι οδοί
των μεθόδων   των οδών
τις μεθόδους   τις οδούς
    μέθοδοι   οδοί

3. **The vocative case or nominative of address:**

Is the case we use to call or address someone.

In masculines ending is ⁻os the vocative is formed by changing -ος to -ε.

ο θεός ⁻ θεέ, ο δάσκαλος ⁻ δάσκαλε, ο καλός ⁻ καλέ

In masculines ending in ⁻ας, ης, ⁻ες and ⁻ ους the vocative is formed by dropping the final -ς.

ο πατέρας ⁻ πατέρα, ο καθηγητής ⁻ καθηγητή, ο άντρας ⁻ άντρα, ο καφές ⁻ καφέ

Feminines and neuters have the same vocative as the nominative case.

Η μητέρα ⁻ μητέρα   η καθηγήτρια ⁻ καθηγήτρια
Το παιδί ⁻ παιδί   η πόλη ⁻ πόλη
το κορίτσι ⁻ κορίτσι   το δάσος ⁻ δάσος

The plural vocative in all, masculines, feminines and neuters is the same as the nominative plural. Ex.:

Άνθρωποι, τι κάνετε; ⁻   Men, what are you doing?

Γυναίκες, πού πηγαίνετε; ⁻ Women, where are you going?

Παιδιά, μη φωνάζετε! ⁻ Children, do not shout.

Θεοί, ακούστε με! ⁻ Gods, please, listen to me!

D. An anecdote - Ένα ανέκδοτο

Ο Μανώλης είναι φοιτητής σ' ένα πανεπιστήμιο, που είναι μακριά από το χωριό του. Τα Χριστούγεννα έρχεται σπίτι για να περάσει τις γιορτές με τους <u>συγγενείς</u> και <u>φίλους</u>.

Ένα μεσημέρι, η μητέρα του ετοιμάζει το μεσημεριανό φαγητό. <u>Φέρνει</u> στο τραπέζι ένα πιάτο με δυο <u>καλοβρασμένα</u> αυγά.

Ο Μανώλης, που θέλει να δείξει πως έχει μάθει πολλά στο πανεπιστήμιο, μια στιγμή που ο πατέρας του δεν κοιτάζει, παίρνει το ένα αυγό και το <u>κρύβει</u>.

Ύστερα από λίγη ώρα ρωτά τον πατέρα του:
- Πατέρα, πόσα αυγά βλέπεις στο πιάτο;
- Ένα, απαντά ο πατέρας.

Μια άλλη στιγμή πάλι, που ο πατέρας δεν κοιτάζει το τραπέζι, ο Μανώλης <u>γυρίζει</u> το άλλο αυγό στο πιάτο και ξαναρωτάει:
- Και τώρα, πόσα αυγά βλέπεις;
- Δυό, απαντά ο πατέρας.

- <u>Μαγικό,</u> λέει ο Μανώλης. Τα δυο αυγά που βλέπεις τώρα και το ένα που έβλεπες πριν, κάνουν τρία αυγά. Δεν είναι έτσι;

Ο πατέρας <u>προβληματίζεται</u>. Βλέπει μόνο δυο αυγά στο πιάτο κι όχι τρία. Μα η μητέρα του Μανώλη, μια πολύ έξυπνη γυναίκα, που είχε ακούσει όλο αυτόν τον <u>διάλογο</u>, <u>σπεύδει</u> να απαντήσει:

"Και πραγματικά υπάρχουν τρία αυγά," λέει. "Έτσι παίρνω το ένα για τον <u>εαυτό μου</u>, δίνω ένα στον πατέρα σου και το τρίτο το αφήνω για σένα, Μανώλη."

Λεξιλόγιο
οι συγγενείς - relatives
φέρνω (1) - I bring
καλοβρασμένος η -ο - hard boiled
κρύβω (1) - I hide
γυρίζω (1) - I return

μαγικό - magic
προβληματίζομαι (4) - I am puzzled
ο διάλογος - dialogue
σπεύδω - (1) - I hasten

The reflexive pronoun:

ο εαυτός μου – myself

ο εαυτός σου – yourself

ο εαυτός του – himself

ο εαυτός της – herself

ο εαυτός του – itself

ο εαυτός μας – ourselves

ο εαυτός σας – yourselves

ο εαυτός τους – themselves

E. Questions - Ερωτήσεις - (Based on the reading; you will find the answers on the tape):

1. Γιατί ο κύριος Μπράουν θαυμάζει το περίπτερο;
2. Τι εφημερίδες βρίσκει στο περίπτερο;
3. Τι περιοδικά έχει το περίπτερο;
4. Τι μεθόδους έχει το περίπτερο;
5. Τι άλλα πράγματα έχει το περίπτερο;
6. Ποιος δουλεύει στο περίπτερο;
7. Τι αγοράζει ο κύριος Μπράουν από το περίπτερο;
8. Πόσες κάρτες αγοράζει;
9. Πόσο κάνει η καθεμιά κάρτα;
10. Πόσες δραχμές πληρώνει για τις κάρτες;
11. Πού αγοράζει γραμματόσημα;
12. Πόσο πληρώνει για τα γραμματόσημα;
13. Τι πληροφορίες ζητά από τον αστυνομικό;
14. Τι λεξικά αγοράζει;
15. Τι τίτλους (titles) έχουν τα βιβλία που αγοράζει;

LESSON FORTY THREE - ΜΑΘΗΜΑ ΤΕΣΣΑΡΑΚΟΣΤΟ ΤΡΙΤΟ

REVIEW OF LESSONS 31-42

In lessons 31-42 we found the following :

A. Masculine words:

ο αγώνας	contest	ο μπακλαβάς	baklava
ο Αίσωπος	Aesop	ο μπάρμπας	old man
ο αστυνομικός	policeman	ο μύθος	myth
ο βιομήχανος	industrialist	ο νότος	south
ο βορράς	north	ο νους	mind
ο γνώστης	knowledgeable	ο ντολμάς	
ο διαγωνισμός	test, contest		stuffed grape leaves
ο δικηγόρος	lawyer	ο ξενοδόχος	hotel-keeper
ο επιστήμονας	scientist	ο ξιφίας	swordfish
ο εστιάτορας	restaurateur	ο οδηγός	guide, driver
ο Ζευς	Zeus	ο όροφος	floor
ο ηλεκτρικός σταθμός	subway	ο ποιητής	poet
ο Καναδάς	Canada	ο πληθυσμός	population
ο κατάλογος	catalogue, list	ο πολιτισμός	civilization
ο κιμάς	ground meat	ο ρυθμός	order
ο κλιματισμός	air condition	ο σολομός	salmon
ο κόπος	trouble, toil	ο σύμβουλος	counselor
ο κόσμος	people	ο ταξιτζής	taxi driver
ο κοσμάκης	people	ο τίτλος	title
ο κουρέας	barber	ο τουρίστας	tourist
ο κύκλος	circle	ο φάκελλος	envelope
ο κωδικός	code	ο φιλόσοφος	philosopher
ο λόγος	the word, speech	ο Χριστός	Christ
ο μηχανικός	mechanic	ο χώρος	space
ο μουσακάς	moussaka		

B. Feminine words:

η Αγγλία	England	η άδεια	permission
η Αίγυπτος	Egypt	η Αμερική	America
η ανατολή	east	η αναχώρηση	departure
η αριθμητική	arithmetic	η αρχή	beginning
η αφθονία	abundance		

η βαλίτσα	suitcase	η βλάστηση	- vegetation
η γαλοπούλα	turkey	η Γερμανία	- Germany
η Γαλλία	France		
η δεκάρα	dime	η διαφήμιση	- advertisement
η διακοπή	interruption	η δημοκρατία	- democracy
η διεύθυνση	address	η δραχμή	- drachma
η δύση	west, sunset		
η εβδομάδα, βδομάδα	week	η είσοδος	- entrance
η εκκλησία	church	η έκταση	- area
η εκδρομή	excursion		
η Ελλάδα	Greece	η Ελληνίδα	- Greek woman
η έκπληξη	surprise	η εξοικονόμηση	- savings
η επιθυμία	wish, desire	η επιστήμη	- science
η εποχή	season, epoch	η εταιρεία	- company
η ευκαιρία	chance	η Ευρώπη	- Europe
η εφεύρεση	invention		
οι Ηνωμένες Πολιτείες	the United States	η θάλασσα	sea
η θέση	place, position	η θέα	- view, landscape
η Ιαπωνία	Japan	η ιδέα	- idea
η Ινδία, οι Ινδίες	India	η Ισπανία	- Spain
η ιστορία	history, story	η Ιταλία	- Italy
η κάρτα	card	η κατηγορία	- category
η Κίνα	China	η κρίση	- crisis, judgment
οι Κυκλάδες	Cyclades	η Κύπρος	- Cyprus
η λέξη	word	η λεπίδα	- blade
η λύση	solution		
η μελιτζάνα	eggplant		
η μέθοδος	method	η μουσική	- music
η μέση	middle		
η μουστάρδα	mustard	η μπάμια	- okra
η μπριζόλα	pork chop		
η Νορβηγία	Norway	η οδός	- street
η παρέα	company	η πατάτα	- potato
η Πελοπόννησος	Peloponnesus	η περιοδεία	- tour
η περιποίηση	service	η πετσέτα	- napkin
η πληροφορία	information	η πόλη	- city, town
η προσπάθεια	endeavor, attempt	η πρωτεύουσα	capital
η πτήση	flight		
η ρέγγα	herring	η ρετσίνα	- resinated wine

η ρεσεψιόν	desk of a hotel	η Ρωσσία	Russia
η σαλάτα	salad	η σαρδέλλα	sardine
η σημαία	flag	η σημασία	meaning
η σοκολάτα	chocolate	η σούβλα	skewer
η Σουηδία	Sweden	η σούπα	soup
η στάση	bus stop	η σχάρα	broiler
η τιμή	price, honor	η τομάτα	tomato
η τράπεζα	bank	η τσίχλα	chewing gum
η υγεία	health	η υπηρεσία	service
η φόρμα	form	η φωτογραφική μηχανή - camera	
η χημεία	chemistry	η χώρα	country
η ψαρόσουπα	fish soup		

το άγαλμα	statue	το αγγείο	pottery
αγγλο-ελληνικό	Greek-English	τα αγγλικά	English
το αεροδρόμιο	airport	το Αιγαίο Πέλαγος	Aegean Sea
		τα αναψυκτικά	soft drinks
τα αραβικά	Arabic	το αρνί	lamb
το άτομο	atom		
το βιβλιοπωλείο	book store	το βιβλίο τσέπης	pocket book
το γαλατομπούρεκο	kind of Greek pastry		
τα γαλλικά	French	γεμιστά	stuffed tomatoes peppers etc.
τα γερμανικά	German	τα γιαλιά	glasses
τα γιαλιά του ήλιου	sun glasses	το γκαρσόνι	waiter
το γκολφ	golf	τα γλυκά	sweets
το γλύκισμα	sweets	το γράμμα	letter
το γραμματόσημο	stamp		
το δείπνο	supper, dinner	το δολλάριο	dollar
το δυστύχημα	accident	τα Δωδεκάνησα	Dodecanese islands
το δώρο	gift		
το εισιτήριο	ticket	το εκατομμύριο	million
τα ελληνικά	Greek	ελληνο-αγγλικό	Greek-English
τα έξοδα	expenses	το επάγγελμα	profession, job
το εστιατόριο	restaurant		
το θέατρο	theater		

τα ιαπωνικά	Japanese	το Ιόνιο Πέλαγος	Ionian Sea
τα ισπανικά	Spanish	τα ιταλικά	Italian
το καλαμάρι	squid	το κάρβουνο	charcoal
το καρότο	carrot	το καταήφι	kataif
τα κινέζικα	Chinese	το κλίμα	climate
το κονιάκ	cognac	το κοπλιμέντο	compliment
το κοτόπουλο	chicken	το κουλουράκι	Greek cookie
το κουτάλι	spoon	το κρεμμύδι	onion
το κλίμα	climate		
το λάδι	oil	το λάχανο	cabbage
το λεξικό	lexicon,dictionary	τα λεφτά	money
το λουτρό	bathroom		
το μαγαζί	shop	τα μαθηματικά	mathematics
το μανιτάρι	mushroom	το μαρούλι	lettuce
το μαχαίρι	knife	το μενού	menu
το μέτρο	meter	το μήνυμα	message
το μοναχοπαίδι	the only child	το μονόκλινο	one bed room
το μοσχάρι	beef, calf	το μπαρμπούνι	red-mullet
το μπαρ	bar	το μπουζούκι	bouzouki
το μυαλό	brain	το νόμισμα	coin
το ξενοδοχείο	hotel	το ξύδι	vinegar
to ξυραφάκι	shaving blade		
το ουίσκυ	whiskey	τα οικονομικά	economics
το ούζο	ouzo		
to παγωτό	icecream	το πατσίτσιο	pastitsio
το περίπτερο	kiosk	το περιοδικό	magazine, periodical
το πιπέρι	pepper	το πιρούνι	fork
το ποίημα	poem		
τα πολιτικά	politics	το ποσό	amount
το πουρμπουάρ	tip	to προάστειο	suburb
το πρόβλημα	problem	το προσωπικό	personnel
το ρεπάνι	radish	το ρύζι	rice
ρωσσικά	Russian		
το σέλινο	celery		
το σιγαρέττο	cigarette	το σουβλάκι	souvlaki
τα σουηδικά	Swedish	το σπανάκι	spinach
το ταξίδι	trip	το ταχυδρομείο	post office

το τέλος	end	το τηλεγραφείο	telegraph office
το τηλεγράφημα	telegram	το τραπεζομάντηλο	table cloth
το φλιτζάνι	cup	τα φοινίκια	Greek cookies
χαιρετίσματα	greetings	χίλια δυο	thousand and one things
το ψητό	roast	τα ψώνια -	shopping, provisions

4. Adjectives - Επίθετα

αγαπητός	loved	αεροπορικός	air
ανατολικός	eastern	αξέχαστος	unforgettable
αξιέπαινος	praiseworthy	αρνίσιος	lamb
άρρωστος	sick	αρχαιολογικός	archaeological
αρχαίος	ancient	βαθύς	deep
βορειο-ανατολικός	north-eastern	βορειο-δυτικός	north-western
βόρειος	northern		
γρήγορος	fast	διάφορος	different
δύσκολος	difficult	δυτικός	western
εθνικός	national	ελαφρός	light
ελεύθερος	free	ένδοξος	glorious
εξαιρετικός	exceptional	ευγενικός	polite, gentle
εύκολος	easy		
ηλικιωμένος	aged	ήπιος	mild
ήσυχος	quiet		
ιδιαίτερος	private		
κεντρικός	central	κλασσικός	classical
κοσμογυρισμένος	world-traveled	μακροχρόνιος	long
μεγαλόπρεπος	magnificent	μικρός	small
μοντέρνος	modern		
νόστιμος	tasty	νοτιο-ανατολικός	south-eastern
		νότιος	southern
νοτιο-δυτικός	south-western	ολικός	total
οικονομικός	economical	περιποιητικός	courteous obliging
Ολυμπιακός	Olympic		
πολύχρωμος	multi-colored	σκληρός	hard, cruel

σπουδαίος	important	τουριστικός	tourist
τραγικός	tragic	χοιρινός	pork
χρεωστικός	owing,charging	χτισμένος	built

5 . Verbs - Ρήματα
α. First conjugation:

αξίζω	I am worth	απαγορεύω	I forbid
αξίζει	it is worth while		
απλώνω	I spread		
βγάζω	I take off,I take out		
βρέχω	I water	βρέχει	it rains
γνωρίζω	I know, I recognize		
διαλέγω	I choose	διδάσκω	I teach
δίνω	I give	διορθώνω	I repair
δωρίζω	I give as a gift	εκατοστίζω	I make it one hundred
ελέγχω	I check, I control		
ενδιαφέρει	it interests	επιτρέπω	I allow, permit
θαυμάζω	I wonder, marvel	καταλαβαίνω	I understand
κοιτάζω	I look	κρύβω	I hide
μαθαίνω	I learn	μεγαλώνω	I grow up
ντύνω	I dress	οφείλω	I owe
παίρνω	I take	πειράζω	I bother
πειράζει	it matters	περιβάλλω	I enclose
περιλαμβάνω	I include	πιάνω	I take
πιστεύω	I believe	σερβίρω	I serve
σημαίνει	it means	σκοπεύω	I intend
σπουδάζω	I study	συμβουλεύω	I advise
συνοδεύω	I accompany	συστήνω	I introduce
ταξιδεύω	I travel	ψωνίζω-ψουνίζω	I shop

b. Second Conjugation

βοηθώ	I help	κερνώ	I treat
κολυμπώ	I swim	κρατώ	I hold
ξεκινώ	I start out	ξεχνώ	I forget
πετώ	I fly	σταματώ	I stop

c. Third Conjugation

ανησυχώ	I worry	βοηθώ (2 or 3)	I help

δημιουργώ	I create	διαρκώ	I last
εξυπηρετώ	I serve	οδηγώ	I drive, I guide

d. Fourth Conjugation

απαγορεύεται	it is forbidden	αστειεύομαι	I joke
βρίσκομαι	I am found	γεννιέμαι	I am born
δέχομαι	I accept	ενδιαφέρομαι	I am interested
επισκέπτομαι	I visit	επιτρέπεται	It is permitted
εργάζομαι	I work	θυμ-άμαι, ούμαι	I remember
ντύνομαι	I dress	περιβάλλομαι	I am surrounded
σκέφτομαι	I think	συστήνομαι	I am introduced
τρελλαίνομαι	I am crazy about something	υπερηφανεύομαι	I am proud

6. Adverbs - Επιρρήματα

ακριβώς	exactly	απέξω	outside
αμέσως	at once	απέναντι	opposite
απόψε	tonight	άπταιστα	fluently
αργά	late	αργότερα	later
δυστυχώς	unfortunately	εξαιρετικά	exceptionally
ευτυχώς	fortunately		
ίσως	perhaps	κάποτε	sometime
μέσα-μέσα	inside	πρώτα-πρώτα	first of all
σιγά	slowly	σκληρά	harshly, cruelly
συνήθως	usually	τουλάχιστο	at least

7. Other words - 'Αλλες λέξεις

εις	to	χωρίς	without
παρόλο	although	ορίστε	here it is
κτλ (και τα λοιπά)	etc.	καλωσορίσατε	welcome
εξάλλου	on the other hand		

LESSON FORTY FOUR - ΜΑΘΗΜΑ ΤΕΣΣΑΡΑΚΟΣΤΟ ΤΕΤΑΡΤΟ

Ο Κύριος Μπράουν άνοιξε το βιβλίο   ΜΥΘΟΙ ΤΟΥ ΑΙΣΩΠΟΥ και διάβασε τους ακόλουθους μύθους:

Ο <u>αχόρταγος</u> σκύλος

Κάποτε ένας σκύλος πεινούσε πολύ. Για πολλές μέρες δέν είχε τίποτε να φάει. Έτρεχε εδώ κι εκεί και <u>προσπαθούσε</u> να βρει κάτι να βάλει στο στόμα του. Εκεί που έτρεχε, είδε ένα <u>κρεοπωλείο</u>. Ο <u>κρεοπώλης</u> <u>είχε κρεμάσει</u> πολλά κρέατα έξω για να τα πουλήσει. Ο σκύλος <u>άρπαξε</u> ένα κομμάτι κρέας κι άρχισε να τρέχει μακριά.

Ενώ έτρεχε έφτασε σ' ένα ποτάμι με νερό. Έπεσε μέσα κι άρχισε να κολυμπά για να φτάσει στην άλλη <u>όχθη</u> του ποταμού. Εκεί θα έτρωγε το κρέας με την ησυχία του.

Ενώ <u>κολυμπούσε</u>, είδε μέσα στο νερό τη σκιά κάποιου άλλου σκύλου, που κρατούσε κι αυτός ένα κομμάτι κρέας. Το κρέας αυτό του φάνηκε μεγαλύτερο από το δικό του. <u>Στην πραγματικότητα</u> όμως, μέσα στο ποτάμι έβλεπε τη δική του σκιά και το νερό έκανε το κρέας να φαίνεται μεγαλύτερο.

"Γιατί να μην πάρω το μεγαλύτερο κομμάτι;" σκέφτηκε. Άφησε τότε το δικό του κομμάτι και προσπάθησε να πάρει το άλλο. Το κρέας όμως χάθηκε μέσα στο νερό κι έτσι ο σκύλος έμεινε <u>νηστικός</u>.

<u>Έτσι παθαίνουν</u> <u>όσοι</u> <u>δεν αρκούνται</u> με τα λίγα και θέλουν περισσότερα.

Οι Έλληνες έχουν μια <u>παροιμία</u> " Όποιος θέλει τα πολλά, χάνει και τα λίγα. " (He who strives for many things, loses the few he has.)

Λεξιλόγιο:
ο αχόρταγος - greedy
προσπαθούσε - he was trying - προσπαθώ (3) - I try
το κρεοπωλείο - butcher-shop
ο κρεοπώλης - butcher
είχε κρεμάσει - he had hung κρεμώ (2) or κρεμάζω (1) - I hang up
άρπαξε - he grabbed - αρπάζω (1) - I grab

η όχθη - the bank of a river
κολυμπούσε - he was swimming - κολυμπώ (2) - I swim
στην πραγματικότητα - in reality
νηστικός, -ή, -ό - hungry
έτσι παθαίνουν - that is what happens to
όσοι δεν αρκούνται - those who are not satisfied
η παροιμία - proverb

Ερωτήσεις:

1. Τι ζητούσε να βρει ο σκύλος;
2. Τι είδε ενώ έτρεχε εδώ κι εκεί;
3. Πού είχε βάλει ο κρεοπώλης τα κρέατα;
4. Τι άρπαξε ο σκύλος;
5. Τι είδε ο σκύλος μπροστά του;
6. Γιατί ο σκύλος έπεσε μέσα στο νερό του ποταμού;
7. Τι είδε μέσα στο νερό;
8. Πώς ήταν το κρέας, που είδε μέσα στο νερό;
9. Γιατί ο σκύλος θέλησε να πάρει το κρέας, που είδε μέσα στο νερό;
10. Τι έπαθε στο τέλος ο σκύλος;
11. Τι λέει μια ελληνική παροιμία για τους αχόρταγους;

Η χήνα με τα χρυσά αυγά

Κάποτε ένας χωρικός είχε μια χήνα, που κάθε πρωί γεννούσε ένα χρυσό αυγό. Ο χωρικός έπαιρνε το χρυσό αυγό και το πουλούσε στην αγορά. Από τα πολλά χρυσά αυγά που πουλούσε έγινε πλούσιος.

Μα ο χωρικός ήταν αχόρταγος. Ήθελε να πάρει όλα τα χρυσά αυγά μονομιάς κι όχι ένα τη μέρα. " Αν σφάξω τη χήνα, είπε, θα πάρω από την κοιλιά της όλα τα χρυσά αυγά. Γιατί να περιμένω να παίρνω ένα-ένα τη μέρα".

Το ' πε και το ' καμε. Έσφαξε τη χήνα, μα στη κοιλιά της δε βρήκε ούτε ένα αυγό. Έτσι έχασε και το ένα αυγό που έπαιρνε κάθε μέρα. "Όποιος θέλει τα πολλά, χάνει και τα λίγα. "

Λεξιλόγιο
ο χωρικός - peasant
χρυσός, -ή, -ό - golden

μονομιάς ‑ at once
σφάζω (1) ‑ I slaughter
η κοιλιά ‑ belly
το᾽ πε και το᾽ καμε = το είπε και το έκαμε ‑ he said it and he did it

Η Αλεπού και τα σταφύλια

Μια μέρα, μια <u>αλεπού</u> είδε πάνω σε μια <u>κληματαριά</u> <u>ώριμα</u> και νόστιμα σταφύλια. ῎Αρχισε να πηδά με όλη της τη δύναμη για να τα φτάσει. Τα σταφύλια όμως ήταν πολύ ψηλά και η αλεπού, όσο κι αν πηδούσε, δεν μπορούσε να τα φτάσει.

Αφού κουράστηκε από το πολύ <u>πήδημα</u> γυρίζει και λέει στα σταφύλια "Δε σας θέλω, γιατί είστε <u>άγουρα</u> και <u>ξινά</u>."

῎Ετσι λένε πολλοί άνθρωποι, όταν δεν μπορούν να πάρουν κάτι, που το <u>επιθυμούν</u> πολύ.

Λεξιλόγιο:

η αλεπού ‑ fox
η κληματαριά ‑ grape vine
ώριμ‑ος, ‑η, ‑ο ‑ ripe
το πήδημα ‑ jump
άγουρ‑ος, ‑η, ‑ο ‑ unripe
ξιν‑ός, ‑ή, ‑ό ‑ sour
επιθυμώ (3) ‑ I wish, I desire

GREEK - ENGLISH VOCABULARY

(A word may have two or more meanings. In this vocabulary we give only the meaning of the word as it occurs in this book.)

A

α (άλφα) the first letter of the alphabet

άγαλμα, το - statue
αγαπητ-ός, -ή, ό - loved, beloved
αγαπώ (2) - I love
αγγείο, το - pottery
αγγίζω (1) - I touch
Αγγλία, η - England
αγγλικά, τα - English
αγγλικ-ός, -ή, -ό - English
αγγλο-ελληνικό - English-Greek
αγγούρι, το - cucumber
αγορά, η - market
αγοράζω (1) - I buy
αγόρι, το - boy
άγουρ-ος, -η, -ο - unripe
άγρι-ος, -α, -ο - wild, savage
αγώνας, ο - contest
άδεια, η - permit, license
αδελφή, η - sister
αδελφός, ο - brother
αέρας, ο - air, wind
αεροδρόμιο, το - airport
αεροπλάνο, το - airplane
αεροπορικ-ός, -ή, -ό - air (adj.)
Αθήνα, η - Athens
Αιγαίο Πέλαγος - Aegean Sea
Αίγυπτος, η - Egypt
Αισχύλος - Aeschylus
Αίσωπος - Aesop
ακοή (η) - hearing

ακουστικό, το - telephone receiver
ακούω (1) - I hear
ακριβώς - exactly
αλάτι, το - salt
αλεπού, η - fox
αλήθεια, η - truth
αλλάζω (1) - I change
άλλ-ος, -η, -ο - other, another
αμερικανικ-ός, -ή, -ό - American
Αμερική, η - America
αμέσως - at once, immediately
αν - if
ανάγνωση, η - reading
αναπαυτικ-ός, -ή, -ό - relaxing, comfortable
αναπνέω (1) - I breathe
ανατολή, η - east
ανατολικ-ός, -ή, -ό - eastern
αναχώρηση, η - departure
αναψυκτικά, τα - soft drinks, refreshments
ανδρεία (η) - bravery
ανεβαίνω (1) - I ascend, I climb
άνεμος, ο - wind
ανησυχώ (3) - I worry
άνθος, το - flower
άνθρωπος, ο - man, human being
ανοίγω (1) - I open
ανοιξιάτικ-ος, -η, ο- spring

Ανταρκτική, η - Antarctic
αντί - instead
αντίο - good bye
άντρας, ο - man, husband
αξέχαστος, -η, ο - unforgettable
αξιέπαινος, -η, -ο - praiseworthy
αξίζει - it is worth
αξίζω (1) - I am worth
αξιότιμος, -η, -ο - honorable
απαγορεύεται - it is forbidden
απαγορεύω (1) - I forbid
απάντηση, η - answer
απαντώ (2) - I answer
απέναντι - opposite
απέξω - out, outside
απίδι, το - pear
απίθανος, -η, -ο -impossible
απλός, -ή -ό - plain, simple
απλώνω (1) - I spread out
απόγευμα (απόγεμα) το - afternoon
απογευματινός, -ή, ό - that of the
        afternoon
απόψε - tonight
Απρίλης, ο - April
άπταιστα - fluently
αραβικά, τα - Arabic
αργά - late
αργότερα - later
αρέσει - likes (imp. verb)
αριθμητική, η - arithmetic
αριθμός, ο - number
αριστερός, -ή, ό - left
Αριστοτέλης, ο - Aristotle
αρκετός, -ή, -ό - sufficient
αρκούμαι (4) - to be satisfied with
αρνάκι, το - little lamb
αρνί, το - lamb
αρνίσιος, -α, -ο - that of lamb

αρπάζω (1) - I grab
άρρωστος, -η, -ο - sick
αρχαιολογικός, -ή, -ό - archaeo-
        logical
αρχαίος, -α, -ο - ancient
αρχή, η - beginning
αρχίζω (1) - I start, I begin
Ασία, η - Asia
ασκί, το - flask
άσπρος, -η, -ο - white
αστειεύομαι (4) - I joke
αστείο, το - joke
αστείος, -α, -ο - funny
αστραπή, η - lightning
αστράφτει - it is lightning
αστυνομικός, ο - policeman
ατμόσφαιρα, η - atmosphere
άτομο, το - person
αυγή, η - dawn
αυγό , το - egg
αυγολέμονο (σούπα), η - egg
        and lemon chicken soup
αύριο - tomorrow
Αυστραλία, η - Australia
αυτί, το - ear
αυτοκίνητο, το - car, automobile
αυτός, -ή, -ό - this
αφή, η - touch
αφήνω (1) - I leave
αφθονία, η - abundance
Αφρική, η - Africa
αχλάδι, το - pear
αχόρταγος, -η, -ο - greedy

B

β (βήτα) - the second letter of the alphabet

βάζω   (1) - I put
βαθύς, ιά, ύ - deep
βαλίτσα, η - valise, suitcase
βαπόρι, το - boat, ship
βαριέμαι (1) - I get bored, I am bored
βαρύς, ιά, ύ - heavy
βασιλιάς, ο - king
βγάζω (1) - I take out, I remove
βέβαια - of course
βερύκοκο, το - apricot
Βηθλεέμ, η - Bethlehem
βιβλίο , το - book
      βιβλίο τσέπης, το - pocket book
βιβλιοθήκη, η - book case, library
βιβλιοπωλείο, το - bookstore
βιομήχανος, ο - industrialist
βλάκας, ο - stupid
βλάστηση, η - vegetation

βλέπω (1) - I see
βοηθώ (2,3) - I help
βορειοανατολικός, -ή, -ό - north-eastern
βορειο-δυτικός, -ή, -ό - north-western
βόρειος, -α, -ο - north
βουνό, το - mountain
βουρτσίζω (1) - I brush
βούτυρο, το - butter
βράδυ, το - evening
βραδιάζει   - it is getting dark, night is coming
βραδινός, -ή, -ό - evening
βρέχει - it rains
βρίσκομαι (4) - I am situated, I am found
βρίσκω (1) - I find
βροντά - it thunders
βροντή, η - thunder
βροχή, η - rain

Γ

γ (γάμα) the third letter of the alphabet

γαϊδούρι, το - donkey
γάλα, το - milk
γαλάζιος, ια, ιο - blue
γαλανός, -ή, -ό, -blue
Γαλλία, η - France
γαλλικά, τα - French
γαλλικός, -ή, -ό - French
γαλοπούλα, η - turkey
γαλατομπούρεκο, το - kind of
          Greek pastry
γάτα, η - cat
γάτος, ο - cat

γεια - hello, good-bye
γελώ (2) - I laugh
γεμάτος, -η, -ο - full
γεμιστά - stuffed tomatoes, peppers and eggplant
γεννιέμαι (4) - I am born
Γερμανία, η - Germany
γερμανικά, τα - German
γερμανικός, -ή, -ό - German
γέρος, ο - old man
γεύομαι (4) - I taste
γεύση, η - taste

γιαγιά, η - grandmother
γιαλιά, τα - glasses, eye glasses
γιαλιά του ήλιου, τα - sun glasses
γιατί; - why?
γιατί - because
γίνομαι (4) - I become
γκαζόν, το - grass
γκαρσόνι, το - waiter
γκολφ, το - golf
γλυκά, τα - sweets
γλύκισμα, το - sweets
γλυκός, ιά, ό - sweet
γλώσσα, η - tongue, language
γνωρίζω, (1) - I know
γνώση, η - knowledge
γνώστης, ο - he who knows

γονείς, οι - parents
γονιός, ο - parent
γραβάτα, η - tie
γράμμα, το - letter
γραμματική, η - grammar
γραμματόσημο, το - stamp
γραφείο, το - office, desk
γράφω (1) - I write
γρήγορος, η, - ο - swift, fast
γριά, η - old woman
γυμνάσιο, το - high school
γυναίκα, η - woman, wife
γυρίζω (1) - I turn, I return
γύρω - round, around
γωνιά, η - corner

Δ

δ (δέλτα) the fourth letter of the alphabet

δασκάλα, η - teacher (woman)
δάσκαλος, ο - teacher (man)
δάσος, το - forest
δάχτυλο, το - finger, toe
δείπνο, το - supper, dinner
δείχνω (1) - I show
δέκα - ten
δεκαεννέα - nineteen
δεκαέξι, - sixteen
δεκαεφτά - seventeen
δεκαοχτώ, eighteen
δεκαπέντε - fifteen
δεκάρα, η - dime
δεκατέσσερα - fourteen
δέκατος, η, -ο - tenth
δεκατρία - thirteen
Δεκέμβριος, ο - December
δέντρο, το - tree
δεξιός, -ά, -ό - right

Δευτέρα, η - Monday
δευτερόλεπτο, το - second minute
δέχομαι (4) - I accept
δηλαδή - in other words
δηλητήριο, το - poison
δημιούργημα, το - creation
δημιουργία, η - creation
δημιουργώ (3) - I create
δημοκρατία, η - democracy
δημοτικό, σχολείο, το - elementary school
διαβάζω (1) - I read, I study
διαβατήριο, το - passport
διαγωνισμός, ο - contest
διάδρομος, ο - hall, passage
διακοπές, οι - vacation
διακοπή, η - interruption
διακόσια - two hundred
διαλέγω (1) - I choose

- 253 -

διάλογος, ο - conversation, dialogue
διαρκώ (3) - I last
διαφήμιση, η - advertisement
διάφορος, -η, -ο - different
διδάσκω (1) - I teach
διεύθυνση, η - address
διευθύνω (1) - I direct
δικαστής, ο - judge
δίκη, η - trial
δικηγόρος, ο - lawyer
δικός, -ή, -ό - mine
δίνω (1) - I give
διεύθυνση, η - address
διορθώνω (1) - I correct, I repair
δίπλα - next to, on the side
δίπλα, η - a kind of Greek pastry
διψώ (2) - I am thirsty
δολλάριο, το - dollar

δόντι, το - tooth
δουλειά, η - work, job
δουλεύω (1) - I work
δραχμή, η - drachma
δυνατός, -ή, -ό - strong
δύση, η - sunset, west
δυο, δύο - two
δύσκολος, -η, -ο - difficult
δυστύχημα, το - accident
δυστυχώς - unfortunately
δυτικός, -ή, -ό - western
δώδεκα - twelve
Δωδεκάνησα, τα - Dodecanese Islands
δωδέκατος, -η, -ο - twelfth
δωμάτιο, το - room
δωρίζω (1) - I give as a gift
δώρο, το - gift

E

ε (έψιλο) - the fifth letter of the alphabet

εαυτός μου, ο - myself
εβδομάδα (βδομάδα), η - week
εβδομήντα - seventy
έβδομος, -η, -ο - seventh
εγώ - I
εδώ - here
εθνικός, -ή, -ό - national
είκοσι - twenty
εικοστός - twentieth
ειρήνη, η - peace
εις - to
εισιτήριο, το - ticket, fare, entrance
εισιτήριο με επιστροφή - round trip ticket
είσοδος, η - entrance
εκατό(ν) - hundred
εκατομμύριο, το - million
εκατοστίζω (1) - I make it one hundred

εκατοστός, -ή, -ό - hundredth
εκδρομή, η - excursion
εκεί - there
εκείνος, -η, -ο - that
εκκλησία, η - church
έκταση, η - area
εκτίμηση, η - esteem
έκτος, -η, -ο - sixth
εκτός - unless
ελαφρός, -ιά, -ό - or
ελαφρύς, -ιά, -ύ light, not heavy
ελέγχω (1) - I check, I control
ελευθερία, η - freedom, liberty
ελεύθερος, -η, -ο - free
Ελλάδα, η - Greece
ελληνίδα, η - Greek woman or girl
ελληνικά, τα - Greek (language)

ελληνικός, ή, ό - Greek
ελληνοαγγλικό - Greek - English
Ελληνοαμερικανός - Greek-American
εμείς - we
ένα - one
ένατος, η, το - ninth
ενδέκατος η, το - eleventh
ενδιαφέρει - interests (imp. verb)
ενδιαφέρομαι (4) - I am interested in
ένδοξος, η, το - glorious
ενενηκοστός, ή, ό - ninetieth
εννέα, εννιά - nine
εννιακόσια - nine hundred
εντάξει - all right, O.K.
έντεκα - eleven
έντιμος - honorable
εν τω μεταξύ - meanwhile
εξάγωνο, το - hexagon
εξαιρετικά, - exceptionally
εξαιρετικός, ή, ό - exceptional
εξακόσια - six hundred
εξάλλου, - on the other hand
εξετάζω (1) - I examine
εξήντα - sixty
έξι - six
έξοδο (το), έξοδα (τα) - expenses
εξοικονόμηση, η - saving
εξοχότατος - eminent, excellent
εξυπηρετώ (3) - I serve, I wait
        on someone
έξω - out, outside
εξώφυλλο, το - cover (of a book)
επάγγελμα, το - profession,
        job, work
επιθυμία, η - wish, desire
επιθυμώ (3) - I desire
έπιπλο, το - furniture
επίσης - also, same to you

επισκέπτομαι (4) I visit
επιστήμη, η - science
επιστήμονας, ο - scientist
επιστροφή, η - return
επιτρέπεται - it is allowed
επιτρέπω (1) - I permit, I allow
επομένως - therefore
εποχή, η - epoch, season, time
εργάζομαι (4) - I work
έρχομαι (4) - I come
ερώτηση, η - question
ερωτώ (2) - I ask also ρωτώ
εσείς - you
εστιάτορας, ο - restaurateur
εστιατόριο, το - restaurant
εσύ - you
εσώρουχο (το), εσώρουχα (τα)
        - underwear
εταιρεία, η - company
ετοιμάζω (1) - I prepare
έτοιμος, η, το - ready
ευγενικός, ή, ό - polite, gentle
ευκαιρία, η - chance
εύκολος, η, το - easy
Ευριπίδης, ο - Euripides
Ευρώπη, η - Europe
ευτυχώς - fortunately
ευχαρίστηση, η - pleasure
ευχαριστώ (3) - I thank
ευχαρίστως - with pleasure
εφεύρεση (η) - invention
εφημερίδα, η - newspaper
εφτά (επτά) - seven
εφτακόσια - seven hundred
έχω (1) - I have

Z

ζ (ζήτα) - the sixth letter of the alphabet

ζακέτα, η - jacket
ζαμπόν, το - ham
ζάχαρη, η - sugar
ζέστη, η - warmth , heat
  κάνει ζέστη - it is warm
ζεστός, -ή, -ό - hot, warm
Zευς - Zeus
ζητώ (2) - I ask
ζουμερός, -ή, -ό - juicy
ζω (3) - I live
ζωγραφιά, η - painting, drawing
ζωγραφίζω (1) - I draw, I paint
ζωή , η - life
ζώνη, η - belt
ζώο, το - animal

H

η (ήτα) the seventh letter of the alphabet

ηλεκτρική κουζίνα - electric stove
ηλεκτρικός σταθμός - subway
ηλικία , η - age
ηλικιωμένος, -η, -ο - aged, of age
ήλιος, ο - sun
ημερομηνία, η - date
Ηνωμένες Πολιτείες της
Αμερικής - United States of America
ήπιος, -α, -ο - mild
ήσυχος, -η, -ο - quiet

Θ

θ (θήτα) - the eighth letter of the alphabet

θάλασσα, η - sea
θάμνος, ο - bush
θάνατος, ο - death
θαυμάζω (1) - I wonder, I marvel
θαυμάσιος, -α, -ο - marvelous,
        wonderful
θέα, η - view
θέατρο, το - theater
θεία, η - aunt

θείος, ο - uncle
θέλω (1) - I want
θεός, ο - god
θερμοκρασία, η - temperature
θέση, η - place, position
θηρίο - wild beast,
θρανίο, το - student's desk
θρεπτικός, -ή, -ό -nutritious
θυμάμαι (4) - I remember
θυμώνω (1) - I get angry

I

ι (γιώτα) - the ninth letter of the alphabet

Ιανουάριος, ο - January
Ιαπωνία, η - Japan

ιαπωνικά, τα - Japanese
ιατρική, η - the study of medicine

ιδέα, η - idea
ιδιαίτερος, η, -ο - private, individual
ίδιος, -α, -ο - same
Ινδία (η), Ινδίες (οι) - India
Ιόνιο Πέλαγος, το - Ionian Sea
Ιούλιος, ο - July
Ιούνιος, ο - June
ίσος, η, -ο - equal

Ισπανία, η - Spain
ισπανικά, τα - Spanish
ιστορία, η - history, story
Ιταλία, η - Italy
ιταλικά, τα - Italian
ιταλικός -ή, -ό - Italian
ο Ιταλός - Italian

Κ
κ (κάπα) - the tenth letter
    of the alphabet

καβαλικεύω (1) - I ride
καημένος, -η, -ο - poor, miserable
καθαρίζω (1) - I clean
καθαρός, -ή, -ό - clean, clear
κάθε - each, each one, everyone
καθένας, καθεμιά, καθένα - each,
    each one, everyone
καθηγητής, ο - professor
καθηγήτρια, η - professor (woman)
καθόλου - at all, not at all
κάθομαι (4) - I sit
καθρέφτης, ο - mirror
καινούριος, - α, -ο - new
καιρός, ο - weather, time
κακά, τα - evils
κακός, -ή, -ό - bad
καλά - well, τα καλά - good
καλαμάρι, το - squid
καλημέρα - good morning
καληνύχτα - good night
καλησπέρα - good evening
καλοβρασμένος, -η, -ο - well cooked,
    hard boiled
καλοκαίρι, το - summer
καλοκαιρινός -ή, -ό - summer (adj.)
καλός, -ή -ό - good
κάλτσα, η - sock, stocking
καλωσορίσατε - welcome

καμπίνα, η - cabin
καμπινές, ο - bathroom
Καναδάς, ο - Canada
καναπές, ο - couch
κανένας, καμμιά, κανένα - no one,
                nobody
κάνω (1) - I do, I make
καπέλο, το - hat
κάποιος, κάποια, κάποιο -
    someone, somebody
κάποτε - sometimes
κάρβουνο, το - charcoal
καρέκλα, η - chair
καρότο, το - carrot
καρπούζι, το - watermelon
κάρτα, η - card
καστανός, -ή, -ό - brown
καταήφι, το - kataif, (a Greek
                pastry)
καταλαβαίνω (1) - I understand
κατάλογος, ο - catalogue
κατασκευάζω (1) -I make, I
                manufacture
κατάσταση, η - situation, condition
κατεβαίνω (1) - I descend, I go
                down
κατευθείαν - straight
κατηγορία, η - category

κάτι - something
κάτω - down
καφεδάκι, το - coffee
καφές, ο - coffee
κέικ, το - cake
κεντρικός, ή, ό - central
κέντρο, το - center
κεράσι, το - cherry
κέρατο, το - horn
κερνώ (2) - I treat
κεφάλι, το - head
κιμωλία, η - chalk
Κίνα, η - China
κινέζικα, τα - Chinese (language)
κλασσικός, ή, ό - classical
κλίμα, το - climate
κλιματισμός, ο - air-condition
κληματαριά, η - vine
κλωτσώ (2) - I kick
κοιλιά, η - belly
κοιτάζω (1) - I look
κόκκινος, η, ο - red
κολυμπώ (2) - I swim
κομμό, το - night stand
κομμοδίνο, το - chest
κονιάκ, - to cognac
κοντά - near
κόπος, ο - trouble, toil
κορίτσι, το - girl
κοροϊδεύω (1) - I laugh at
κοσμάκης, ο - people
κοσμογυρισμένος, η, ο -
    world-traveled

κόσμος, ο - people
κοτόπουλο, το - chicken
κουβέρτα, η - blanket
κουζίνα, η - kitchen
κουλουράκι, το - cookie
κουνιέμαι (4) - I shake
κουράζομαι (4) - I get tired
κουρέας, ο - barber
κουρτίνα, η - curtain
κουτάλι, το - spoon
κούτσουρο, το - ignorant person
κρασί, το - wine
κρατώ (2,3) - I hold
κρεβάτι, το - bed
κρεβατοκάμαρα, η - bedroom
κρεμάζω (1) - I hang
κρεμασμένος, η, ο - hanging
κρεμμύδι, το - onion
κρεμώ (2) - I hang
κρεοπωλείο, το - butcher shop
κρεοπώλης, ο - butcher
Κρήτη, η - Crete
κρίση, η - crisis
κρύβω (1) - I hide
κρυμμένος, η, ο - hidden
κρύο, το - cold
 κάνει κρύο - it is cold
κρύος, α, ο - cold
κτλ. = και τα λοιπά - etc
Κυκλάδες, οι - Cyclades
Κύπρος, η - Cyprus
κυρία, η - Mrs.
Κυριακή, η - Sunday
κύριος, ο - Mr.
κωδικός, ο - code

Λ

λ (λάμδα) - the eleveth letter of the alphabet

λάδι, το - oil
λάμπα, η - lamp
λάμπω (1) - I shine
λάστιχο, το - tire
λάχανο, το - cabbage
λέγομαι (4) - I am named, called
λέγω (1) - I say
λεμόνι, το - lemon
λέξη, η - word
λεξικό, το - dictionary
λεπίδα, η - blade
λεπτό, το - minute
λεφτά, τα - money

λεωφόρος, η - avenue
λεωφορείο, το - bus
λίγος, η, ο - little
λόγος, ο - word, speech, reason
λοιπόν - well
Λονδίνο, το - London
λούζω (1) - I wash, I bathe
λουκάνικο, το - sausage
λουλούδι, το - flower
λουτρό, το - bathroom, shower room
λυπάμαι (4) - I am sorry, I grieve
λύση, η - solution

Μ

μ (μι) - the twelfth letter of the alphabet

μα - but
μαγαζί, το - store, shop
μάγειρας, ο - cook (man)
μαγειρεύω (1) - I cook
μαγείρισσα, η - cook (woman)
μαγευτικός, ή - ό - enchantic
μαγικός, ή ό - magic
μαζί - together
μαθαίνω (1) - I learn
μάθημα, το - lesson
μαθηματικά, τα - mathematics
μαθητής, ο - boy student, boy pupil
μαθήτρια, η - girl pupil, girl student
Μάιος, ο - May
μακριά - far
μακροχρόνιος, -α, -ο - of long duration
μάλιστα - yes
μαλλί, το - wool
μαλλιά, τα - hair
μενού, το - menu

μανιτάρι, το - mushroom
μανταρίνι, το - tangerine
μαντήλι, το - handkershief
μαξιλάρι, το - pillow
μαρμελάδα, η - marmalade, jelly, jam jam
μαρούλι, το - lettuce
Μάρτιος, ο - March
μάρτυρας, ο - witness
μάτι, το - eye
ματιά, η - look, glance
μαύρος, η, ο - black
μαχαίρι, το - knife
με - with
μεγαλόπρεπος, η, ο - magnificent
μεγάλος, η, ο - big, large, great
μεγαλώνω (1) - I grow up, I become large
μέθοδος, η - method
μεθυσμένος, η, ο - drunk
μελάτο, το - soft boiled egg

μένω (1) - I stay, I remain
μέρα, η - day
μερικοί, μερικές, μερικά - some
μέρος, το - place, space
μέσα - inside
μέσα - μέσα - deep inside
μεσάνυχτα - midnight
μεσημέρι, το - noon
μεσημεριανός, -ή, -ό - noon (adj.)
μετά - after, afterwards, then
μετανάστης, ο - immigrant
μεταφέρω (1) - I carry
μέτρο, το - measure
μετρώ (2) - I count
μέχρι - until
μήλο, το - apple
μήνυμα, το - message
μηχανικός, ο - mechanic, engineer
μικρός, -ή, -ό - small
μικτός, -ή, -ό - mixed
μίλι, το - mile
μιλώ, (2) - I speak, I talk
μισός, -ή, -ό - half
μολύβι, το - pencil
μοναχοπαίδι, το - only child
μόνο - only
μονόκλινο (δωμάτιο), το -
        single bedroom
μονομιάς - all at once

μοντέρνος, -α, -ο - modern
μοσχάρι, το - calf, beef
μου - mine
μουσακάς, ο - moussaka
μουσείο, το - museum
μουσική, η - music
μουστάρδα, η - mustard
μπαίνω (1) - I enter, I go in
μπακλαβάς, ο - baklava
μπάμια, η - okra
μπανάνα, η - banana
μπάνιο, το - bathroom
μπαρ, το - bar
μπάρμπας, ο - old man
μπαρμπούνι, το - red mullet
μπλε - blue
μπλούζα, η - blouse
μπορώ, (3) - I can, I may, I am able
μπουζούκι, το - bouzouki
μπουφές, ο - chest
μπράβο - bravo, well done
μπριζόλα, η - porkchop
μπροστά - in front, front
μπύρα, η - beer
μυαλό, το - brain, mind
μύθος, ο - myth
μυρίζομαι (4) - I smell
μύτη, η - nose

N

ν (νι) the thirteenth letter of the alphabet

ναι, - yes

νέα, τα - news

νεκρός, -ή, -ό - dead

νέος, -α, -ο - young

νησί, το - island

νήσος, η - island

νηστικός - hungry

νικώ (2) - I win, I am vicrorious

νιώθω (1) - I feel

Νοέμβριος, ο - November

νοικοκυρά, η - house wife

νομίζω (1) - I think

Νορβηγία, η - Norway

νοσοκόμα, η - nurse

νόστιμος, -η, -ο - tasty

νοτιο-ανατολικός, -ή, -ό - south-
eastern

Νέα Υόρκη, η - New York

νοτιο-δυτικός, -ή, -ό - south-
western

νότιος, -α, -ο - southern

νότος, ο - south

νους, mind

ντολμάς, ο - dolmas (stuffed grape
leaves)

ντουλάπι, το - cupboard

ντυμένος, -η, -ο - dressed

ντύνομαι (4) - I am dressed

ντύνω (1) - I dress

νύχτα, η - night

νυχτερινός, -ή, -ό - night (adj.)

νυχτώνει - it is getting dark

Ξ

ξ (ξι) - the fourteenth letter of the alphabet

ξαδέλφη, η - cousin

ξάδελφος, ο - cousin

ξαναρωτώ (2) - ξαναρωτάω (1) -
I ask again

ξεκάμω (1) - I kill

ξεκινώ (2) - I start out

ξενοδοχείο, το - hotel

ξενοδόχος - ο - hotel- manager,
          inn -keeper

ξέρω (1) - I know

ξεχνώ (2) - I forget

ξημερώνει - it is dawning

ξινός, -ή, -ό - sour

ξιφίας, ο - swordfish

ξύδι, το - vinegar

ξυραφάκι, το - shaving blade

ξυρίζομαι (4) - I shave, I am shaved

O

ο (όμικρο) - the fifteenth letter of the alphabet

ογδοηκοστός, -ή, -ό - eightieth

ογδόντα - eighty

όγδοος, -η, -ο - eighth

οδηγός, ο - guide, leader

οδοντόκρεμα, η - tooth paste

οικογένεια, η - family

οικονομικά, τα - economics
οικονομικ-ός, -ή, -ό - economic
οκτακόσια (οχτακόσια) - eight
    hundred
οκτώ (οχτώ) - eight
Οκτώβριος, ο - October
ολικ-ός, -ή, -ό - total
ολόασπρ-ος, -η, -ο - very white
ολοκάθαρ-ος, -η, -ο - very clean
ολόκληρ-ος, -η, -ο - whole
όλ-ος, -η, -ο - all
ομορφιά η - beauty
όμορφ-ος, -η, -ο - beautiful
όμως - but, however
όνομα, το - name
ονομάζω (1) - I name
οπλή, η - hoof
όποι-ος, -α, -ο - whoever,
    whichever, whatever

όπου - where
όραση, η - sight
 ορθογραφία,η- spelling, orthography
ορίστε - here it is, yes (answering a
call)
ορκίζομαι (4) - I take an oath, I
swear
όροφος, ο - floor (first floor, second
etc.)
όσφρηση, η - smell
όταν - when
Ουάσιγκτων, η - Washington
ούζο, το - ouzo
ουρανός, ο - sky
ούτε... ούτε - neither ... nor
οφείλω (1) - I owe
οφθαλμίατρος, ο - eye-doctor,
    ophthalmologist
οφθαλμός, ο - eye
όχθη, η - river bank

Π
π (πι) - the sixteenth letter of the alphabet

παγωτό, το - icecream
παθαίνω (1) - I suffer
παιδί, το - child
παίζω (1) - I play
παίρνω (1) - I take
πάλι - again
παλτό, το - coat, overcoat
πανεπιστήμιο, το - university
πανέτοιμ-ος, -η, -ο - all ready
πανηγύρι, το - fair
πανταλόνι, το - trousers, pants
πάντοτε - always
παντρεμέν-ος, -η, -ο - married
πανωφόρι, το - overcoat
παπούτσι, το - shoe
παππούς ο - grand-father
παραγγέλνω (1) - I order

παράθυρο, το - window
παρακαλώ (3) - I beg, I plead, I ask
παράξεν-ος, -η, -ο - strange, peculiar
Παρασκευή, η - Friday
παρέα, η - company
Παρίσι, το - Paris
πάρκινγκ, το - parking
πάρκο, το - park
παρόλο - although
παστίτσιο, το - pastitsio, (a Greek
dish)
πατάτα, η - potato
πατέρας, ο - father
πάτωμα, το - floor
πεζοδρόμιο, το - sidewalk
πεινώ (2) - I am hungry

πειράζει - it bothers (impersonal verb)
πειράζω (1) - I bother
Πελοπόννησος, η - Peloponnesus
Πέμπτη, η - Thursday
πέννα, η - pen
πενήντα - fifty
πεντάγωνο, το - pentagon
πεντακόσια - five hundred
πέντε - five
πεντηκοστός, -ή, -ό - fiftieth
πεπόνι, το - cantaloupe
περασμένος, -η, -ο - passed, past
περιβάλλομαι (4) - I am surrounded
περιβάλλω (1) I surround
περίεργος, -η, -ο - strange, curious
περιέχω (1) - I contain
περιλαμβάνω (1) - I include
περιοδεία, η - tour
περιοδικό, το - magazine, periodical
περιποίηση, η - service
περιποιητικός, -ή, -ό -courteous, obliging
περίπτερο, το - kiosk
περισσότερος, -η, -ο - more
περνώ (2) - I pass
περπατώ (2) - I walk
πετσέτα, η - napkin
πετώ (2) - I fly
πέφτω (1) - I fall
πηγαίνω (1) - I go
πήδημα, το - jump
πηδώ (2) - I jump
πιάνω (1) - I take
πιάτο, το - plate
πιθανός, -ή, -ό - possible, probable
πίνακας, ο - blackboard
πίνω (1) - I drink
πιο - more (particle of the comparative degree)
πιπέρι, το - pepper

πιρούνι, το - fork
πιστεύω (1) - I believe
πιστολάκι, το - hair dryer
πίσω - back, behind
πλάθω (1) - I create
Πλάτωνας, ο - Plato
πληθυσμός, ο - population
πληροφορία, η - information
πληρώνω (1) - I pay
πλησιάζω (1) - I approach
πλοίο, το - boat, ship
πλούσιος, -α, -ο - rich
πλυντήριο, το - washer
πνίγομαι (4) - I choke, I drown
ποδήλατο, το - bicycle
πόδι, το - foot
ποιητής, ο - poet
ποιος, ποια, ποιο - who, which
πόλεμος, ο - war
πόλη, η - city, town
πολιτικά, τα - politics
πολιτισμός, ο - civilization
πολυκατοικία, η - apartment house
πολύς, πολλή, πολύ, - much
πολύχρωμος, -η, -ο - multi-colored
ποντικός, ο - mouse
πόρτα, η - door
πορτοκαλάδα, η - orange juice, orangeade
πορτοκάλι, το - orange
πορτοκαλί, orange (color)
ποσό, το - amount
πότε; - when?
ποτέ - never
ποτήρι, το - glass
που - that which, what
πού; - where?

πουκάμισο, το - shirt
πουλί, το - bird
πουλώ, (2) - I sell
πουρμπουάρ, το - tip
πράγμα, το - thing
πραγματικότητα, η - reality
πραγματικά - really, truly
πραγματικός, ή, ό - real
πράσινος, η, ο - green
πρέπει - must (imp. verb)
πριν - before
προάστειο, το - suburb
πρόβλημα, το - problem
προβληματίζομαι (4) - I am at a loss
πρόγευμα, το - breakfast
προέρχομαι (4) - I come from
προσπάθεια, η - endeavor, effort, attempt

προσωπικό, το - personnel
προσωπικός, ή, ό - personal
πρόσωπο, το - face, countenance
προτιμώ (2) - I prefer
προφταίνω (1) - I am in time
προχτές - the day before yesterday
πρωί, το - morning
πρωινό, το - morning, breakfast
πρωινός, ή, ό - morning (adj.)
πρώτα - πρώτα - first of all
πρωτεύουσα, η - capital
πρωτοετής, ο, η - freshman
πρώτος, η, ο - first
πτήση, η - flight

Ρ

ρ (ρο) - the seventeenth letter of the alphabet

ρέγγα, η - herring
ρεπάνι, το - radish
ρεπό, το - day-off
ρετσίνα, η - resinated wine
ρίχνω (1) - I throw
ροδάκινο, το - peach
ροζ, το - pink
ρολόι, το - watch, clock

ρούχο, το - τα ρούχα - clothes
ρύζι, το - rice
ρυθμός, ο - order (architectural)
Ρωσσία, η - Russia
Ρωσσίδα, η - Russian woman
ρωσσικά, τα - Russian
Ρώσσος, ο - Russian
ρωτώ, ερωτώ (2) - I ask

Σ

σ, σ (σίγμα) the eighteenth letter of the alphabet

Σάββατο, το - Saturday
Σαββατοκύριακο, το - weekend
σακάκι, το - jacket
σακούλι, το - bag
σάλα, η - living room
σαλάτα, η - salad
σαράντα - forty
σαρδέλλα, η - sardine

σεβαστός, ή, ό - venerable
σεβασμός, ο - reverence, respect
σεβασμιότατος, ο - most reverend
σειρά, η - turn, line
σεισμός, ο - earthquake
σελίδα, η - page
σέλινο, το - celery
σεντόνι, το - sheet

Σεπτέμβριος, ο - September
σερβίρω (1) - I serve
σερβίτσιο, το - service set
σηκώνομαι (4) - I get up, I rise
σημαία, η - flag
σημαίνει - it means
σημασία, η - meaning
σημεία του ορίζοντα - cardinal points
σήμερα - today
σημερινός, -ή, -ό - today's
σιγά, - slowly
σιγαρέτο, το - cigarette
Σικάγο, το - Chicago
σκάλα, η - stairway
σκαλί, το - stairway step
σκεπάζω (1) - I cover
σκεπασμένος, -η, -ο - covered
σκέφτομαι (4) - I think
σκηνή, η - tent
σκληρά - cruelly, harshly, hard
σκληρός, -ή, -ό - cruel, harsh
σκοπεύω (1) - I intend
σκοτώνω (1) - I kill
σκουφί, το - hat, cap
σκύλος, ο - dog
σοβαρός, -ή, -ό - serious, solemn
σοκολάτα, η - chocolate
σολομός, ο - salmon
σούβλα, η - skewer
σουβλάκι, το - souvlaki
Σουηδία, η - Sweden
σουηδικά, τα - Swedish
σούπα, η - soup
Σοφοκλής, ο - Sophocles
σπανάκι, το - spinach
σπεύδω (1) - I hasten
σπίτι, το - house

σπορ, το, τα - sport
σπουδάζω (1) - I study
σπουδαίος, -α, -ο - important
σταματώ (2) - I stop
στάση, η - bus stop
σταφύλι, το - grapes
στεγνώνω (1) - I dry
στήθος, το - chest, breast
στιγμή, η - moment
στολίζω (1) - I decorate
στόμα, το - mouth
στρατιώτης, ο - soldier
στρατόπεδο, το - camp
στρατός, ο - army
στρογγυλός, -ή, -ό - round
συγγενείς, οι - relatives
σύκο, το - fig
συμβαίνει - it happens
συμβουλεύω (1) - I advise
σύμβουλος, ο - counselor, adviser
συμφωνώ (2,3) I agree
συναντώ (2) - I meet
συνηθίζω (1) - I get used to
συνήθως - usually
συννεφιασμένος, -η, -ο - cloudy
σύννεφο, το - cloud
συνοδεύω (1) - I accompany
συνομιλία, η - conversation, dialogue
συστήνομαι (4) - I am introduced
συστήνω (1) - I introduce
σφάζω (1) - I slaughter
σχάρα, η - broiler
σχεδόν - almost
Σωκράτης, ο - Socrates
σωρός, ο - pile

T

τ (ταφ) - the nineteenth   letter of the alphabet

ταμείο, το - cashier's office
τάξη, η - class, classroom
ταξιδεύω (1) - I travel
ταξίδι, το - trip
ταξί, το - taxi
ταξιτζής, ο - taxi driver
ταραμοσαλάτα, η - chaviar salad
ταύρος, ο - bull
ταχυδρομείο, το - post office
τελειώνω (1) - I finish
τσοπάνος, ο - shepherd
τελευταίος, -α, -ο - last
τέλος, το - end
τεσσαρακοστός, -ή, -ό - fortieth
τέσσερα - four
Τετάρτη, η - Wednesday
τέταρτο, το - quarter
τετράγωνο, το - square
τετράγωνος, -η, -ο - square
τετράδιο, το - note-book, exercise book
τετρακόσια, - four hundred
τηγανιτός, -ή, -ό - fried
τηλεγραφείο, το - telegraph office
τηλεφωνώ (3) - I call, I phone
τιμή, η - honor, price
τιμώ (2) - I honor
τίποτε, τίποτα - nothing
τμήμα, το - section
τοίχος, ο - wall
τομάτα, η - tomato
τοματόσουπα, η - tomato soup
τοπίο, το - landscape, view
τόσος, -η, -ο - so much

τουρίστας, ο - tourist
τουριστικός, -ή, -ό - tourist
τουαλέτα, η - bathroom, toilet
τουλάχιστο - at least
τούτος -η, -ο - this
τραγικός, ο - tragic poet
τραγούδι, το - song
τραγουδώ (2) - I sing
τράπεζα, η - bank
τραπεζάκι, το - small table
τραπεζαρία, η - dining room
τραπέζι, το - table
τραπεζομάντηλο, το - table cloth
τρελλαίνομαι (4) - I am crazy
          about something
τρελλός, -ή, -ό - crazy
τρένο, το - train
τρέχω (1) - I run
τρία - three
τριακόσια - three hundred
τριακοστός, -ή, -ό - three hundredth
τριάντα - thirty
τηλεγράφημα, το - telegram
τρίγωνο, το - triangle
Τρίτη, η - Tuesday
τρίτος, -η, -ο - third
τρύπα, η - hole
τρώγω (1) I eat
Τρωικός πόλεμος - Trojan war
τσίχλα, η - chewing gum
τσοπανόπουλο, το - young
          shepherd
τύπος, ο - character
τυρόπιτα, η - cheese pie

Υ

υ (ύψιλο) - the twentieth letter of the alphabet

υγεία, η - health
υγρασία, η - humidity
υπάλληλος, ο - employee
υπάρχει - there is
υπερηφανεύομαι (4) - I am proud of

υπηρεσία, η - service
υπόγειο, το - basement
υπόθεση, η - case, supposition
υπόσχομαι (4) - I promise
ύστερα, - then, afterwards, after

Φ

φ (φι) - the twenty first letter of the alphabet

φάκελλος, ο - envelope
φαγητό, το - food, meal
φανέλα, η - under shirt
Φεβρουάριος, ο - February
φέρνω (1) - I bring
φέτα, η - slice
φέτος - this year
φεύγω (1) - I leave
φθινόπωρο, το - autumn
φιλάργυρος, ο - miser
φίλη, η - girl friend
φιλοξενία, η - hospitality
φίλος, ο - friend
φιλόσοφος, ο - philosopher
φλιτζάνι, το - cup
φοβούμαι - φοβάμαι (4) - I am afraid of
φοινίκια, τα - kind of Greek cookies
φοιτητής, ο - student

φοιτήτρια, η - girl student
φορεσιά, η - suit
φόρμα, η - form
φορώ (2,3) - I wear
φούστα, η - skirt
φουστάνι, το - dress
φράουλα, η - strawberry
φρούτο, το - fruit
φρύδι, το - eyebrow
φτερό, το - feather
φύλλο, το - leave
φυσώ (2) - I blow
φωνάζω (1) - I shout, I call
φως, το - light
φωτογραφία, η - photograph
φωτογραφική μηχανή, η - camera

Χ

χ (χι) - the twenty second letter of the alphabet

Χαβάη, η - Hawaii
χαίρετε - hello, good-bye
χαιρετίσματα, τα - greetings
χαιρετώ (2) - I greet
χαίρομαι (4) - I am glad
χαλί, το - carpet
χαλνώ (2) - I ruin, I destroy

χαμηλά - low
χάρτης, ο - map
χείλη, τα - lips
χειμωνιάτικ-ος,-η,-ο - winter (adj.)
χειροτερεύω (1) - I worsen
χημεία, η - chemistry
χίλια - one thousand

χιόνι, το - snow
χιονίζει - it snows
χιονοπόλεμος, ο - snow ball throwing
χοιρινός, -ή, -ό - pork
χορός, ο - dance
χορτάρι, το - grass
χόρτο, το - grass
χρειάζομαι (4) - I need
χρεωστικός, -ή, -ό - charging
Χριστός, ο - Christ
χρόνος, ο - year, time

χρώμα, το - color
χταπόδι, το - octopus
χτίζω (1) - I build
χτισμένος, -η, -ο - built
χτυπώ (2) - I hit, I knock
χωλ, το - hall
χώρα, η - country
χωριάτικη σαλάτα - villager's salad
χωρίς, - without
χώρος, ο - space

Ψ

ψ (ψι) - the twenty third letter of the alphabet

ψαλίδι, το - scissors
ψάρι, το - fish
ψαρόσουπα, η - fish soup
ψηλά, - high -(adv.)
ψηλός, -ή, -ό - tall , high

ψητό, το - roast
ψυγείο, το - refrigerator
ψωμί, το - bread
ψώνια, τα - shopping
ψωνίζω, ψουνίζω (1) - I shop

Ω

ω (ωμέγα) - the twenty fourth and last letter of the alphabet

ώρα, η - hour
ωραίος, -α, -ο - beautiful
ώστε - so

ENGLISH - GREEK VOCABULARY

(A word may have two or more meanings. In this vocabulary we give only the meaning of the word as it occurs in the readings of this book.)

A

able, I am .. - μπορώ
abundance - η αφθονία
accept, I - δέχομαι
accident - το δυστύχημα
accompany, I - συνοδεύω
accustomed, I get ... - συνηθίζω
address - η διεύθυνση
advertisement - η διαφήμιση
advise, I - συμβουλεύω
Aegean Sea - το Αιγαίο Πέλαγος
Aesop - ο Αίσωπος
afraid, I am .. of - φοβούμαι, φοβάμαι
after - ύστερα, μετά, κατόπιν
afternoon - το απόγευμα, απόγεμα
               απογευματινός
afterwards - μετά, ύστερα, κατόπιν
aged - ηλικιωμένος, η, ο
air - ο αέρας, αεροπορικός, ή ό
air condition - ο κλιματισμός
airport - το αεροδρόμιο
all - όλος, η, ο
all at once - μονομιάς
allow, I - επιτρέπω
although - παρόλο, άνκαι
America - η Αμερική
American - αμερικανικός, ή, ό
amount - το ποσό
ancient - αρχαίος, α, ο
angry - θυμωμένος, η, ο

another - άλλος, η, ο
answer, I - απαντώ
answer - η απάντηση
apartment - το διαμέρισμα
approach, I - πλησιάζω
apricot - το βερύκοκο
arabic - τα αραβικά
archaeological - αρχαιολογικός, ή, ό
area - η έκταση
army - ο στρατός
arithmetic - η αριθμητική
around - γύρω
ask, I - ρωτώ, ερωτώ
ask again, I - ξαναρωτώ
Athens - η Αθήνα
atmosphere - η ατμόσφαιρα
atom - το άτομο
attempt - η προσπάθεια
attempt, I - προσπαθώ
aunt - η θεία
autumn - το φθινόπωρο

avenue - η λεωφόρος

B

bad – κακός, -ή, -ό
baklava - ο μπακλαβάς
banana - η μπανάνα
bank - η τράπεζα
bar - το μπαρ
barber - ο μπαρμπέρης, ο κουρέας
basement - το υπόγειο
bathing suit - το μπανιερό
bathroom - το μπάνιο, η τουαλέτα,
        ο καμπινές, το λουτρό
beast - το θηρίο
beautiful - ωραίος, -α, -ο
beauty - η ομορφιά
become, I - γίνομαι
bed - το κρεβάτι
bedroom - η κρεβατοκάμαρα
beef - βωδινό κρέας
beer - η μπύρα
before - πριν
begin, I - αρχίζω
beginning - η αρχή
believe, I - πιστεύω
belly - η κοιλιά
belt - η ζώνη
Bethlehem - η Βηθλεέμ
bicycle - το ποδήλατο
big - μεγάλος, -η, -ο
bird - το πουλί
black - μαύρος, -η, -ο
blackboard - ο πίνακας
blade - η λεπίδα
blanket - η κουβέρτα
blouse - η μπλούζα
blow, I - φυσώ
blowing, it is ... - φυσά
blue - γαλανός, -ή, -ό , μπλε,
      γαλάζιος, -α -ο

boat - το βαπόρι, το πλοίο, η
      βάρκα
book - το βιβλίο
bookcase - η βιβλιοθήκη
bookstore - το βιβλιοπωλείο
bored, I am .. - βαριέμαι
born, I am ... - γεννημένος, -η, -ο
bother , I - πειράζω
bouzouki - το μπουζούκι
boy - το αγόρι
brain - το μυαλό, ο νους
bravery - η ανδρεία
bravo - μπράβο
bread - το ψωμί
breakfast - το πρόγευμα, το
      πρωινό
breathe, I - αναπνέω
bring, I - φέρνω
broiler - η σχάρα
brother - ο αδελφός
brush, I - βουρτσίζω
brush - η βούρτσα
built - χτισμένος, -η, -ο
bull - ο ταύρος
bus - το λεωφορείο
bush - ο θάμνος
but - αλλά
butcher - ο κρεοπώλης
butcher shop - το κρεοπωλείο
butter - το βούτυρο
buy, I - αγοράζω

C

cabbage - το λάχανο
cabinet - η καμπίνα
cake - το κέικ
calf - το μοσχάρι
call, I - φωνάζω, τηλεφωνώ
camera - η φωτογραφική μηχανή
camp - το στρατόπεδο
Canada - ο Καναδάς
cantaloupe - το πεπόνι
capital - η πρωτεύουσα
car - το αυτοκίνητο, το κάρρο
card - η κάρτα
cardinal points - τα σημεία του ορίζοντα
carpet - to χαλί
carrot - το καρότο
carry, I - μεταφέρω
case - η υπόθεση
cashier - ο ταμίας
cashier's office - το ταμείο
cast, I - ρίχνω
cat - η γάτα, ο γάτος
catalogue - ο κατάλογος
center - το κέντρο
central - κεντρικ-ός, -ή, -ό
century - ο αιώνας
  of many centuries -μακροχρόνι-ος, -α, -ο
certainly - βέβαια, βεβαίως, ασφαλώς
chair - η καρέκλα
chalk - η κιμωλία
chance - η ευκαιρία
change, I - αλλάζω
character - ο τύπος, ο χαρακτήρας
charcoal - το κάρβουνο
charging - χρεωστικ-ός, -ή, -ό
check , I - ελέγχω
cheese pie - η τυρόπιτα

chemistry - η χημεία
cherry - το κεράσι
chest - το κομμοδίνο, ο μπουφές,
    το στήθος
chewing gum - η τσίχλα
Chicago, - το Σικάγο
chicken - η κότα, το κοτόπουλο
child - το παιδί
 child, the only .. το μοναχοπαίδι
China - η Κίνα
Chinese - τα κινέζικα
chocolate - η σοκολάτα
choose, I - διαλέγω
Christ - ο Χριστός
church - η εκκλησία
cigarette - το σιγαρέτο
city - η πόλη
civilization - ο πολιτισμός
class - η τάξη
classical - κλασσικ-ός, -ή -ό
classroom - η τάξη
clean - καθαρ-ός, -ή, -ό
clean, I - καθαρίζω
clean, very ... ολοκάθαρ-ος, -η, -ο
clear - καθαρ-ός, -ή -ό
climate - το κλίμα
climb up, I - ανεβαίνω
clock - το ρολόι
cloth - το ρούχο
clothes - τα ρούχα
cloud - το σύννεφο
cloudy - συννεφιασμέν-ος, -η, - ο
coat - το παλτό, το πανωφόρι
code - ο κωδικός
coffee - ο καφές
cognac - το κονιάκ

cold - το κρύο
cold, it is ... - κάνει κρύο
color - το χρώμα
come, I - έρχομαι
come from , I - προέρχομαι
comfortable - αναπαυτικός, -ή, -ό
company - η εταιρεία
compliment - το κοπλιμέντο
contest - ο διαγωνισμός, ο αγώνας
control , I - ελέγχω
conversation - η συνομιλία
cook - ο μάγειρας, η μαγείρισσα
cook, I - μαγειρεύω
corner - η γωνιά
couch - ο καναπές, η σόφα
counselor - ο σύμβουλος
count, I - μετρώ
country - η χώρα
courteous - περιποιητικός, -ή, -ό
cousin - ο εξάδελφος, η εξαδέλφη

cover, I - σκεπάζω
cover - το σκέπασμα, το εξώφυλλο
crazy - τρελλός, -ή, -ό
crazy, I am ... about something -
    τρελλαίνομαι
create - δημιουργώ
creation - το δημιούργημα
Crete - η Κρήτη
crisis - η κρίση
cruel - σκληρός, -ή, -ό
cucumber - το αγγούρι, το
    αγγουράκι
cup - το φλιτζάνι
cupboard - το ντουλάπι
curious - περίεργος, -η, -ο
curtain - η κουρτίνα
Cyclades - οι Κυκλάδες
Cyprus - η Κύπρος

D

dance - ο χορός
dark , it is getting ... - σκοτεινιάζει,
    νυχτώνει
date - η ημερομηνία
dawning, it is .... - ξημερώνει
day - η ημέρα, η μέρα
day before yesterday - χτες
day off - το ρεπό
dead - νεκρός, -ή, -ό
death - ο θάνατος
December - ο Δεκέμβριος
decide, I - αποφασίζω
decorate, I - στολίζω
deep - βαθύς, -ιά, -ύ
democracy - η δημοκρατία
departure - η αναχώρηση

descend, I - κατεβαίνω
desire, I - επιθυμώ
desire - η επιθυμία
desk - το γραφείο, το θρανίο
desk (hotel desk) - ρεσεψιόν
destroy, I - χαλνώ, καταστρέφω
dialogue - ο διάλογος
dictionary - το λεξικό
different - διαφορετικός, -ή, -ό
dime - η δεκάρα
dining room - η τραπεζαρία
dinner - το δείπνο
Dionysus - ο Διόνυσος
do, I - κάνω
doctor - ο γιατρός
dog - ο σκύλος

dollar - το δολλάριο
donkey - το γαϊδούρι
door - η πόρτα
down - κάτω
drachma - η δραχμή
draw, I - ζωγραφίζω
dress - το φόρεμα, το φουστάνι
dress, I - ντύνομαι, ντύνω

dressed - ντυμένος, -η, -ο
drink, I - πίνω
drive, I - οδηγώ
driver, ο - οδηγός
drunk - μεθυσμένος, -η, -ο
dry, I - στεγνώνω
dryer, hair ... - το πιστολάκι

E

ear - το αυτί
earthquake - ο σεισμός
east - η ανατολή
eastern - ανατολικ-ός, -ή, -ό
easy - εύκολ-ος, -η, -ο
eat, I - τρώω (τρώγω)
economical - οικονομικ-ός, -ή, -ό
economics - τα οικονομικά
effort - η προσπάθεια
egg - το αυγό
egg and lemon soup - σούπα αυγολέμονο
Egypt - η Αίγυπτος
eight - οχτώ (οκτώ)
eighteen - δεκαοχτώ
eighth - όγδο-ος, -η, -ο
eight hundred - οχτακόσια
eightieth - ογδοηκοστ-ός, -ή, -ό
eleven - έντεκα
eleventh - εντέκατ-ος, -η, -ο, - ενδέκατ-ος, -η, -ο
employer - ο εργοδότης
enchanting - μαγευτικ-ός, -ή, -ό
end - το τέλος
endeavor - η προσπάθεια
engineer - ο μηχανικός
England - η Αγγλία
English - τα αγγλικά, αγγλικ-ός, -ή -ό
English - ο Άγγλος
enter, I - μπαίνω

entrance - η είσοδος
envelope - ο φάκελλος
epoch - η εποχή
esteem - η εκτίμηση
etc. - και τα λοιπά, κ.τ.λ.
Euripides - ο Ευριπίδης
Europe - η Ευρώπη
evening - το βράδι, βραδιν-ός, -ή, -ό
evening, good ... καλησπέρα
every - κάθε, καθένας - καθεμιά - καθένα
evils - τα κακά
exactly - ακριβώς
examination - η εξέταση
examine, I - εξετάζω
excellent - εξαιρετικ-ός, -ή, -ό
except - εκτός
exceptionally - εξαιρετικά
excursion - η εκδρομή
expenses - το έξοδο, τα έξοδα
eye - το μάτι, ο οφθαλμός
eye brow - το φρύδι
eye doctor - οφθαλμίατρος

F

face - το πρόσωπο
fair - το πανηγύρι
fall, I - πέφτω
family - η οικογένεια
far - μακριά
fast - γρήγορ-ος, -η, -ο
father - ο πατέρας
feathers - τα φτερά
February - ο Φεβρουάριος
feel, I - νιώθω, αισθάνομαι
fifteen - δεκαπέντε
fifteenth - δέκατος πέμπτος
fiftieth - πεντηκοστός
fifty - πενήντα
fig - το σύκο
find, I - βρίσκω
finger - το δάχτυλο
finish, I - τελειώνω
first - πρώτ-ος, -η, -ο, πρώτα
first of all - πρώτα - πρώτα
fish - το ψάρι
fish, I - ψαρεύω
fish soup - ψαρόσουπα
five - πέντε
flag - η σημαία
flask - το ασκί
flight - η πτήση
floor - το πάτωμα
flower - το λουλούδι, το άνθος
fluently - άπταιστα
fly, I - πετώ
food - η τροφή
foot - το πόδι
for - για
fox - η αλεπού

forbid, I - απαγορεύω
forbidden, it is ... απαγορεύεται
forest - το δάσος
forget, I - ξεχνώ
fork - το πιρούνι
form - η φόρμα
fortieth - τεσσαρακοστ-ός, -ή -ό
fortunately - ευτυχώς
forty - σαράντα
found, I am ... - βρίσκομαι
four - τέσσερα, τέσσερις
four hundred - τετρακόσια
fourteen - δεκατέσσερα
France - η Γαλλία
free - ελεύθερ-ος, -η, -ο
freedom - η ελευθερία
French - τα γαλλικά, ο Γάλλος
    γαλλικ-ός, -ή, -ό
fresh, very ... - ολόφρεσκ-ος, -η, -ο
    ολόδροσ-ος, -η, -ο
freshman - ο πρωτοετής φοιτητής
Friday - η Παρασκευή
fried - τηγανιτ-ός, -ή, -ό
friend - ο φίλος
friend , girl ... - η φίλη
front , in ... - μπροστά
fruit - το φρούτο
full - γεμάτ-ος, -η, -ο
funny - αστεί-ος, -α, -ο
furniture - το έπιπλο, τα έπιπλα

G

gentle - ευγενικός, -ή , -ό
gentleness - η ευγένεια
German - ο Γερμανός
German - τα γερμανικά,
   γερμανικός, -ή, -ό
Germany- η Γερμανία
get, I ... up - σηκώνομαι
gift - το δώρο
gift, I give as a ... - δωρίζω
girl - το κορίτσι
give , I - δίνω
glad, I am ... - χαίρομαι
glance - η ματιά
glance, I - κοιτάζω
glasses - τα γιαλιά
glorious - ένδοξος, -η, -ο
go, I - πηγαίνω
go, I ... in - μπαίνω
god - ο θεός
gold - το χρυσάφι
golf - το γολφ
good - καλός, -ή, -ό

good-bye - αντίο, χαίρετε
good (things) - τα καλά
grab, I - αρπάζω
grammar - η γραμματική
grandfather - ο παππούς
grandmother - η γιαγιά
grape - το σταφύλι
grass - το χόρτο, το χορτάρι,
   το γκαζόν
great - μεγάλος, -η, -ο
Greek-american - ο Ελληνοαμε-
ρικανός, η Ελληνο-αμερικανίδα
Greece - η Ελλάδα
greedy - αχόρταγος
Greek - ο Έλληνας, η Ελληνίδα,
τα ελληνικά, ελληνικός, -ή -ό
Greek-English - ελληνο-αγγλικό
green - πράσινος, -η, -ο
greet, I - χαιρετώ
greetings - τα χαιρετίσματα
grow up, I - μεγαλώνω
guide - ο οδηγός

H

hair - τα μαλλιά
half - μισός, -ή, -ό
hall - το χωλ, ο διάδρομος
ham - το ζαμπόν
handkerchief - το μαντήλι
hang, I - κρεμάζω
hanging - κρεμασμένος, -η, -ο
happens, it ... - συμβαίνει
hard - σκληρός, -ή, -ό
hard-boiled - καλοβρασμένος, -η, -ο
harshly- σκληρά
hat - το καπέλο

have, I - έχω
Hawaii - η Χαβάη
he - αυτός
head - το κεφάλι
health - η υγεία
hear, I - ακούω
hearing - η ακοή
heat - η ζέστη
heavy - βαρύς, βαριά, βαρύ
hello - γεια, γεια σου, γεια σας
   χαίρετε
help, I - βοηθώ

here it is - να, ορίστε
herring - η ρέγγα
hexagon - το εξάγωνο
hidden - κρυμμένος, -η, -ο
hide, I - κρύβω
high - ψηλά
history - η ιστορία
hit, I - χτυπώ
hold, I - κρατώ
hole - η τρύπα
honor, I - τιμώ
honor - η τιμή
honorable - έντιμος, αξιότιμος
hoof - η οπλή

horn - το κέρατο
hospitality - η φιλοξενία
hot - ζεστός, -ή, -ό
hotel - το ξενοδοχείο
hotel-keeper - ο ξενοδόχος
house - το σπίτι
house wife - η νοικοκυρά
humidity - η υγρασία
hundred - εκατό(ν)
hundred, to make it one ..εκατοστίζω
hungry - πεινασμένος
hungry, I am ... - πεινώ
husband - ο άντρας, ο σύζυγος

I

I - εγώ
icecream - το παγωτό
idea - η ιδέα
if - αν
ignorant - το κούτσουρο
immigrant - ο μετανάστης
important - σπουδαί-ος, -α, -ο
impossible - αδύνατο, απίθανο
include, I - περιλαμβάνω
industrialist - ο βιομήχανος
information - η πληροφορία
inn-keeper - ο ξενοδόχος
in other words - δηλαδή
instead - αντί

intend, I - σκοπεύω
interest - το ενδιαφέρον
interested, I am ... in - ενδιαφέρομαι
interests, it ... - ενδιαφέρει
introduce, I - συστήνω
introduced, I am ... - συστήνομαι
invention - η εφεύρεση
Ionian Sea - το Ιόνιο Πέλαγος
island - το νησί , η νήσος
it - αυτό
Italian - τα ιταλικά, ο Ιταλός, η
Ιταλίδα, ιταλικ-ός, -ή, -ό
Italy - η Ιταλία

J

jacket - η ζακέτα
Japan - η Ιαπωνία
Japanese - τα ιαπωνικά, ο Ιάπωνας
jelly - η μαρμελάδα
job - η δουλειά
joke - το αστείο
jump, I - πηδώ
June - ο Ιούνιος

joke, I - αστειεύομαι
judge - ο δικαστής
judge, I - δικάζω
judgement - η κρίση
juicy - ζουμερός, -ή, -ό
July - ο Ιούλιος
jump, - το πήδημα

K

kataif - το καταήφι
kick, I - κλωτσώ
kill, I - σκοτώνω, ξεκάμω
king - ο βασιλιάς
kiosk - το περίπτερο
kitchen - η κουζίνα

knife - το μαχαίρι
knock, I - χτυπώ
know, I - ξέρω, γνωρίζω
knowledge - η γνώση
knowledgeable - ο γνώστης

L

lamb - το αρνί , αρνίσιος, ια, ιο
lamb, ... little - το αρνάκι
lamp - η λάμπα
landscape - το τοπίο, η θέα
language - η γλώσσα
large - μεγάλος, η, ο
last - τελευταίος, α , ο
last, I - διαρκώ
late - αργά
later - αργότερα
laugh, I - γελώ
laugh at, I - κοροϊδεύω
lawyer - ο δικηγόρος
leader - ο αρχηγός
leaf - το φύλλο
learn, I - μαθαίνω
least, at ... - τουλάχιστο
leave, I - φεύγω, αφήνω
left - αριστερά
lemon - το λεμόνι
lesson - το μάθημα
letter - το γράμμα
lettuce - το μαρούλι
lexicon - το λεξικό
liberty - η ελευθερία

liberty - η ελευθερία
library - η βιβλιοθήκη
life - ζωή
light - το φως
lightly - απαλά
lightning - η αστραπή
letter - το γράμμα
lightning - η αστραπή
lightning, it is ... - αστράφτει
like , I - μου αρέσει
lips - τα χείλη
list - ο κατάλογος
little - λίγος, η, ο
        μικρός, ή, ό
live, I - ζω
livimg room - η σάλα
London - το Λονδίνο
long - μακρύς, μακριά, μακρύ
long duration, of ... - μακροχρόνιος, α, ο
look, I - κοιτάζω
look, the - η ματιά
love, I αγαπώ
loved - αγαπημένος, η, ο
low - χαμηλός, ή, ό, - χαμηλά

M

magazine - το περιοδικό
magic - μαγικός, ή, ό

magnificent - μεγαλόπρεπος, η, ο
make, I - κάνω, κατασκευάζω

- 277 -

man - ο άνθρωπος
man, old .. - ηλικιωμένος, -η, -ο
map - ο χάρτης
March - ο Μάρτης
market - η αγορά
marmalade - η μαρμελάδα
married - παντρεμένος, -η, -ο
marvel, I - θαυμάζω
mathematics - τα μαθηματικά
matters, it - πειράζει
may, I - μπορώ
maybe - ίσως
meal - το φαγητό
meaning - η σημασία
means, it .. - σημαίνει
meanwhile - εν τω μεταξύ
mechanic - ο μηχανικός
medicine - το φάρμακο
medicine, the study of ... - η ιατρική
meet, I - συναντώ
menu - το μενού
message - το μήνυμα
meter - to μέτρο
method - η μέθοδος
midnight - τα μεσάνυχτα
mild - ήπι-ος, -α -ο
mile - το μίλι
milk - το γάλα
million - το εκατομμύριο
mind - ο νους, το μυαλό
mine - δικός μου
minute - το λεπτό
minute, hand ... ο δείχτης,
          ο λεπτοδείχτης
minute, second .. - το δευτερόλεπτο
mirror - ο καθρέφτης
miser - ο φιλάργυρος
mixed - μικτ-ός, -ή, -ό

mock, I - κοροϊδεύω
modern - μοντέρνος, -α, -ο
moment - η στιγμή
Monday - η Δευτέρα
money - τα λεφτά, τα χρήματα
more - περισσότερος, -η, -ο, πιο
morning - το πρωί, πρωινός, -ή, -ό
morning - good ... - καλημέρα
mouse - ο ποντικός, το ποντίκι
moussaka - ο μουσακάς
mouth - το στόμα
Mr. - ο κύριος
Mrs.- η κυρία
much - πολύς, πολλή, πολύ
much, so ... - τόσος, -η, -ο
mullet, red .. - το μπαρμπούνι
museum - το μουσείο
mushroom - το μανιτάρι
music - η μουσική
must - πρέπει
mustard - η μουστάρδα
myself - ο εαυτός μου
myth - ο μύθος

N

name - το όνομα
named, I am ... ονομάζομαι, λέγομαι
napkin - η πετσέτα
nation - το έθνος
national - εθνικός
nature - η φύση
need, I - χρειάζομαι
new - νέος, -α, -ο, - καινούριος, -α, -ο
news - τα νέα
newspaper - η εφημερίδα
night - η νύχτα, νυχτερινός, -ή, -ό
night, good ... - καληνύχτα
nine - εννιά, εννέα
nine hundred - εννιακόσια
nineteen - δεκαεννιά
ninetieth - ενενηκοστός, -ή, -ό
ninth - ένατος, -η, -ο
no - όχι, μη(ν)
nobody - κανένας (κανείς)
    - καμμιά - κανένα
noon - το μεσημέρι, μεσημεριανός, -ή, -ό

no one - κανένας(κανείς) - καμιά
    - κανένα
north - ο βορράς
north-eastern - βορειοανατολικός -ή -ό
northern - βόρειος, -α, -ο
Norway - η Νορβηγία
north-western - βορειο-δυτικός -ή -ό

nose - η μύτη
not at all - καθόλου
note-book - το τετράδιο
nothing - τίποτε,
    τίποτα
November - ο Νοέμβριος,
ο Νοέμβρης
now - τώρα
nowhere - πουθενά
number - ο αριθμός
nurse - ο, η νοσοκόμος
nutritious - θρεπτικός, -η, -ο

O

obliging - περιποιητικός, -ή, -ό
octagon - το οκτάγωνο
October - ο Οκτώβριος, ο Οχτώβρης
octopus - το χταπόδι
of course - βέβαια, βεβαίως
office - το γραφείο
oil - to λάδι
O.K. - όλα καλά
okra - η μπάμια
old man - ο γέρος
old woman - η γριά
Olympic - ολυμπιακός, -ή, -ό
one - ένας, μια (μία), ένα
onion - το κρεμμύδι
only - μόνο

open, I - ανοίγω, ανοικτός, -ή, -ό
opposite - απέναντι
orange - το πορτοκάλι
orange (color) - το πορτοκαλί
orangeade - η πορτοκαλάδα
orange juice -η πορτοκαλάδα
order, I - παραγγέλνω
order - ο ρυθμός
other - άλλος, -η, -ο
orthography - η ορθογραφία
out - έξω
outside - έξω
ouzo - το ούζο
overcoat-το παλτό, το πανωφόρι
    owe, I - οφείλω

P

page - η σελίδα
pants - το πανταλόνι
parent - ο γονιός
parents - οι γονείς
Paris - το Παρίσι
park - το πάρκο
parking - το πάρκινγ
pass, I - περνώ
passed - περασμένος, η, ο
passport - το διαβατήριο
pastitsio - το παστίτσιο
pay, I - πληρώνω
peace - η ειρήνη
peach - το ροδάκινο
pear - το απίδι, το αχλάδι
peculiar - παράξενος, η, ο
Peloponnesus - η Πελοπόννησος
pen - η πέννα
pencil - το μολύβι
pentagon - το πεντάγωνο
people - ο κόσμος, ο κοσμάκης
pepper - η πιπεριά, το πιπέρι
perhaps - ίσως
periodical - το περιοδικό
permission - η άδεια
permit, I - επιτρέπω
permitted, it is ... - επιτρέπεται
personal - προσωπικός, ή, ό
personnel - το προσωπικό
philosopher - ο φιλόσοφος
phone, I - τηλεφωνώ
photograph - η φωτογραφία
physician - ο γιατρός
pile - ο σωρός
pillow - το μαξιλάρι
pink - ροζ
place - η θέση, το μέρος

plate - το πιάτο
Plato - ο Πλάτωνας
play, I - παίζω
please - παρακαλώ
please I, ... someone, I cause
    him pleasure - ευχαριστώ
pleasure - η ευχαρίστηση
pleasure, with ... - ευχαρίστως
pocket - η τσέπη
pocket book - το βιβλίο τσέπης
poet - ο ποιητής
poison - το δηλητήριο
policeman - ο αστυνομικός
polite - ευγενικός, ή, ό
politics - τα πολιτικά
population - ο πληθυσμός
pork - το χοιρινό
pork chop - η μπριζόλα
position - η θέση
possible - πιθανός, ή, ό
post office - το ταχυδρομείο
potato - η πατάτα
pottery - το αγγείο
praiseworthy - αξιέπαινος, η, ο
prepare, I - ετοιμάζω
price - η τιμή
private - ιδιαίτερος, η, ο
problem - το πρόβλημα
  problem, I have a ..
      προβληματίζομαι
profession - το επάγγελμα
      professor - ο καθηγητής, η
      καθηγήτρια
promise, I - υπόσχομαι
proud - υπερήφανος, η, ο
proud of, I am... - υπερηφανεύομαι
pupil - ο μαθητής, η μαθήτρια
put, I - βάζω

Q

quarter - το τέταρτο
question - η ερώτηση
quiet - -ήσυχος, -η, -ο

R

radish - το ρεπάνι, το ρεπανάκι
rain - η βροχή
rains, it ... - βρέχει
read, I - διαβάζω
reading - το διάβασμα, η ανάγνωση
ready - έτοιμ-ος, -η, -ο
ready - all... - πανέτοιμ-ος, -η, -ο
real - πραγματικ-ός, -ή, -ό
really - πραγματικά
reason - η αιτία, ο λόγος
receive, I - παίρνω
receiver - το ακουστικό
recognize, I - γνωρίζω, αναγνωρίζω
red - κόκκιν-ος, -η, ο
refrigerator - το ψυγείο
remain, I - μένω
repair, I - επιδιορθώνω
restaurant - το εστιατόριο
restaurateur - ο εστιάτορας
restful - αναπαυτικ-ός, -ή, -ό
return, I - γυρίζω, επιστρέφω

reverence - ο σεβασμός
reverend - σεβάσμιος-αιδεσιμότατος
rice - το ρύζι, το πιλάφι
rich - πλούσι-ος, -α, -ο
ride, I - καβαλικεύω
right - δεξι-ός, -ά, -ό, σωστός
river - ο ποταμός
river bank - η όχθη
rise, I - σηκώνομαι
roast - το ψητό
room - το δωμάτιο
room , one bedroom - το μονόκλινο
round - στρογγυλ-ός, -ή, -ό
round trip ticket - εισιτήριο μετ'
    επιστροφής
relative - ο συγγενής
remember, I - θυμάμαι, θυμούμαι
Russia - η Ρωσσία
Russian - τα Ρωσσικά, ρωσσικ-ός,
    -ή, -ό,   ο Ρώσσος, η Ρωσσίδα

S

salad - η σαλάτα
salad, villager's ... - χωριάτικη
    σαλάτα
salmon - ο σολομός
salt - το αλάτι
same - ίδι-ος, -α, -ο
sardine - η σαρδέλλα

satisfied, I am ...ικανοποιημένος
Saturday - το Σάββατο
sausage - το λουκάνικο
saving - η εξοικονόμηση
say, I - λέω (λέγω)
school , elementary - το   δημοτικό
    σχολείο

school, high school - το γυμνάσιο
science - η επιστήμη
scientist - ο επιστήμονας
scissors - το ψαλίδι
sea - η θάλασσα
   that of the sea - θαλασσινός, -ή, -ό
season - η εποχή
section - το τμήμα
see, I - βλέπω
sell, I - πουλώ
September - ο Σεπτέμβριος, ο Σεπτέμβρης
serious - σοβαρός, -ή, -ό
serve, I - σερβίρω, υπηρετώ, εξυπηρετώ
service - η υπηρεσία
service set - το σερβίτσιο
seven - εφτά (επτά)
seven hundred - εφτακόσια (επτακόσια)
seventeen - δεκαεφτά
seventh - έβδομος, -η, -ο
shake, I - κουνιέμαι
shave , I - ξυρίζομαι, ξυρίζω
she - αυτή
sheet - το σεντόνι
shepherd - ο τσοπάνος, ο βοσκός
           ο τσοπανάκος
shine, I - λάμπω
shoe - το παπούτσι
shop, - το μαγαζί, το κατάστημα
shop, I - ψωνίζω (ψουνίζω)
shopping - τα ψώνια
short - κοντός, -ή, -ό, - σύντομος, -η, -ο
shout, I - φωνάζω
show, I - δείχνω
sick - άρρωστος, -η, -ο
side - η πλευρά
side, on the other ... εξάλλου
side by side - δίπλα
side walk - το πεζοδρόμιο

sight - η όραση
sing, I - τραγουδώ
sister - η αδελφή
sit - I κάθομαι
situation - η κατάσταση
six - έξι
six hundred - εξακόσια
sixteen - δεκαέξι
sixth - έκτος, -η, -ο
skewer - η σχάρα
skirt - η φούστα
sky - ο ουρανός
slaughter, I - σφάζω
slice - η φέτα
slowly - σιγά
small - μικρός, -ή, -ό
smell - η όσφρηση
smell, I - μυρίζομαι
snow - το χιόνι
snows, it ... - χιονίζει
so - έτσι, ώστε
sock - η κάλτσα
soil - το έδαφος
soldier - ο στρατιώτης
solution - η λύση
sometime - κάποτε
son - ο γιός
sorry, I am ... - λυπάμαι, λυπούμαι
soup - η σούπα
south - ο νότος
southern - νότιος, -α, -ο
south-eastern - νοτιο-ανατολικός,
                   -ή, -ό
souvlaki - το σουβλάκι
space - ο χώρος
Spain - η Ισπανία
Spanish - τα ισπανικά, ο Ισπανός

speak, I - μιλώ
speech - η ομιλία
spinach - το σπανάκι
spoon - το κουτάλι
spread, I - σκορπίζω, απλώνω
spring - η άνοιξη,
      ανοιξιάτικος, -η, -ο
square - το τετράγωνο,
      τετράγωνος, -η, -ο
squid - το καλαμάρι, το καλαμαράκι
stairway - η σκάλα
stairway step - το σκαλί
stamp - το γραμματόσημο
start, I ... out - ξεκινώ
statue - το άγαλμα
stay, I - μένω
stocking - η κάλτσα, οι κάλτσες
stop , I - σταματώ
   bus stop - η στάση
store - το μαγαζί, το κατάστημα
story - η ιστορία
stove - η κουζίνα
   electric stove - η ηλεκτρική κουζίνα
straight - κατευθείαν
strange - παράξενος, -η, -ο
strawberry - η φράουλα
street - ο δρόμος
strong - δυνατός, -ή, -ό
student - ο φοιτητής
study, I - σπουδάζω, μελετώ,
      διαβάζω

stuffed grape leaves - ο ντολμάς,
      οι ντολμάδες
stuffed tomatoes and peppers -
      τα γεμιστά
stupid - ο βλάκας
suburb - το προάστειο
subway - ο ηλεκτρικός σταθμός
suffer, I - υποφέρω
sufficient - αρκετός, -ή, -ό
sugar - η ζάχαρη
suit - η φορεσιά
suitcase - η βαλίτσα
summer - το καλοκαίρι,
      καλοκαιρινός, -ή, -ό
sun - ο ήλιος
Sunday - η Κυριακή
supper - το δείπνο
surprise - η έκπληξη
surround, I - περιβάλλω
surrounded, I am ... περιβάλλομαι
swear, I - ορκίζομαι
Sweden - η Σουηδία
Swedish - τα Σουηδικά,
      ο Σουηδός, η Σουηδέζα
sweet - γλυκός, -ιά -ό
sweets - τα γλυκίσματα
swim, I - κολυμπώ
swordfish - ο ξιφίας

T

table - το τραπέζι
table cloth - το τραπεζομάντηλο
table, small ... - το τραπεζάκι
take, I - παίρνω, πάνω
take off, I - βγάζω
talk, I - μιλώ

tangerine - το μανταρίνι
taste - η γεύση
taste, I - γεύομαι
tasty - νόστιμος, -η, -ο
taxi - το ταξί

taxi-driver - ο ταξιτζής
tea - το τσάι
teach, I - διδάσκω
teacher - ο δάσκαλος, η δασκάλα
telegram - το τηλεγράφημα
telegraph office - το τηλεγραφείο
temperature - η θερμοκρασία
ten - δέκα
tent - η σκηνή
tenth - δέκατος, -η, -ο
test - ο διαγωνισμός
thank, I - ευχαριστώ
that - εκείνος, -η, -ο
the - ο, η, το
theater - το θέατρο
there - εκεί
therefore - επομένως
they - αυτοί, αυτές, αυτά
think, I - νομίζω, σκέφτομαι
thirsty, I am - διψώ
thirteen - δεκατρία
thirtieth - τριακοστός, -ή -ό
thirty - τριάντα
thousand - χίλια
thousand and one - χίλια δυο
three - τρεις, τρία
thunder - η βροντή
thunders, it ... - βροντά
Thursday - η Πέμπτη
ticket - το εισιτήριο
tie - η γραβάτα
tie, I - δένω
time - ο καιρός, η ώρα
time, I am in ... - προφταίνω
tip - το πουμπουάρ
tire - το λάστιχο
tired - κουρασμένος, -η, -ο
tired, I get tired - κουράζομαι
to - στον, στη(ν), στο, εις

toast - η φρυγανιά
today - σήμερα
together - μαζί
toil- ο κόπος
toilet - η τουαλέτα
tomato - η τομάτα
tomato soup - η τοματόσουπα
tomorrow - αύριο
tongue - η γλώσσα
tonight - απόψε
tooth - το δόντι
tooth brush - η ονδοντόβουρτσα
tooth paste - η οδοντόκρεμα
tooth pick - η οδοντογλυφίδα
total - ολικ-ός, -ή, -ό
touch - η αφή
touch, I - αγγίζω
tour - η περιοδεία
tourist - ο τουρίστας ,
    τουριστικ-ός, -ή, -ό
town - η πόλη
tragic - τραγικ-ός, -ή, -ό
train - το τρένο
travel, I - ταξιδεύω
traveled, world ... - κοσμο-
    γυρισμέν-ος, -η, -ο
treasury - το ταμείο
treat, I - κερνώ
tree - το δέντρο
trial - η δίκη
triangular - το τρίγωνο, τριγωνι-
    κός, -ή, -ό
trip - το ταξίδι
Trojan War, the - ο Τρωικός
    πόλεμος
trouble -ο κόπος, η φασαρία
trousers - το πανταλόνι
truth - η αλήθεια
Tuesday - η Τρίτη

turkey - η γαλοπούλα
Turkey - η Τουρκία
turn - η σειρά
turn, I - γυρίζω
twelfth - δωδέκατος, η, ο

twelve - δώδεκα
twentieth - εικοστός, ή, ό
twenty - είκοσι
two - δυο (δύο)
two hundred - διακόσια

U

uncle - ο θείος
under - κάτω, από κάτω
under shirt - η φανέλα
understand - καταλαβαίνω
underwear - το εσώρουχο, τα
            εσώρουχα
unforgettable - αξέχαστος, η, ο
unfortunately - δυστυχώς

United States of America - οι Ηνω-
μένες Πολιτείες της Αμερικής
university - το πανεπιστήμιο
unripe - άγουρος
until - μέχρις ότου
up - πάνω
usually - συνήθως

V

vacation - οι διακοπές
vegetation - η βλάστηση
view - η θέα, το τοπίο

vine - η κληματαριά
vinegar - το ξύδι
visit, I - επισκέπτομαι, η επίσκεψη

W

wait, I - περιμένω
waiter - το γκαρσόνι
walk, I - περπατώ
want, I - θέλω
war - ο πόλεμος
warm - ζεστός, ή, ό
warm, it is ... κάνει ζέστη
wash , I - πλένω, λούζω
washer, dish ... - το πλυντήριο
           των πάτων
Washington - η Ουάσιγκτων
watch - το ρολόι
watch, I - κοιτάζω

water - το νερό
water, I - ποτίζω
watermelon - το καρπούζι
we - εμείς
wear, I - φορώ
weather - ο καιρός
week - η εβδομάδα, η βδομάδα
weekend - το Σαββατοκύριακο
welcome - καλωσορίσατε
well - καλά, λοιπόν
west - η δύση
western - δυτικός, ή, ό
what? - τι;

when? - πότε;
when - όταν
where? - πού;
where - όπου
which - ποιος - ποια - ποιο
whiskey - το ουίσκυ
white - άσπρος, -η, -ο
white, all ... - ολόασπρος, -η, -ο
who - ποιος, ποια, ποιο,
      ο οποίος, -α, -ο
whoever - όποιος - όποια -όποιο
whole - ολόκληρος, -η, -ο
why? - γιατί; , γιατί
wild - άγριος, -α, -ο
win, I - νικώ, κερδίζω
wind - ο άνεμος, ο αέρας
wine - το κρασί
wine, resinated ... η ρετσίνα
winter - ο χειμώνας, χειμωνιά-
      τικος, -η, -ο
wish, I - επιθυμώ, η επιθυμία
with - με

without - χωρίς
witness - ο μάρτυρας
woman - η γυναίκα
wonder, I - θαυμάζω
wonderful - θαυμάσιος, -α, -ο
wool - το μαλλί
word - η λέξη, ο λόγος
work - η δουλειά, η εργασία
work, I - δουλεύω, εργάζομαι
world - ο κόσμος
worsen, I - χειροτερεύω
worth - η αξία
worth, I - αξίζω
worth while - αξίζει τον κόπο
worry, I - ανησυχώ
wreck, I - χαλνώ
wretched - καημένος, -η, -ο
write, I - γράφω
writing - η γραφή, το γράψιμο

Y

year - το έτος, ο χρόνος
  this year - φέτος
yes - μάλιστα, ναι
yet - όμως

you - εσύ, εσείς
young - νέος, -α, -ο
your - δικό σου, δικό σας

Z

Zeus - ο Ζευς
zone - η ζώνη

A list of verbs in this book

The sequence of the tenses is as follows:
The first form listed is the Present Tense
Second, the Past Continuous or Imperfect
Third, the Past Simple or Aorist
Fourth, the Future Continuous
Fifth, the Future Simple
Sixth, the Present Perfect
Seventh, the Past Perfect
Eighth, the Future Perfect
Ninth, the subjunctive and
Tenth, the two Imperatives.(Sometimes a verb has
         only one imperative.)

A line ---- signifies no tense.

THE LIST CONTAINS 190 verbs.
For a more complete list refer to the book:
333 GREEK VERBS, FULLY CONJUGATED AND
   TRANSLATED INTO ENGLISH
    by the author of this book

αγαπώ (2) - I love
    αγαπούσα, αγάπησα, θα αγαπώ, θα αγαπήσω, έχω αγαπήσει
    είχα αγαπήσει, θα έχω αγαπήσει, να αγαπώ, αγάπα- αγάπησε

αγγίζω (1) - I touch
    άγγιζα, άγγιξα, θα αγγίζω, θα αγγίξω, έχω αγγίξει, είχα
    αγγίξει, θα έχω αγγίξει, να αγγίξω, άγγιζε - άγγιξε

αγοράζω (1) - I buy
    αγόραζα, αγόρασα, θα αγοράζω, θα αγοράσω, έχω αγοράσει,
    είχα αγοράσει,θα έχω αγοράσει, να αγοράσω, αγόραζε-αγόρασε

ακούω (1) - I hear
    άκουα, άκουσα, θα ακούω, θα ακούσω, έχω ακούσει, είχα
    ακούσει, θα έχω ακούσει, να ακούσω, άκουε - άκουσε

αλλάζω (1) - I change
    άλλαζα, άλλαξα, θα αλλάζω, θα αλλάξω, έχω αλλάξει, είχα
    αλλάξει, θα έχω αλλάξει, να αλλάξω, άλλαζε -άλλαξε

αναπνέω (1) - I breathe
    ανάπνεα, ανάπνευσα, θα αναπνέω, θα αναπνεύσω, έχω
    αναπνεύσει, είχα αναπνεύσει, θα έχω αναπνεύσει, να
    αναπνεύσω, ανάπνεε - ανάπνευσε

- 287 -

ανεβαίνω (1) - I climb, I go up

  ανέβαινα, ανέβηκα, θα ανεβαίνω, θα ανεβώ, έχω ανεβεί, είχα
  ανεβεί, θα έχω ανεβεί, να ανεβώ, ανέβαινε - ανέβα

ανησυχώ (3) - I worry

  ανησυχούσα, ανησύχησα, θα ανησυχώ, θα ανησυχήσω, έχω
  ανησυχήσει, είχα ανησυχήσει, θα έχω ανησυχήσει, να ανησυχώ,
  ανησύχησε

ανοίγω (1) - I open

  άνοιγα, άνοιξα, θα ανοίγω, θα ανοίξω, έχω ανοίξει, είχα
  ανοίξει, θα έχω ανοίξει, να ανοίξω, άνοιγε - άνοιξε

αξίζω (1) - I am worth

  άξιζα, - , θα αξίζω, —

απαγορεύεται   (4)- it is forbidden

  απαγορευόταν, απαγορεύτηκε, θα απαγορεύεται, θα
  απαγορευτεί, έχει απαγορευτεί, είχε απαγορευτεί, θα έχει
  απαγορευτεί, να απαγορευτεί, —

απαγορεύω (1) I forbid

  απαγόρευα, απαγόρεψα, θα απαγορεύω, θα απαγορέψω, έχω
  απαγορέψει, είχα απαγορέψει, θα έχω απαγορέψει, να
  απαγορέψω, απαγόρευε - απαγόρεψε

απαντώ (2) - I answer

  απαντούσα, απάντησα, θα απαντώ, θα απαντήσω, έχω
  απαντήσει, είχα απαντήσει, θα έχω απαντήσει, να απαντήσω,
  απάντα - απάντησε

απλώνω -   I spread out

  άπλωνα, άπλωσα, θα απλώνω, θα απλώσω, έχω απλώσει, είχα
  απλώσει, θα έχω απλώσει, να απλώσω, άπλωνε - άπλωσε

αρέσει (impersonal verb) (1) - likes

  —, άρεσε, —, θα αρέσει, έχει αρέσει, είχε αρέσει, να αρέσει —

αρχίζω (1) - I begin

  άρχιζα, άρχισα, θα αρχίζω, θα αρχίσω, έχω αρχίσει, είχα αρχίσει
  θα έχω αρχίσει, να αρχίσω, άρχιζε - άρχισε

αστειεύομαι (4) - I joke

  αστειευόμουν, αστειεύθηκα, θα αστειεύομαι, θα αστειευθώ, έχω
  αστειευθεί, είχα αστειευθεί, θα έχω αστειευθεί, να αστειευθώ,
  αστειέψου

αστράφτει (1) - (impersonal verb) - it is lightning

  άστραφτε, άστραψε, θα αστράφτει, θα αστράψει, έχει αστράψει,
  είχε αστράψει, να αστράψει, άστραψε

αφήνω (1) - I leave

  άφηνα, άφησα, θα αφήνω, θα αφήσω, έχω αφήσει, είχα αφήσει,

θα έχω αφήσει, να αφήσω, άφηνε - άφησε

βάζω (1) - I put
έβαζα, έβαλα, θα βάζω, θα βάλω, έχω βάλει, είχα βάλει, θα έχω
βάλει, να βάλω, βάζε - βάλε

βαριέμαι (4) - I am bored
βαριόμουν, βαρέθηκα, θα βαριέμαι, θα βαρεθώ, έχω βαρεθεί, είχα
βαρεθεί, θα έχω βαρεθεί, να βαρεθώ, —

βγάζω (1) - I take off, I take out
έβγαζα, έβγαλα, θα βγάζω, θα βγάλω, έχω βγάλει, είχα βγάλει,
θα έχω βγάλει, να βγάλω, βγάζε - βγάλε

βλέπω (1) - I see
έβλεπα, είδα, θα βλέπω, θα δω, έχω δει, είχα δει, θα έχω δει,
να δω, βλέπε - δες

βοηθώ (2,3) - I help
βοηθούσα, βοήθησα, θα βοηθώ, θα βοηθήσω, έχω βοηθήσει, είχα
βοηθήσει, θα έχω βοηθήσει, να βοηθήσω, βοήθα - βοήθησε

βουρτσίζω (1) - I brush
βούρτσιζα, βούρτσισα, θα βουρτσίζω, θα βουρτσίσω, έχω βουρτσί-
σει, είχα βουρτσίσει, θα έχω βουρτσίσει, να βουρτσίσω,
βούρτσιζε - βούρτσισε

βραδιάζει (1) - (impersonal verb) - It is getting dark, night is coming
βράδιαζε, βράδιασε, θα βραδιάζει, θα βραδιάσει, έχει βραδιάσει, εί-
χε βραδιάσει, θα έχει βραδιάσει, να βραδιάσει, —

βρέχει - (1) - (impersonal verb) - It rains
έβρεχε, έβρεξε, θα βρέχει, θα βρέξει, έχει βρέξει, είχε βρέξει,
θα έχει βρέξει, να βρέχει, βρέξε

βρίσκομαι (4) - I am found, I am situated
βρισκόμουν, βρέθηκα, θα βρίσκομαι, θα βρεθώ, έχω βρεθεί, είχα
βρεθεί, θα έχω βρεθεί, να βρεθώ, βρέθου

βρίσκω (1) - I find
έβρισκα, βρήκα, θα βρίσκω, θα βρω, έχω βρει, είχα βρει, θα έχω
βρει, να βρω, βρίσκε - βρες

γελώ (2) - I laugh
γελούσα, γέλασα, θα γελώ, θα γελάσω, έχω γελάσει, είχα γελά-
σει, θα έχω γελάσει, να γελάσω, γέλα - γέλασε

γεννιέμαι - (4) I am born
γεννιόμουν, γεννήθηκα, θα γεννιέμαι, θα γεννηθώ, έχω γεννηθεί,
είχα γεννηθεί, θα έχω γεννηθεί, να γεννηθώ, —

γεύομαι (4) - I taste
γευόμουν, γεύτηκα, θα γεύομαι, θα γευτώ, έχω γευτεί, είχα
γευτεί, θα έχω γευτεί, να γευτώ, γεύτου

γίνομαι (4) - I become

γινόμουν, έγινα, θα γίνομαι, θα γενώ, έχω γίνει, είχα γίνει
θα έχω γίνει, να γίνω, γίνου - γίνε

γνωρίζω (1) - I know

γνώριζα, γνώρισα, θα γνωρίζω, θα γνωρίσω, έχω γνωρίσει, είχα
γνωρίσει, θα έχω γνωρίσει, να γνωρίσω, γνώριζε - γνώρισε

γράφω (1) - I write

έγραφα, έγραψα, θα γράφω, θα γράψω, έχω γράψει, είχα γράψει
θα έχω γράψει, να γράψω, γράφε - γράψε

γυρίζω (1) - I turn, I return

γύριζα, γύρισα, θα γυρίζω, θα γυρίσω, έχω γυρίσει, είχα
γυρίσει, θα έχω γυρίσει, να γυρίσω, γύριζε - γύρισε

δείχνω (1) - I show

έδειχνα, έδειξα, θα δείχνω, θα δείξω, έχω δείξει, είχα δείξει, θα
έχω δείξει, να δείξω, δείχνε - δείξε

δέχομαι (4) - I accept

δεχόμουν, δέχτηκα, θα δέχομαι, θα δεχτώ, έχω δεχτεί, είχα
δεχτεί, θα έχω δεχτεί, να δεχτώ, δέχου - δέξου

διαβάζω (1) - I read

διάβαζα, διάβασα, θα διαβάζω, θα διαβάσω, έχω διαβάσει, είχα δια-
βάσει, θα έχω διαβάσει, να διαβάσω, διάβαζε - διάβασε

διαλέγω (1) - I choose

διάλεγα, διάλεξα, θα διαλέγω, θα διαλέξω, έχω διαλέξει, είχα δια-
λέξει, θα έχω διαλέξει, να διαλέξω, διάλεγε - διάλεξε

διαρκώ (3) - I last

διαρκούσα, διάρκεσα, θα διαρκώ, θα διαρκέσω, έχω διαρκέσει, είχα
διαρκέσει, θα έχω διαρκέσει, να διαρκέσω, διάρκει

διδάσκω (1) - I teach

δίδασκα, δίδαξα, θα διδάσκω, θα διδάξω, έχω διδάξει, είχα διδάξει,
θα έχω διδάξει, να διδάξω, δίδασκε - δίδαξε

διευθύνω (1) - I direct

διεύθυνα, διεύθυνα, θα διευθύνω, θα διευθύνω, έχω διευθύνει,
είχα διευθύνει, θα έχω διευθύνει, να διευθύνω, διεύθυνε

δίνω (1) - I give

έδινα, έδωσα, θα δίνω, θα δώσω, έχω δώσει, είχα δώσει, θα έχω
δώσει, να δώσω, δίνε - δώσε

διορθώνω (1) - I repair, I correct

διόρθωνα, διόρθωσα, θα διορθώνω, θα διορθώσω, έχω διορθώσει,
είχα διορθώσει, θα έχω διορθώσει, να διορθώσω, διόρθωνε-διόρθωσε

διψώ (2) - I am thirsty

διψούσα, δίψασα, θα διψώ, θα διψάσω, έχω διψάσει, είχα διψάσει, θα έχω διψάσει, να διψάσω, δίψασε

δουλεύω (1) - I work

δούλευα, δούλεψα, θα δουλεύω, θα δουλέψω, έχω δουλέψει, είχα δουλέψει, θα έχω δουλέψει, να δουλέψω, δούλευε - δούλεψε

δωρίζω (1) - I offer a gift

δώριζα, δώρισα, θα δωρίζω, θα δωρίσω, έχω δωρίσει, είχα δωρίσει, θα έχω δωρίσει, θα είχα δωρίσει, να δωρίσω, δώριζε - δώρισε

εκατοστίζω (1) - I make it one hundred

εκατόστιζα, εκατόστισα, θα εκατοστίζω, θα εκατοστίσω, έχω εκατοστίσει, είχα εκατοστίσει, θα έχω εκατοστίσει, να εκατοστίσω, —

ελέγχω (1) - I check

ήλεγχα, ήλεγξα, θα ελέγχω, θα ελέγξω, έχω ελέγξει, είχα ελέγξει, θα έχω ελέγξει, θα είχα ελέγξει, να ελέγξω, έλεγξε

ενδιαφέρει (1) - (impersonal verb) - it interests

P.C and P.S ενδιέφερε,   F.C. and F.S θα ενδιαφέρει, —,—,—,—,—

ενδιαφέρομαι (4) - I am interested

ενδιαφερόμουν, ενδιαφέρθηκα, θα ενδιαφέρομαι, θα ενδιαφερθώ, έχω ενδιαφερθεί, είχα ενδιαφερθεί, θα έχω ενδιαφερθεί, να ενδιαφερθώ, ενδιαφέρθου

εξετάζω (1) - I examine

εξέταζα, εξέτασα, θα εξετάζω, θα εξετάσω, έχω εξετάσει, είχα εξετάσει, θα έχω εξετάσει, να εξετάσω, εξέταζε - εξέτασε

εξυπηρετώ (3) - I serve, I wait on somebody

εξυπηρετούσα, εξυπηρέτησα, θα εξυπηρετώ, θα εξυπηρετήσω, έχω εξυπηρετήσει, είχα εξυπηρετήσει, θα έχω εξυπηρετήσει, να εξυπηρετήσω, εξυπηρέτει - εξυπηρέτησε

ερωτώ **see** ρωτώ

επισκέπτομαι (4) - I visit

επισκεπτόμουν, επεσκέφθηκα, θα επισκέπτομαι, θα επισκεφθώ, έχω επισκεφθεί, είχα επισκεφθεί, θα έχω επισκεφθεί, να επισκεφθώ, επισκέψου

επιτρέπεται (4) - (impersonal verb) it is permitted

επιτρεπόταν - επετράπηκε, θα επιτρέπεται, θα επιτραπεί, έχει επιτραπεί, είχε επιτραπεί, θα έχει επιτραπεί, να επιτραπεί, —

επιτρέπω (1) - I allow, I permit

επέτρεπα, επέτρεψα, θα επιτρέπω, θα επιτρέψω, έχω επιτρέψει, είχα επιτρέψει, θα έχω επιτρέψει, να επιτρέψω, επίτρεψε

εργάζομαι (4) - I work

εργαζόμουν, εργάστηκα, θα εργάζομαι, θα εργαστώ, έχω εργαστεί, είχα εργαστεί, θα έχω εργαστεί, να εργαστώ, εργάσου

έρχομαι (4) - I come

    ερχόμουν, ήρθα (ήλθα), θα έρχομαι, θα έρθω, έχω έρθει, είχα έρθει
    θα έχω έρθει, να έρθω, έλα
ετοιμάζω (1) - I prepare

    ετοίμαζα, ετοίμασα, θα ετοιμάζω, θα ετοιμάσω, έχω ετοιμάσει,
    είχα ετοιμάσει,θα έχω ετοιμάσει, να ετοιμάσω, ετοίμαζε-ετοίμασε
ευχαριστώ (3) - I thank

    ευχαριστούσα, ευχαρίστησα, θα ευχαριστώ, θα ευχαριστήσω, έχω
    ευχαριστήσει, είχα ευχαριστήσει, θα έχω ευχαριστήσει, να
    ευχαριστήσω, ευχαρίστησε
έχω (1)   I have

    είχα, θα έχω (no other tenses)
ζητώ (3) - I ask, I demand

    ζητούσα, ζήτησα, θα ζητώ, θα ζητήσω, έχω ζητήσει, είχα ζητήσει
    θα έχω ζητήσει, να ζητήσω, ζήτα - ζήτησε
ζω (3)   I live

    ζούσα, έζησα, θα ζω, θα ζήσω, έχω ζήσει, είχα ζήσει, να ζήσω,
    ζήσε, ζήτω = (third person imperative -long live)
ζωγραφίζω (1) - I draw, color, paint

    ζωγράφιζα, ζωγράφισα, θα ζωγραφίζω, θα ζωγραφίσω, έχω ζωγρα-
    φίσει, είχα ζωγραφίσει, θα έχω ζωγραφίσει, να ζωγραφίσω,
    ζωγράφιζε - ζωγράφισε
θέλω (1) - I want

    ήθελα, θέλησα, θα θέλω, θα θελήσω, έχω θελήσει, είχα θελήσει,
    θα έχω θελήσει, να θελήσω, θέλε-θέλησε
θυμάμαι-θυμούμαι (4) - I remember

    θυμόμουν, θυμήθηκα, θα θυμάμαι, θα θυμηθώ, έχω θυμηθεί, είχα
    θυμηθεί, θα έχω θυμηθεί, να θυμηθώ, θυμήσου
θυμώνω (1) - I get angry

    θύμωνα, θύμωσα, θα θυμώνω, θα θυμώσω, έχω θυμώσει, είχα θυ-
    μώσει, θα έχω θυμώσει, να θυμώσω, θύμωνε - θύμωσε
καβαλικεύω (1) - I ride

    καβαλίκευα, καβαλίκεψα, θα καβαλικεύω, θα καβαλικέψω, έχω καβα-
    λικέψει, είχα καβαλικέψει, να καβαλικέψω, καβαλίκευε - καβαλίκεψε
καθαρίζω (1) - I clean

    καθάριζα, καθάρισα, θα καθαρίζω, θα καθαρίσω, έχω καθαρίσει, εί-
    χα καθαρίσει, θα έχω καθαρίσει, να καθαρίσω, καθάριζε - καθάρισε
κάθομαι (4) - I sit

    καθόμουν, κάθισα, θα κάθομαι, θα καθίσω, έχω καθίσει, είχα καθί-
    σει, θα έχω καθίσει, να καθίσω, κάθισε

κάνω (1) - I do, I make

   έκανα, έκαμα, θα κάνω, θα κάμω, έχω κάμει, είχα κάμει, θα έχω
   κάμει, να κάμω, κάμε

καταλαβαίνω (1) - I understand

   καταλάβαινα, κατάλαβα, θα καταλαβαίνω, θα καταλάβω, έχω κατα-
   λάβει, είχα καταλάβει, θα έχω καταλάβει, να καταλάβω,
   καταλάβαινε - κατάλαβε

κατασκευάζω (1) - I make, I manufacture

   κατασκεύαζα, κατασκεύασα, θα κατασκευάζω, θα κατασκευάσω
   έχω κατασκευάσει, είχα κατασκευάσει, θα έχω κατασκευάσει, να
   κατασκευάσω, κατασκεύαζε - κατασκεύασε

κατεβαίνω (1) - I go down, I descend

   κατέβαινα, κατέβηκα, θα κατεβαίνω, θα κατεβώ, έχω κατεβεί, εί-
   χα κατεβεί, θα έχω κατεβεί, να κατεβώ, κατέβαινε - κατέβα

κερνώ (2) - I treat

   κερνούσα, κέρασα, θα κερνώ, θα κεράσω, έχω κεράσει, είχα κερά-
   σει, θα έχω κεράσει, να κεράσω, κέρνα - κέρασε

κλωτσώ (2(I kick

   κλωτσούσα, κλώτσησα, θα κλωτσώ, θα κλωτσήσω, έχω κλωτσήσει,
   είχα κλωτσήσει, θα έχω κλωτσήσει, να κλωτσήσω, κλώτσα -
   κλώτσησε

κοιτάζω (1) - I look, I glance

   κοίταζα, κοίταξα, θα κοιτάζω, θα κοιτάξω, έχω κοιτάξει, είχα
   κοιτάξει, θα έχω κοιτάξει, να κοιτάξω, κοίταζε - κοίταξε

κολυμπώ (2) - I swim

   κολυμπούσα, κολύμπησα, θα κολυμπώ, θα κολυμπήσω, έχω κολυ-
   μπήσει, είχα κολυμπήσει, θα έχω κολυμπήσει, να κολυμπήσω,
   κολύμπα - κολύμπησε

κοροϊδεύω - (1) - I mock

   κορόιδευα, κορόιδεψα, θα κοροϊδεύω, θα κοροϊδέψω, έχω κοροϊδέ-
   ψει, είχα κοροϊδέψει, να κοροϊδέψω, κορόιδευε - κορόιδεψε

κουνιέμαι (4) - I shake

   κουνιόμουν, κουνήθηκα, θα κουνιέμαι, θα κουνηθώ, έχω κουνηθεί,
   είχα κουνηθεί, θα έχω κουνηθεί, να κουνηθώ,   κουνήσου

κουράζομαι (4) - I get tired

   κουραζόμουν, κουράστηκα, θα κουράζομαι, θα κουραστώ, έχω
   κουραστεί, είχα κουραστεί, θα έχω κουραστεί, να κουραστώ, κου-
   ράσου

κρατώ (2,3) - I hold

   κρατούσα, κράτησα, θα κρατώ, θα κρατήσω, έχω κρατήσει, είχα
   κρατήσει, θα έχω κρατήσει, να κρατήσω, κράτα - κράτησε

κρύβω (1) - I hide

έκρυβα, έκρυψα, θα κρύβω, θα κρύψω, έχω κρύψει, είχα κρύψει θα έχω κρύψει, να κρύψω, κρύβε - κρύψε

λάμπω (1) - I shine

έλαμπα, έλαμψα, θα λάμπω, θα λάμψω, έχω λάμψει, είχα λάμψει, θα έχω λάμψει, να λάμψω, λάμπε - λάμψε

λέγομαι (4) - I am called

λεγόμουν   (no other tenses)

λέω - λέγω (1) - I say

έλεγα, είπα, θα λέω, θα πω, έχω πει, είχα πει, θα έχω πει, να πω, λέγε - πες

λούζω (1) - I wash

έλουζα, έλουσα, θα λούζω, θα λούσω, έχω λούσει, είχα λούσει, θα έχω λούσει, να λούσω, λούζε - λούσε

λυπάμαι - λυπούμαι (4) - I am sorry

λυπόμουν, λυπήθηκα, θα λυπούμαι, θα λυπηθώ, έχω λυπηθεί, είχα λυπηθεί, θα έχω λυπηθεί, να λυπηθώ, λυπήσου

μαγειρεύω (1) - I cook

μαγείρευα, μαγείρεψα, θα μαγειρεύω, θα μαγειρέψω, έχω μαγειρέψει, είχα μαγειρέψει, θα έχω μαγειρέψει, να μαγειρέψω, μαγείρευε - μαγείρεψε

μαθαίνω (1) - I learn

μάθαινα, έμαθα, θα μαθαίνω, θα μάθω, έχω μάθει, είχα μάθει, θα έχω μάθει, να μάθω, μάθαινε - μάθε

μεγαλώνω (1) - I grow

μεγάλωνα, μεγάλωσα, θα μεγαλώνω, θα μεγαλώσω, έχω μεγαλώσει, είχα μεγαλώσει, θα έχω μεγαλώσει, να μεγαλώσω, μεγάλωνε - μεγάλωσε

μένω (1) - I stay, I remain

έμενα, έμεινα, θα μένω, θα μείνω, έχω μείνει, είχα μείνει, θα έχω μείνει, να μείνω, μένε - μείνε

μεταφέρω (1) - I carry

μετέφερα, μετέφερα, θα μεταφέρω, θα μεταφέρω, έχω μεταφέρει, είχα μεταφέρει, θα έχω μεταφέρει, να μεταφέρω, μετάφερε

μετρώ (2) - I count

μετρούσα, μέτρησα, θα μετρώ, θα μετρήσω, έχω μετρήσει, είχα μετρήσει, θα έχω μετρήσει, να μετρώ, μέτρα - μέτρησε

μιλώ (2) - I speak, I talk

μιλούσα, μίλησα, θα μιλώ, θα μιλήσω, έχω μιλήσει, είχα μιλήσει, θα έχω μιλήσει, να μιλήσω, μίλα - μίλησε

μπαίνω (1) - I enter

έμπαινα, μπήκα, θα μπαίνω, θα μπω, έχω μπει, είχα μπει, θα έ-
χω μπει, να μπω, μπαίνε - μπες

μπορώ (3) - I can, I may

μπορούσα, μπόρεσα, θα μπορώ, θα μπορέσω, έχω μπορέσει, είχα
μπορέσει, θα έχω μπορέσει, να μπορέσω, μπόρεσε

μυρίζομαι (4) - I smell

μυριζόμουν, μυρίστηκα, θα μυρίζομαι, θα μυριστώ, έχω μυριστεί,
είχα μυριστεί, θα έχω μυριστεί, να μυριστώ, μύρισε **and** μυρίστου

νικώ (2) - I am victorious, I win

νικούσα, νίκησα, θα νικώ, θα νικήσω, έχω νικήσει, είχα νικήσει,
θα έχω νικήσει, να νικώ, νίκα - νίκησε

νιώθω (1) - I feel

ένιωθα, ένιωσα, θα νιώθω, θα νιώσω, έχω νιώσει, είχα νιώσει,
θα έχω νιώσει, να νιώσω, νιώσε

νομίζω (1) - I think

νόμιζα, νόμισα, θα νομίζω, θα νομίσω, έχω νομίσει, είχα νομί-
σει, θα έχω νομίσει, να νομίσω, νόμιζε - νόμισε

ντύνομαι (4) - I dress myself

ντυνόμουν, ντύθηκα, θα ντύνομαι, θα ντυθώ, έχω ντυθεί, είχα
ντυθεί, θα έχω ντυθεί, να ντυθώ, ντύσου

ντύνω (1) - I dress

έντυνα, έντυσα, θα ντύνω, θα ντύσω, έχω ντύσει, είχα ντύσει,
θα έχω ντύσει, να ντύσω, ντύσε

νυχτώνει (1) (impersonal verb) - it is getting dark

νύχτωνε, νύχτωσε, θα νυχτώνει, θα νυχτώσει, έχει νυχτώσει
είχε νυχτώσει, θα έχει νυχτώσει, να νυχτώσει, —

ξαναρωτώ (2) - I ask again

ξαναρωτούσα, ξαναρώτησα, θα ξαναρωτώ, θα ξαναρωτήσω, έχω
ξαναρωτήσει, είχα ξαναρωτήσει, θα έχω ξαναρωτήσει, να ξανα-
ρωτήσω, ξαναρώτα - ξαναρώτησε

ξεκάνω (1) - I kill

ξέκανα, ξέκαμα, θα ξεκάμω, θα ξεκάμω, έχω ξεκάμει, είχα ξεκά-
μει, θα έχω ξεκάμει, να ξεκάμω, ξέκαμε

ξεκινώ (2) - I set out, I start

ξεκινούσα, ξεκίνησα, θα ξεκινώ, θα ξεκινήσω, έχω ξεκινήσει,
είχα ξεκινήσει, θα έχω ξεκινήσει, να ξεκινήσω, ξεκίνα - ξεκίνησε

ξέρω (1) - I know

ήξερα, θα ξέρω (only tenses) Imp. ξέρε

ξεχνώ (2) - I forget

ξεχνούσα, ξέχασα, θα ξεχνώ, θα ξεχάσω, έχω ξεχάσει, είχα ξεχάσει, θα έχω ξεχάσει, να ξεχάσω, ξέχνα - ξέχασε

ξημερώνει (1) - it is dawning

ξημέρωνε, ξημέρωσε, θα ξημερώνει, θα ξημερώσει, έχει ξημερώσει, είχε ξημερώσει, θα έχει ξημερώσει, να ξημερώσει ——

ξυρίζομαι (4) - I shave myself

ξυριζόμουν, ξυρίστηκα, θα ξυρίζομαι, θα ξυριστώ, έχω ξυριστεί, είχα ξυριστεί, θα έχω ξυριστεί, να ξυριστώ, ξυρίσου

ονομάζω (1) - I name

ονόμαζα, ονόμασα, θα ονομάζω, θα ονομάσω, έχω ονομάσει, είχα ονομάσει, θα έχω ονομάσει, να ονομάσω, ονόμαζε - ονόμασε

ορκίζομαι (4) - I swear, I take an oath

ορκιζόμουν, ορκίστηκα, θα ορκίζομαι, θα ορκιστώ, έχω ορκιστεί, είχα ορκιστεί, θα έχω ορκιστεί, να ορκιστώ, ορκίσου

οφείλω (1) - I owe

όφειλα, θα οφείλω (only tenses)

παίζω (1) - I play

έπαιζα, έπαιξα, θα παίζω, θα παίξω, έχω παίξει, είχα παίξει, θα έχω παίξει, να παίξω, παίζε - παίξε

παίρνω (1) - I take

έπαιρνα, πήρα, θα παίρνω, θα πάρω, έχω πάρει, είχα πάρει θα έχω πάρει, να πάρω, παίρνε - πάρε

παραγγέλνω (1) - I order

παράγγελνα, παράγγειλα, θα παραγγέλνω, θα παραγγείλω, έχω παραγγείλει, είχα παραγγείλει, θα έχω παραγγείλει, να παραγγείλω, παράγελνε - παράγγειλε

παρακαλώ (3) - I beg

παρακαλούσα, παρακάλεσα, θα παρακαλώ, θα παρακαλέσω, έχω παρακαλέσει, είχα παρακαλέσει, θα έχω παρακαλέσει, να παρακαλέσω, παρακάλα - παρακάλεσε

πεινώ (2) - I am hungry

πεινούσα, πείνασα, θα πεινώ, θα πεινάσω, έχω πεινάσει, είχα πεινάσει, θα έχω πεινάσει, να πεινάσω, πείνα - πείνασε

πειράζω (1) - I bother

πείραζα, πείραξα, θα πειράζω, θα πειράξω, έχω πειράξει, είχα πειράξει, θα έχω πειράξει, να πειράξω, πείραζε - πείραξε

περιβάλλω (1) - I encircle

περιέβαλλα, περιέβαλα, θα περιβάλλω, θα περιβάλω, έχω περιβάλει, είχα περιβάλει, να περιβάλω, ——

περνώ (2) - I pass

περνούσα, πέρασα, θα περνώ, θα περάσω, έχω περάσει, είχα περάσει, θα έχω περάσει, να περάσω, πέρνα - πέρασε

περπατώ (2) - I walk
περπατούσα, περπάτησα, θα περπατώ, θα περπατήσω, έχω περ-
πατήσει, είχα περπατήσει, θα έχω περπατήσει, να περπατήσω,
περπάτα - περπάτησε

πετώ (2) - I fly
πετούσα, πέταξα, θα πετώ, θα πετάξω, έχω πετάξει, είχα πε-
τάξει, θα έχω πετάξει, να πετάξω, πέτα - πέταξε

πέφτω (1) - I fall
έπεφτα, έπεσα, θα πέφτω, θα πέσω, έχω πέσει, είχα πέσει, θα
έχω πέσει, να πέσω, πέφτε - πέσε

πηγαίνω (1) - I go
πήγαινα, πήγα, θα πηγαίνω, θα πάω, έχω πάει, είχα πάει
θα έχω πάει, να πάω, πήγαινε

πιάνω (1) - I take
έπιανα, έπιασα, θα πιάνω, θα πιάσω, έχω πιάσει, είχα πιάσει,
θα έχω πιάσει, να πιάσω, πιάνε - πιάσε

πίνω (1) - I drink
έπινα, ήπια, θα πίνω, θα πιω, έχω πιει, είχα πιει, θα έχω
πιει, να πιω, πίνε - πιες

πιστεύω (1) - I believe
πίστευα, πίστεψα, θα πιστεύω, θα πιστέψω, έχω πιστέψει, εί-
χα πιστέψει, θα έχω πιστέψει, να πιστέψω, πίστευε - πίστεψε

πλάθω (1) - I create
έπλαθα, έπλασα, θα πλάθω, θα πλάσω, έχω πλάσει, είχα πλά-
σει, θα έχω πλάσει, να πλάσω, πλάθε - πλάσε

πληρώνω (1) - I pay
πλήρωνα, πλήρωσα, θα πληρώνω, θα πληρώσω, έχω πληρώσει,
είχα πληρώσει, θα έχω πληρώσει, να πληρώσω, πλήρωνε -πλήρωσε

πλησιάζω (1) - I approach
πλησίαζα, πλησίασα, θα πλησιάζω, θα πλησιάσω, έχω πλησιά-
σει, είχα πλησιάσει, θα έχω πλησιάσει, να πλησιάσω, πλησίαζε -
πλησίασε

πνίγομαι (4) - I drown, I choke
πνιγόμουν, πνίγηκα, θα πνίγομαι, θα πνιγώ, έχω πνιγεί,
είχα πνιγεί, θα έχω πνιγεί, να πνιγώ, πνίξου

πουλώ (2) - I sell
πουλούσα, πούλησα, θα πουλώ, θα πουλήσω, έχω πουλήσει,
είχα πουλήσει, θα έχω πουλήσει, να πουλήσω, πούλα - πούλησε

πρέπει (1) - (impersonal verb) - must
έπρεπε, θα πρέπει (only tenses)

προβληματίζομαι (4) - I worry, I face a difficulty

     προβληματιζόμουν, προβληματίστηκα, θα προβληματίζομαι, θα προβληματιστώ, έχω προβληματιστεί, είχα προβληματιστεί, θα έχω προβληματιστεί, να προβληματιστώ, προβληματίσου

προέρχομαι (4) - I come from

     προερχόμουν, προήλθα, θα προέρχομαι, θα προέλθω, έχω προέλθει, είχα προέλθει, θα έχω προέλθει, να προέλθω, ——

προτιμώ (2) - I prefer

     προτιμούσα, προτίμησα, θα προτιμώ, θα προτιμήσω, έχω προτιμήσει, είχα προτιμήσει, θα έχω προτιμήσει, να προτιμήσω, προτίμα - προτίμησε

προφταίνω (1) - I am in time

     πρόφταινα, πρόφτασα, θα προφταίνω, θα προφτάσω, έχω προφτάσει, είχα προστάσει, θα έχω προφτάσει, να προφτάσω, πρόφτανε - πρόφτασε

ρίχνω (1) - I throw

     έρριχνα, έρριξα, θα ρίχνω, θα ρίξω, έχω ρίξει, είχα ρίξει, θα έχω ρίξει, να ρίξω, ρίχνε - ρίξε

ρωτώ (2) - I ask

     ρωτούσα, ρώτησα, θα ρωτώ, θα ρωτήσω, έχω ρωτήσει, είχα ρωτήσει, θα έχω ρωτήσει, να ρωτήσω, ρώτα - ρώτησε

σερβίρω (1) - I serve

     σέρβιρα, σέρβιρα, θα σερβίρω, θα σερβίρω, έχω σερβίρει, είχα σερβίρει, θα έχω σερβίρει, να σερβίρω, σέρβιρε

σηκώνω (1) - I raise, I pick up

     σήκωνα, σήκωσα, θα σηκώνω, θα σηκώσω, έχω σηκώσει, είχα σηκώσει, θα έχω σηκώσει, να σηκώσω, σήκωνε - σήκωσε

σηκώνομαι (4) - I get up, I rise

     σηκωνόμουν, σηκώθηκα, θα σηκώνομαι, θα σηκωθώ, έχω σηκωθεί, είχα σηκωθεί, θα έχω σηκωθεί, να σηκωθώ, σηκώσου or σηκώθου

σημαίνει (1) - it means

     σήμαινε, θα σημαίνει (only tenses)

σκέφτομαι (4) - I think

     σκεφτόμουν, σκέφτηκα, θα σκέφτομαι, θα σκεφτώ, έχω σκεφτεί, είχα σκεφτεί, θα έχω σκεφτεί, να σκεφτώ, σκέψου

σκεπάζω (1) - I cover

     σκέπαζα, σκέπασα, θα σκεπάζω, θα σκεπάσω, έχω σκεπάσει, είχα σκεπάσει, θα έχω σκεπάσει, να σκεπάσω, σκέπαζε - σκέπασε

σκοπεύω (1) - I intend

     σκόπευα, θα σκοπεύω (only tenses)

σπεύδω (1) - I haste

    έσπευδα - έσπευσα - θα σπεύδω - θα σπεύσω - έχω σπεύσει, είχα σπεύσει, θα έχω σπεύσει, *να σπεύσω, σπεύδε - σπεύσε*

σπουδάζω (1) - I study

    σπούδαζα, σπούδασα, θα σπουδάζω, θα σπουδάσω, έχω σπουδάσει, είχα σπουδάσει, θα έχω σπουδάσει, να σπουδάσω, σπούδαζε - σπούδασε

σταματώ (2) - I stop

    σταματούσα, σταμάτησα, θα σταματώ, θα σταματήσω, έχω σταμα-τήσει, είχα σταματήσει, θα έχω σταματήσει, να σταματήσω, στα-μάτα - σταμάτησε

στεγνώνω (1) - I dry

    στέγνωνα, στέγνωσα, θα στεγνώνω, θα στεγνώσω, έχω στεγνώ-σει, είχα στεγνώσει, θα έχω στεγνώσει, να στεγνώσω, στέγνωσε

στολίζω (1) - I decorate

    στόλιζα, στόλισα, θα στολίζω, θα στολίσω, έχω στολίσει, είχα στολίσει, θα έχω στολίσει, να στολίσω, στόλιζε - στόλισε

συμβαίνει (1) - it happens

    συνέβαινε, συνέβη, θα συμβαίνει, θα συμβεί, έχει συμβεί, είχε συμβεί, θα έχει συμβεί, ——

συμβουλεύω (1) - I advise

    συμβούλευα, συμβούλεψα, θα συμβουλεύω, θα συμβουλέψω, έχω συμβουλέψει, είχα συμβουλέψει, θα έχω συμβουλέψει, να συμβου-λέψω, συμβούλευε - συμβούλεψε

συμφωνώ (3) - I agree

    συμφωνούσα, συμφώνησα, θα συμφωνώ, θα συμφωνήσω, έχω συμ-φωνήσει, είχα συμφωνήσει, θα έχω συμφωνήσει, να συμφωνήσω, συμφώνα - συμφώνησε

συναντώ (2) - I meet

    συναντούσα, συνάντησα, θα συναντώ, θα συναντήσω, έχω συνα-ντήσει, είχα συναντήσει, θα έχω συναντήσει, να συναντήσω συνάντα - συνάντησε

συνηθίζω (1) - I get accustomed

    συνήθιζα, συνήθισα, θα συνηθίζω, θα συνηθίσω, έχω συνηθίσει, είχα συνηθίσει, θα έχω συνηθίσει, να συνηθίσω, συνήθιζε - συνήθισε

συνοδεύω (1) - I accompany

    συνόδευα, συνόδεψα, θα συνοδεύω, θα συνοδέψω, έχω συνοδέ-ψει, είχα συνοδέψει, θα έχω συνοδέψει, να συνοδέψω, συνόδευε - συνόδεψε συστήνω   (1) - I recommend

σύστηνα, σύστησα, θα συστήνω, θα συστήσω, έχω συστήσει, εί-
χα συστήσει, θα έχω συστήσει, να συστήσω, σύστηνε - σύστησε

ταξιδεύω (1) - I travel

ταξίδευα, ταξίδεψα, θα ταξιδεύω, θα ταξιδέψω, έχω ταξιδέψει,
είχα ταξιδέψει, θα έχω ταξιδέψει, θα ταξιδέψω, ταξίδευε - ταξίδεψε

τελειώνω (1) - I finish

τέλειωνα, τέλειωσα, θα τελειώνω, θα τελειώσω, έχω τελειώσει
είχα τελειώσει, θα έχω τελειώσει, να τελειώσω, τέλειωνε - τέλειωσε

τηλεφωνώ (3) - I call, I telephone

τηλεφονούσα, τηλεφώνησα, θα τηλεφωνώ, θα τηλεφωνήσω, έχω
τηλεφωνήσει, είχα τηλεφωνήσει, θα έχω τηλεφωνήσει, να τη-
λεφωνήσω, τηλεφώνα - τηλεφώνησε

τιμώ (2) - I honor

τιμούσα, τίμησα, θα τιμώ, θα τιμήσω, έχω τιμήσει, είχα τιμή-
σει, θα έχω τιμήσει, να τιμήσω, τίμα - τίμησε

τραγουδώ (2) - I sing

τραγουδούσα, τραγούδησα, θα τραγουδώ, θα τραγουδήσω, έχω
τραγουδήσει, είχα τραγουδήσει, θα έχω τραγουδήσει, να τραγου-
δήσω, τραγούδα - τραγούδησε

τρέχω (1) - I run

έτρεχα, έτρεξα, θα τρέχω, θα τρέξω, έχω τρέξει, είχα τρέξει,
θα έχω τρέξει, να τρέξω, τρέχε - τρέξε

τρώγω (τρώω) (1) - I eat

έτρωγα, έφαγα, θα τρώγω, θα φάω, έχω φάει, είχα φάει, θα έχω
φάει, να φάω, τρώγε - φάγε

υπάρχει (1) (impersonal verb) - there is

υπήρχε, υπήρξε, θα υπάρχει, θα υπάρξει, έχει υπάρξει, είχε υ-
πάρξει, θα έχει υπάρξει, να υπάρξει, ——

υπάρχω (1) - I exist

υπήρχα, υπήρξα, θα υπάρχω, θα υπάρξω, έχω υπάρξει, είχα
υπάρξει, θα έχω υπάρξει - να υπάρξω

υπερηφανεύομαι (4) - I am proud of

υπερηφανευόμουν, υπερηφανεύτηκα, θα υπερηφανεύομαι, θα υπε-
ρηφανευθώ, έχω υπερηφανευθεί, είχα υπερηφανευθεί, θα έχω υπε-
ρηφανευθεί, να υπερηφανευθώ, υπερηφανεύου - υπερηφανέψου

υπόσχομαι (4) - I promise

υποσχόμουν, υποσχέθηκα, θα υπόσχομαι, θα υποσχεθώ, έχω υπο-
σχεθεί, είχα υποσχεθεί, θα έχω υποσχεθεί, να υποσχεθώ, υπο-
σχέσου

φέρνω (1) ⁻ I bring
   έφερνα, έφερα, θα φέρνω, θα φέρω, έχω φέρει, είχα φέρει, θα έχω
   φέρει, να φέρω, φέρνε ⁻ φέρε

φεύγω (1) ⁻ I leave, I go away
   έφευγα, έφυγα, θα φεύγω, θα φύγω, έχω φύγει, είχα φύγει, θα
   έχω φύγει, να φύγω, φεύγε ⁻ φύγε

φοβούμαι (φοβάμαι) (4) ⁻ I am afraid
   φοβόμουν, φοβήθηκα, θα φοβάμαι, θα φοβηθώ, έχω φοβηθεί, είχα
   φοβηθεί, θα έχω φοβηθεί, να φοβηθώ, φοβού ⁻ φοβήσου

φορώ (3) ⁻ I wear, I put on
   φορούσα, φόρεσα, θα φορώ, θα φορέσω, έχω φορέσει, είχα φορέσει
   θα έχω φορέσει, να φορέσω, φόρα ⁻ φόρεσε

φυσώ (2) ⁻ I blow
   φυσούσα, φύσηξα, θα φυσώ, θα φυσήξω, έχω φυσήξει, είχα φυσή-
   ξει, θα έχω φυσήξει, να φυσήξω, φύσα ⁻ φύσηξε

φωνάζω (1) ⁻ I shout
   φώναζα, φώναξα, θα φωνάζω, θα φωνάξω, έχω φωνάξει, είχα
   φωνάξει, θα έχω φωνάξει, να φωνάξω, φώναζε ⁻ φώναξε

χαιρετώ (2) ⁻ I greet
   χαιρετούσα, χαιρέτησα, θα χαιρετώ, θα χαιρετήσω, έχω χαιρετήσει,
   είχα χαιρετήσει, θα έχω χαιρετήσει, να χαιρετήσω, χαιρέτα ⁻
   χαιρέτησε

χαίρομαι ⁻ (4) ⁻ I am joyful, I am glad
   χαιρόμουν, χάρηκα, θα χαίρομαι, θα χαρώ, έχω χαρεί, είχα χαρεί,
   θα έχω χαρεί, να χαρώ, χάρου

χειροτερεύω (1) ⁻ I worsen
   χειροτέρευα, χειροτέρεψα, θα χειροτερεύω, θα χειροτερέψω, έχω
   χειροτερέψει, είχα χειροτερέψει, θα έχω χειροτερέψει, να χειρο-
   τερέψω, χειροτέρευε ⁻ χειροτέρεψε

χιονίζει (1) ⁻ (impersonal verb) - it snows
   χιόνιζε, χιόνισε, θα χιονίζει, θα χιονίσει, έχει χιονίσει, είχε
   χιονίσει, θα έχει χιονίσει, να χιονίσει, χιόνισε

χρειάζομαι (4) ⁻ I need
   χρειαζόμουν, χρειάστηκα, θα χρειάζομαι, θα χρειαστώ, έχω χρεια-
   στεί, είχα χρειαστεί, θα έχω χρειαστεί, χρειάστου

χτίζω (1) ⁻ I build
   έχτιζα, έχτισα, θα χτίζω, θα χτίσω, έχω χτίσει, είχα χτίσει,
   θα έχω χτίσει, να χτίσω, χτίσε

χτυπώ (2) ⁻ I hit, I knock, I strike
   χτυπούσα, χτύπησα, θα χτυπώ, θα χτυπήσω, έχω χτυπήσει, εί-
   χα χτυπήσει, θα έχω χτυπήσει, να χτυπήσω, χτύπα

ΚΛΙΣΗ ΤΩΝ ΡΗΜΑΤΩΝ *

Α. Πρώτη Συζυγία (Group 1) - FIRST CONJUGATION
Ενεργητική Φωνή - Active Voice

Οριστική Indicative	Υποτακτική Subjunctive	Προστακτική Imperative	Απαρέμ- φατο	Μετοχή Participle
δένω - I tie δένεις - you tie δένει - he ties	δένω - that I may tie δένεις etc. δένει	δένε - be tying, tie		δένοντας tying
δένουμε, δένομε - we tie δένετε - you tie δένουν - they tie	δένουμε, δένομε	δένετε-be tying tie		
Παρατατικός **Past Continuous**				
έδενα - I was tying έδενες - you were tying έδενε - he was tying δέναμε - we were tying δένατε - you were tying έδεναν - they were tying				
Αόριστος **Past Simple**				
έδεσα - I tied έδεσες - you tied έδεσε - he tied δέσαμε - we tied δέσατε - you tied έδεσαν - they tied	δέσω - that I may δέσεις tie δέσει etc. δέσουμε, δέσομε δέσετε δέσουν		δέσει to tie	

Εξακ. Μέλλοντας **Future Continuous**	Στιγμιαίος Μέλλοντας **Future Simple**
θα δένω - I shall be tying θα δένεις - you will be tying θα δένει - he will be tying θα δένουμε, δένομε - we shall be tying θα δένετε - you will be shall tying θα δένουν - they will be shall tying	θα δέσω - I shall tie θα δέσεις - you will tie θα δέσει - he will tie θα δέσουμε, δέσομε - we will tie θα δέσετε - you will tie θα δέσουν - they will tie

Παρακείμενος **Present Perfect**	Υποτακτική Παρακειμένου **Perfect Subjunctive**
έχω δέσει - I have tied έχεις δέσει - you have tied έχει δέσει - he has tied έχουμε δέσει - we have tied έχετε δέσει - you have tied έχουν δέσει - they have tied	να έχω δέσει - that I may have tied να έχεις δέσει - that you may have tied να έχει δέσει etc. κλπ. ή να έχω δεμένο - that I may have tied να έχεις δεμένο etc. να έχει δεμένο.

Υπερσυντέλικος **Past Perfect**	Συντελεσμένος Μέλλοντας **Future Perfect**
είχα δέσει - I had tied είχες δέσει - you had tied είχε δέσει - he had tied είχαμε δέσει - we had tied είχατε δέσει - you had tied είχαν δέσει - they had tied	θα έχω δέσει - I shall have tied θα έχεις δέσει - you will have tied θα έχει δέσει - he will have tied θα έχουμε δέσει - we shall have tied θα έχετε δέσει - you will have tied θα έχουν δέσει - they will have tied

* B. ΠΡΩΤΗ ΣΥΖΥΓΙΑ - FIRST CONJUGATION
ΠΑΘΗΤΙΚΗ ΦΩΝΗ - PASSIVE VOICE

Οριστική Indicative	Υποτακτική Subjunctive (να, όταν, για να)	Προστακτική Imperative	Απαρέμ. φατο
Ενεστώτας **Present**			

δένομαι - I am tied,
    I am being tied
δένεσαι - you are tied
δένεται - he is tied
 	
δενόμαστε - we are tied
δένεστε - you are tied
δένονται - they are tied
	δένομαι-that I may
	  be tied
	δένεσαι - etc.
	δένεται
	
	δενόμαστε
	δένεστε
	δένονται		

Παρατατικός **P. Continuous**			
δενόμουν - I was being tied δενόσουν - you were being tied δενόταν - he was being tied δενόμαστε - we were being tied δενόμαστε - you were being tied δένονταν - they were being tied			
Αόριστος **Past Simple**			
δέθηκα - I was tied δέθηκες - you were tied δέθηκε - he was tied δεθήκαμε - we were tied δεθήκατε - you were tied δέθηκαν - they were tied	δεθώ - that I may δεθείς be tied δεθεί etc. δεθούμε δεθείτε δεθούν	δέσου tie yourself δεθείτε tie yourselves	δεθεί to be tied

Εξακολουθητικός Μέλλοντας **Future Continuous**	Στιγμιαίος Μέλλοντας **Future Simple**
θα δένομαι - I shall be tied θα δένεσαι - you will be tied θα δένεται etc. θα δενόμαστε θα δένεστε θα δένονται	θα δεθώ - I shall be tied θα δεθείς - you will be tied θα δεθεί etc. θα δεθούμε θα δεθείτε θα δεθούν

Παρακείμενος Present Perfect	Υποτακτική Παρακειμένου Perfect Subjunctive
έχω δεθεί - I have been tied έχεις δεθεί - you have been tied έχει δεθεί etc. έχουμε δεθεί έχετε δεθεί έχουν δεθεί	να έχω δεθεί - that I may have been tied να έχεις δεθεί etc. να έχει δεθεί να είμαι δεμένος να είσαι δεμένος κλπ.

Υπερσυντέλικος Past Perfect	Συντελεσμένος Μέλλοντας Future Perfect
είχα δεθεί - I had been tied είχες δεθεί - you had been tied είχε δεθεί - he had been tied είχαμε δεθεί - we had been tied είχατε δεθεί - you had been tied είχαν δεθεί - they had been tied	θα έχω δεθεί - I shall have been tied θα έχεις δεθεί etc. θα έχει δεθεί θα έχουμε δεθεί θα έχετε δεθεί θα έχουν δεθεί

C. ΠΡΩΤΗ ΣΥΖΥΓΙΑ - (Group 1) - FIRST CONJUGATION
Ενεργητική Φωνή - Active voice

(Ρήματα με χαρακτήρα π,β,φ, έχουν στον αόριστο **ψ**. Verbs with character π,β,φ, in the past simple tense have **ψ**)

Οριστική Indicative	Subjunctive	Imperative	Inf.	Participle
Ενεστώτας **Present**				
κρύβω - I hide κρύβεις - you hide κρύβει - he hides κρύβ-ουμε, -ομε - we hide κρύβετε - you hide κρύβουν - they hide	κρύβω - that I may κρύβεις - be hiding κρύβει κρύβουμε κρύβετε κρύβουν	κρύβε - be hiding κρύβετε-be hiding (not common)		κρύβοντας hiding
Παρατατικός **Past Continuous**				

έκρυβα, έκρυβες, έκρυβε, κρύβαμε, κρύβατε,   έκρυβαν
I was hiding, you were hiding etc.

Αόριστος Past Simple			
έκρυψα - I hid έκρυψες - you hid έκρυψε - he hid	κρύψω - that I may κρύψεις hide κρύψει etc.	κρύψε - hide	
κρύψαμε - we hid κρύψατε - you hid έκρυψαν - they hid	κρύψουμε κρύψετε κρύψουν	κρύψετε - hide	κρύψει to hide

Εξακολουθητικός Μέλ.
Future Cont.

θα κρύβω - I shall be hiding
θα κρύβεις -
θα κρύβει   etc.
κλπ.

Στιγμιαίος Μέλλοντας
Future Simple

θα κρύψω - I shall hide
θα κρύψεις - you will hide
θα κρύψει   etc.
κλπ.

Παρακείμενος
Present Perfect

έχω κρύψει - I have hidden
έχεις κρύψει - you have hidden
έχει κρύψει - he has hidden
            etc.

Υποτακτική Παρακειμένου
Perfect Subjunctive

να έχω κρύψει - that I may have
να έχεις κρύψει hidden
κλπ. ή
να έχω κρυμμένο-that I may have hidden
να έχεις κρυμμένο
κλπ.   etc.

Υπερσυντέλικος
Past Perfect

είχα κρύψει - I had hidden
είχες κρύψει - you had hidden
κλπ.   etc.

Συντελεσμένος Μέλλοντας
Future Perfect

θα έχω κρύψει - I shall have hidden
θα έχεις κρύψει etc.

* D. ΠΡΩΤΗ ΣΥΖΥΓΙΑ - (First Group) FIRST CONJUGATION
Παθητική Φωνή - Passive Voice

Οριστική Indicative	Υποτακτική Subjunctive	
Ενεστώτας **Present**		
κρύβομαι - I hide myself	κρύβομαι	
κρύβεσαι or I am hidden	κρύβεσαι	
κρύβεται etc.	κρύβεται	
κρυβόμαστε	κρυβόμαστε	
κρύβεστε	κρύβεστε	
κρύβονται	κρύβονται	

Παρατατικός
Past Continuous

κρυβόμουν - I was hiding
κρυβόσουν, κρυβόταν, κρυβόμαστε, κρυβόσαστε, κρύβονταν

Αόριστος Past Simple			
κρύφτηκα - I hid myself	κρυφτώ - that I may		
κρύφτηκες or I was	κρυφτείς hide my	κρύψου	
κρύφτηκε hidden etc.	κρυφτεί self etc.	hide yourself	
κρυφτήκαμε	κρυφτούμε		
κρυφτήκατε	κρυφτείτε	κρυφτείτε	
κρύφτηκαν	κρυφτούν	hide yourselves	

Εξακολ. Μέλλοντας Future Cont.		Στιγμιαίος Μέλλοντας Future Simple	
θα κρύβομαι - I shall be		θα κρυφτώ - I shall be hiding myself	
θα κρύβεσαι hiding myself		θα κρυφτείς etc.	
κλπ. etc.		κλπ.	

Παρακείμενος Perfect	Υποτακτική Subjunctive	Μετοχή Participle
έχω κρυφτεί - I have hidden	να έχω κρυφτεί - that I	κρυμμέν-ος, η, ο
έχεις κρυφτεί myself	να έχεις κρυφτεί may have	hidden
κλπ. ἡ	hidden myself	
είμαι κρυμμένος	etc.	

Υπερσυντέλικος Past Perfect	Συντελεσμένος Μέλλοντας Future Perfect
είχα κρυφτεί - I had hidden είχες κρυφτεί myself etc. κλπ. ή or ήμουν κρυμμένος κτλ.	θα έχω κρυφτεί - I shall have hidden θα έχεις κρυφτεί myself etc. κτλ. ή θα είμαι κρυμμένος κτλ.

E. ΠΡΩΤΗ ΣΥΖΥΓΙΑ - (Group 1) - FIRST CONJUGATION
ΕΝΕΡΓΗΤΙΚΗ ΦΩΝΗ - ACTIVE VOICE

(Ρήματα με χαρακτήρα κ, γ, χ στον αόριστο έχουν ξ. Verbs with a κ, γ, χ character in the past simple tense have ξ)

Οριστική Indicative	Υποτακτική Subjunctive	Προστακτική Imperative	Μετοχή Participle
Ενεστώτας **Present**			
τρέχω - I run τρέχεις - you run τρέχει - he runs	τρέχω - that I may τρέχεις run τρέχει	τρέχε-be running	τρέχοντας running
τρέχ-ουμε, -ομε, -we run τρέχετε - you run τρέχουν - they run	τρέχ-ουμε, -ομε τρέχετε τρέχουν	τρέχετε - be running	

Παρατατικός
Past Continuous

έτρεχα · *I was running*

έτρεχες, έτρεχε   τρέχαμε, τρέχατε,   έτρεχαν

Αόριστος Past Simple			
έτρεξα - I ran έτρεξες - you ran έτρεξε - he ran	τρέξω - that I may τρέξεις run τρέξει etc.	τρέξε - run	Απαρέμ- Infinitive τρέξει
τρέξαμε - we ran τρέξατε - you ran έτρεξαν - they ran	τρέξ-ουμε, ομε τρέξετε τρέξουν	τρέξετε run	

Εξακολ. Μέλλοντας Future Continuous	Στιγμιαίος Μέλλοντας Future Simple
θα τρέχω - I shall be running θα τρέχεις - you will be running κτλ. etc.	θα τρέξω - I shall run θα τρέξεις - you will run κτλ. etc.

* Παρακείμενος Present Perfect	Υποτακτική Subjunctive
έχω τρέξει - I have run έχεις τρέξει - you have run κτλ. etc.	να έχω τρέξει - that I may have run να έχεις τρέξει - that you may have run κτλ. etc.
Υπερσυντέλικος Past Perfect	Συντελεσμένος Μέλλοντας Future Perfect
είχα τρέξει - I had run είχες τρέξει - you had run κτλ.	θα έχω τρέξει - I shall have run θα έχεις τρέξει - you will have run κτλ. etc.

F. ΠΡΩΤΗ ΣΥΖΥΓΙΑ - (Group 1) - FIRST CONJUGATION
ΠΑΘΗΤΙΚΗ ΦΩΝΗ - PASSIVE VOICE of the verb ανοίγω - ανοίγομαι
(Character γ)

Οριστική Indicative	Υποτακτική
Ενεστώτας **Present**	
ανοίγομαι - I am opened ανοίγεσαι - you are opened ανοίγεται - he is opened	ανοίγομαι ανοίγεσαι κτλ.
ανοιγόμαστε - we are opened ανοίγεστε - you are opened ανοίγονται - they are opened	

Παρατατικός
Past Continuous

ανοιγόμουν - I was being opened
ανοιγόσουν, ανοιγόταν ανοιγόμαστε, ανοιγόσαστε, ανοίγονταν

Αόριστος Past Simple		Προστακτική Imperative
ανοίχθηκα - I was opened	ανοιχθώ	
ανοίχθηκες - you were opened	ανοιχθείς	
ανοίχθηκε - he was opened	ανοιχθεί	ανοίξου open yourself
ανοιχθήκαμε - we were opened	ανοιχθούμε	
ανοιχθήκατε - you were opened	ανοιχθείτε	ανοιχθείτε
ανοίχθηκαν - they were opened	ανοιχθούν	open yourselves

Εξακολ. Μέλλοντας **Future Cont.**	Στιγμιαίος Μέλλοντας **Future Simple**
θα ανοίγομαι - I shall be opened θα ανοίγεσαι κτλ.	θα ανοιχθώ - I shall be opened θα ανοιχθείς etc. κτλ.
Παρακείμενος **Present Perfect**	**Υποτακτική** **Subjunctive**
έχω ανοιχθεί - I have been έχεις ανοιχθεί opened κτλ. etc.	να έχω ανοιχθεί να έχεις ανοιχθεί κτλ.
Υπερσυντέλικος **Past Perfect**	**Συντελεσμένος Μέλλοντας** **Future Perfect**

είχα ανοιχθεί - I had been opened
είχες ανοιχθεί
        etc.
	θα έχω ανοιχθεί - I shall have been
	θα έχεις ανοιχθεί opened
	        etc.

G. ΠΡΩΤΗ ΣΥΖΥΓΙΑ - (Group 1) - FIRST CONJUGATION
ΕΝΕΡΓΗΤΙΚΗ ΦΩΝΗ - ACTIVE VOICE

(Ρήματα που τελειώνουν σε -ζω στον αόριστο έχουν **-σα.**)
(Verbs ending in -ζω in the past simple tense have -σα)

Οριστική **Indicative**	Υποτακτική **Subjunctive**	**Imperative**	Μετοχή **Part.**
Ενεστώτας **Present**			
νομίζω - I think νομίζεις - you think νομίζει etc.	νομίζω - that I may νομίζεις νομίζει think	νόμιζε be thinking	νομίζοντας
νομίζ-ουμε, -ομε νομίζετε νομίζουν	νομίζ-ουμε, -ομε νομίζετε νομίζουν	νομίζετε be thinking	thinking
Παρατατικός **Past Cont.**	νόμιζα - I was thinking νόμιζες, νόμιζε νομίζαμε, νομίζατε, νόμιζαν		

* Αόριστος Past Simple			Απαρέμ. Infinitive
νόμισα - I thought νόμισες - you thought νόμισε etc.	νομίσω - that I may νομίσεις think νομίσει	νόμισε think	νομίσει to think
νομίσαμε νομίσατε νόμισαν	νομίσουμε νομίσετε νομίσουν	νομίσετε think	

Εξακολ. Μέλλοντας
Future Cont.

θα νομίζω - I shall be thinking
θα νομίζεις   etc.
κτλ.

Στιγμιαίος Μέλλοντας
Future Simple

θα νομίσω - I shall think
θα νομίσεις   etc.
κτλ.

Παρακείμενος
Present Perfect

έχω νομίσει - I have thought
έχεις νομίσει   etc.
κτλ.

Υποτακτική
Subjunctive

να έχω νομίσει - that I may have
να έχεις νομίσει   thought etc.

Υπερσυντέλικος
Past Perfect

είχα νομίσει - I had thought
είχες νομίσει
κτλ.

Συντελεσμένος Μέλλοντας
Future Perfect

θα έχω νομίσει - I shall have
θα έχεις νομίσει   thought
κτλ.

* Η. ΠΡΩΤΗ ΣΥΖΥΓΙΑ - (Group 1) - FIRST CONJUGATION
ΠΑΘΗΤΙΚΗ ΦΩΝΗ - PASSIVE VOICE

Conjugation of the verb «δοξάζομαι» passive of «δοξάζω»

Οριστική Indicative	Υποτακτική Subjunctive	Προστακτική Imperative
Ενεστώτας **Present**		
δοξάζομαι-I am glorified δοξάζεσαι-you are glorified δοξάζεται - he is glorified	δοξάζομαι δοξάζεσαι δοξάζεται κτλ.	
δοξαζόμαστε-we are glorified δοξάζεστε - you are glorified δοξάζονται-they are glorified		

Παρατατικός
Past Continuous

δοξαζόμουν - I was being glorified
δοξαζόσουν, δοξαζόταν, δοξαζόμαστε, δοξαζόσαστε, δοξάζονταν

Αόριστος
P. Simple

δοξάστηκα - I was glorified δοξαστώ δοξάστηκες - you were δοξάστηκε glorified δοξαστήκαμε δοξαστήκατε δοξάστηκαν	δοξαστείς δοξαστεί δοξαστούμε δοξαστείτε δοξαστούν	δοξάσου - be glorified δοξασθείτε - be glorified

Εξακολ. Μέλλοντας **Future Cont.**	**Μέλλοντας Στιγμιαίος** **Future Simple**
θα δοξάζομαι - I shall be glorified θα δοξάζεσαι θα δοξάζεται κτλ.	θα δοξαστώ - I shall be glorified θα δοξαστείς κτλ.

Παρακειμένος* Present Perfect	Υποτακτική Subjunctive
έχω δοξαστεί - I have been glorified έχεις δοξαστεί κτλ. etc.	να έχω δοξαστεί - that I may have να έχεις δοξαστεί been glorified κτλ. etc.
Υπερσυντέλικος Past Perfect	Συντελεσμένος Μέλλοντας Future Perfect
είχα δοξαστεί - I had been glorified είχες δοξαστεί etc. κτλ. etc.	θα έχω δοξαστεί - I shall have been θα έχει δοξαστεί glorified κτλ. etc.

I. ΔΕΥΤΕΡΗ ΣΥΖΥΓΙΑ - (Group 2) - SECOND CONJUGATION
Ενεργητική Φωνή - Active Voice

Οριστική Indicative	Υποτακτική Subjunctive	Προστακτική Imperative	Μετοχή Participle
Ενεστώτας Present		⁻	
αγαπώ - I love αγαπάς - you love αγαπά - αγαπάει - he loves	αγαπώ-that I may αγαπάς love αγαπά	αγάπα - love	αγαπώντας loving
αγαπούμε-αγαπάμε-we love αγαπάτε - you love αγαπούν-αγαπάνε-they love		αγαπάτε - love	
Παρατατικός Past Continuous	αγαπούσα - I was loving αγαπούσες, αγαπούσε αγαπούσαμε, αγαπούσατε, αγαπούσαν		
Αόριστος Past Simple			**Απαρέμ. Infinitive**
αγάπησα - I loved αγάπησες - you loved αγάπησε - he loved	αγαπήσω - that I may αγαπήσεις love αγαπήσει	αγάπησε love	
αγαπήσαμε - we loved αγαπήσατε - you loved αγάπησαν - they loved	αγαπήσουμε αγαπήσετε αγαπήσουν	αγαπήστε love	αγαπήσει to love

***Εξακολ. Μέλλοντας** **Future Continuous**	**Στιγμιαίος Μέλλοντας** **Future Simple**
θα αγαπώ - I shall be loving θα αγαπάς - you will be loving θα αγαπά etc. κτλ.	θα αγαπήσω - I shall love θα αγαπήσεις - you will love θα αγαπήσει etc. κτλ.
Παρακείμενος **Present Perfect**	**Υποτακτική Παρακειμένου** **Subjunctive**
έχω αγαπήσει - I have loved έχεις αγαπήσει έχει αγαπήσει κτλ.	να έχω αγαπήσει να έχεις αγαπήσει κτλ.
Υπερσυντέλικος **Past Perfect**	**Συντελεσμένος Μέλλοντας** **Future Perfect**
είχα αγαπήσει - I had loved είχες αγαπήσει etc. κτλ.	θα έχω αγαπήσει - I shall have loved θα έχεις αγαπήσει etc. κτλ.

J. ΔΕΥΤΕΡΗ ΣΥΖΥΓΙΑ - (Group 2) - SECOND CONJUGATION
Παθητική Φωνή - Passive Voice

Οριστική Indicative	Υποτακτική Subjunctive	
Ενεστώτας **Present**		
αγαπιέμαι - I am loved, I αγαπιέσαι am being αγαπιέται loved etc. αγαπιόμαστε αγαπιέστε αγαπιούνται	αγαπιέμαι - that I may be αγαπιέσαι loved αγαπιέται αγαπιόμαστε αγαπιέστε αγαπιούνται	

Παρατατικός
Past Continuous

αγαπιόμουν - I was being loved
αγαπιόσουν, αγαπιόταν, αγαπιόμαστε, αγαπιόσαστε, αγαπιόνταν

* Αόριστος Past Simple		Προστακτική Imperative	Απαρέμ. Infinitive
αγαπήθηκα - I was loved αγαπήθηκες - you were loved αγαπήθηκε etc.	αγαπηθώ - that I αγαπηθείς may be αγαπηθεί loved	αγαπήσου be loved	αγαπηθεί to be loved
αγαπηθήκαμε αγαπηθήκατε αγαπήθηκαν	αγαπηθούμε αγαπηθείτε αγαπηθούν	αγαπηθείτε be loved	

Εξακολ. Μέλλοντας Future Cont.	Στιγμιαίος Μέλλοντας Future Simple	
θα αγαπιέμαι - I shall be loved θα αγαπιέσαι κτλ.	θα αγαπηθώ - I shall be loved θα αγαπηθείς κτλ.	

Παρακείμενος Present Perfect	Υποτακτική Subjunctive	Μετοχή Participle
έχω αγαπηθεί - I have been έχεις αγαπηθεί loved κτλ. etc.	να έχω αγαπηθεί να έχεις αγαπηθεί κτλ. that I may have been loved, etc.	αγαπημένος loved

Υπερσυντέλικος Past Perfect	Συντελεσμένος Μέλλοντας Future Perfect
είχα αγαπηθεί - I had been loved είχες αγαπηθεί κτλ.	θα έχω αγαπηθεί - I shall have been loved θα έχεις αγαπηθεί κτλ.

* K. ΤΡΙΤΗ ΣΥΖΥΓΙΑ - (Group 3) THIRD CONJUGATION
Ενεργητική Φωνή - Active Voice

Οριστική Indicative	Υποτακτική Subjunctive	Προστακτική Imperative	Μετοχή Participle
Ενεστώτας **Present**			
οδηγώ - I lead οδηγείς - you lead οδηγεί etc. οδηγούμε οδηγείτε οδηγούν	οδηγώ - I lead οδηγείς κτλ.	οδήγει be leading οδηγείτε be leading	οδηγώντας leading

Παρατατικός
Past Continuous

οδηγούσα - I was leading
οδηγούσες, οδηγούσε   οδηγούσαμε, οδηγούσατε, οδηγούσαν

Αόριστος Past Simple			Απαρέμφατο Infinitive
οδήγησα - I lead οδήγησες - you lead οδήγησε etc. οδηγήσαμε οδηγήσατε οδήγησαν	οδηγήσω - that I οδηγήσεις may οδηγήσει lead κτλ.	οδήγησε lead οδηγείστε lead	οδηγήσει to lead

Εξακολ. Μέλλοντας　　　　**Στιγμιαίος Μέλλοντας**
Future Cont.　　　　　　　　**Future Simple**

θα οδηγώ - I shall be　　　　θα οδηγήσω - I shall lead
θα οδηγείς   leading　　　θα οδηγήσεις   etc.
κτλ.   etc.

Παρακείμενος **Present Perfect**	Υπερσυντέλικος **Past Perfect**
έχω οδηγήσει - I have lead έχεις οδηγήσει etc. κτλ.	είχα οδηγήσει - I had lead κτλ.　　etc.

Συντελεσμένος Μέλλοντας
Future Perfect

θα έχω οδηγήσει - I shall have lead

L. Ρήματα που τελειώνουν σε -ούμαι
Verbs ending in -ούμαι

Ενεστώτας **Present**	Παρατατικός **Past Continuous**
κοιμούμαι* - I sleep, I am sleeping κοιμάσαι - you sleep κοιμάται - he sleeps	κοιμόμουν - I was sleeping κοιμόσουν - you were sleeping κοιμόταν　　etc.
κοιμούμαστε - we sleep κοιμάστε - you sleep κοιμούνται - they sleep * και (also) κοιμάμαι	κοιμόμαστε κοιμόσαστε κοιμόνταν * * * * και (also) κοιμούνταν

Αόριστος	κοιμήθηκα - I slept	Past Simple
Εξακ. Μέλ.	θα κοιμούμαι - I shall be sleeping	Future Cont.
Στιγ. Μέλ.	θα κοιμηθώ - I shall sleep	Future Simple
Παρακ.	έχω κοιμηθεί - I have slept	Present Perfect
Υπερ.	είχα κοιμηθεί - I had slept	Past Perfect
Συν. Μέλ.	θα έχω κοιμηθεί - I shall have slept	Future Perfect

Άλλα ρήματα που κλίνονται σαν　　Verbs conjugated as
το **φοβούμαι** είναι:

δικαιολογούμαι	- I find an excuse
θυμούμαι	- I remember
κατηγορούμαι	- I am accused
λυπούμαι	- I am sorrowful, I am sorry
πληροφορούμαι	- I am informed
στενοχωρούμαι	- I am distressed

* M. ΑΠΟΘΕΤΙΚΑ   ΡΗΜΑΤΑ ΠΟΥ ΤΕΛΕΙΩΝΟΥΝ ΣΕ -μαι
DEPONENT VERBS ENDING in -μαι

Μερικά ρήματα τελειώνουν σε **-μαι** και έχουν μόνο παθητική φωνή αλλά με ενεργητική σημασία. Τα ρήματα αυτά λέγονται **αποθετικά**.

Some verbs have only passive voice with an active meaning. They are called **deponent verbs**.

Κλίση του αποθετικού   ρήματος «κάθομαι»
Conjugation of the deponent verb «κάθομαι»

Ενεστώτας **Present**	Παρατατικός **Past Continuous**
κάθομαι - I sit, I am sitting κάθεσαι κάθεται etc.	καθόμουν - I was sitting καθόσουν etc. καθόταν
καθόμαστε κάθεστε κάθονται	καθόμαστε καθόσαστε κάθονταν
Αόριστος **Past Simple**	**Προστακτική** **Imperative**
κάθισα - I sat κάθισες - you sat κάθισε etc.	κάθισε - sit
καθίσαμε καθίσατε κάθισαν	καθίστε - sit
Εξακ. Μέλλοντας **Future Continuous**	**Στιγμ. Μέλλοντας** **Future Simple**
θα κάθομαι - I shall be sitting θα κάθεσαι etc. κτλ.	θα καθίσω - I shall sit θα καθίσεις etc.

Παρακείμενος **Present Perfect**	Υπερσυντέλικος **Past Perfect**
έχω καθίσει - I have έχεις καθίσει sat κτλ.	είχα καθίσει - I had sat είχες καθίσει κτλ.

Συντελεσμένος Μέλλοντας
Future Perfect

θα έχω καθίσει - I shall have sat
θα έχεις καθίσει
κτλ.

GETTING AROUND IN GREEK

Greetings and general information
Χαιρετισμοί και άλλες πληροφορίες

Good morning *or* good day.	Καλημέρα.
Good afternoon.	Χαίρετε.
Good bye.	Χαίρετε *or* αντίο.
Good evening.	Καλησπέρα.
Good night.	Καληνύχτα.
Hello or good bye.	Γεια σου *or* γεια σας.
How ?	Πώς;
How are you ?	Πώς είσαι; *or* Πώς είστε;
Well.	Καλά.
Thank you.	Ευχαριστώ.
And you?	Κι εσείς; *or* Κι εσύ;
I am well, thank you.	Είμαι καλά, ευχαριστώ.
Sir or Mister.	Κύριος *(Addressing)* Κύριε.
Madam or Mrs.	Κυρία *(addressing)* Κυρία.
Miss	Δεσποινίς
Excuse me.	Συγγνώμη.
If you please.	Παρακαλώ.
Yes.	Μάλιστα. *or* Ναι.
You are welcome.	Παρακαλώ. *or* Τίποτα.
Do you understand?	Καταλαβαίνετε;
I do not understand.	Δεν καταλαβαίνω.
I am sorry, but I do not understand.	Λυπούμαι, μα δεν καταλαβαίνω.

Numbers - Οι αριθμοί

one	ένας, μια, ένα
two	δυο (δύο)
three	τρεις - τρία
four	τέσσερις - τέσσερα
five	πέντε
six	έξι
seven	εφτά (επτά)

eight	οχτώ (οκτώ)
nine	εννιά (εννέα)
ten	δέκα
eleven	έντεκα
twelve	δώδεκα
thirteen	δεκατρείς - δεκατρία
fourteen	δεκατέσσερις - δεκατέσσερα
fifteen	δεκαπέντε
sixteen	δεκαέξι
seventeen	δεκαεφτά
eighteen	δεκαοχτώ
nineteen	δεκαεννέα
twenty	είκοσι
twenty -one	είκοσι ένα
twenty-two	είκοσι δύο
thirty	τριάντα
thirty-one	τριάντα ένα
forty	σαράντα
forty-one	σαράντα ένα
fifty	πενήντα
sixty	εξήντα
seventy	εβδομήντα
eighty	ογδόντα
ninety	ενενήντα
hundred	εκατό(ν)
one hundred and one	εκατόν ένα
two hundred	διακόσια
three hundred	τριακόσια
four hundred	τετρακόσια
five hundred	πεντακόσια
six hundred	εξακόσια
seven hundred	εφτακόσια
eight hundred	οχτακόσια
nine hundred	εννιακόσια
one thousand	χίλια
two thousand	δυο χιλιάδες
ten thousand	δέκα χιλιάδες
one hundred thousand	εκατό χιλιάδες
one million	ένα εκατομμύριο

Days of the week - Οι μέρες της εβδομάδας

Sunday	η Κυριακή
Monday	η Δευτέρα
Tuesday	η Τρίτη
Wednesday	η Τετάρτη
Thursday	η Πέμπτη
Friday	η Παρασκευή
Saturday	το Σάββατο

The months of the year - Οι μήνες του χρόνου

January	ο Ιανουάριος - Γενάρης
February	ο Φεβρουάριος - Φλεβάρης
March	ο Μάρτιος - Μάρτης
April	ο Απρίλιος - Απρίλης
May	ο Μάιος - Μάης
June	ο Ιούνιος - Ιούνης
July	ο Ιούλιος - Ιούλης
August	ο Αύγουστος
September	ο Σεπτέμβριος - Σεπτέμβρης
October	ο Οκτώβριος - Οχτώβρης
November	ο Νοέμβριος - Νιόβρης
December	ο Δεκέμβριος - Δεκέμβρης

Holidays - Γιορτές

New Year's Day	η Πρωτοχρονιά
Easter	το Πάσχα - η Λαμπρή
Twenty fifth of March (Greek Independence Day)	Εικοστή Πέμπτη Μαρτίου
Fourth of July	Τετάρτη Ιουλίου
Memorial Day	η Ημέρα των Ψυχών
Labor Day	η Ημέρα του Εργάτη
Thanksgiving Day	η Ημέρα των Ευχαριστιών
Christmas	τα Χριστούγεννα

Locations and directions - Τόποι και οδηγίες

Where is it?	Πού είναι;
Where is the restaurant?	Πού είναι το εστιατόριο;
Where is the theater?	Που είναι το θέατρο;

Where is the market place?	Πού είναι η αγορά;
I am looking for	Κοιτάζω να βρω *or* Θέλω να βρω
a bank	μια τράπεζα
a church	μια εκκλησία
a barbershop	ένα κουρείο
a doctor	ένα γιατρό
a hospital	ένα νοσοκομείο *or* μια κλινική
a dentist	ένα οδοντίατρο
a cleaner	ένα στεγνοκαθαριστήριο
a drugstore, a pharmacy	ένα φαρμακείο
a gas station	ένα βενζινάδικο
a hairdresser	ένα κομμωτήριο
a shoemaker	ένα παπουτσίδικο
a movie theater	έναν κινηματογράφο
a laundry	ένα πλυντήριο
the office	το γραφείο
the park	το πάρκο
the police station	την αστυνομία
a policeman	έναν αστυνομικό
the center of the city	το κέντρο της πόλης
the Constitution Square	την Πλατεία Συντάγματος
the Concord Square	την Πλατεία Ομονοίας
the Acropolis	την Ακρόπολη
the National Museum	το Εθνικό Μουσείο
Where is the post office, please?	Πού είναι το ταχυδρομείο, παρακαλώ;
the telegraph office	το τηλεγραφείο
the telephone	το τηλέφωνο
the telephone company	η τηλεφωνική εταιρεία
the telephone book	ο τηλεφωνικός κατάλογος
a telephone booth	ένας τηλεφωνικός θάλαμος
the restaurant	το εστιατόριο
the waiter	το γκαρσόνι
the menu	το μενού, *or* ο κατάλογος
Can you tell me, please how to get to	Μου λέτε, παρακαλώ, πως
... Thank you	να πάω ... Ευχαριστώ

to number 100 of Constitution Ave.	στη Λεωφόρο Συντάγματος,
	αριθμό εκατό;
Go	Πηγαίνετε
to the right	δεξιά
to the left	αριστερά
on the corner	στη γωνιά
straight ahead	κατευθείαν
here, there	εδώ, εκεί
not far	όχι μακριά
close	κοντά
very far	πολύ μακριά
on the other street	στον άλλο δρόμο
where is Athena Street?	Πού είναι η οδός Αθηνάς;

Food - Φαγητά - τροφές

I am hungry	Πεινώ
It is time for breakfast	'Ωρα για το πρόγευμα
	(πρωινό)
for lunch	για το γεύμα
for dinner	για το δείπνο
Here is the menu	Ωρίστε το μενού
I would like to eat, to have	Θέλω να πάρω (να έχω)
I would like to have	Θέλω να έχω
some bread	λίγο ψωμί
some butter	λίγο βούτυρο
some cheese	λίγο τυρί
chicken	κοτόπουλο
soup	σούπα
two fried eggs	δυο αυγά τηγανιτά
two soft boiled eggs	δυο αυγά μελάτα
a hard boiled egg	ένα καλοβρασμένο αυγό
a salad	μια σαλάτα
a greek salad	μια ελληνική σαλάτα
some fish	λίγο ψάρι
some beef	λίγο βωδινό κρέας
two pork chops	δυο μπριζόλες
a beefsteak	ένα μπιφτέκι
some meatballs	λίγους κεφτέδες

some makaroni	μια μακαρονάδα
some beans	λίγα φασόλια
some cucumber	λίγο αγγούρι
one tomato	μια τομάτα
some fried potatoes	μερικές (λίγες) πατάτες τηγανιτές
some oil	λίγο λάδι
some vinegar	λίγο ξύδι
some salt	λίγο αλάτι
some pepper	λίγο πιπέρι
sugar	ζάχαρη
some vegetables	λίγα λαχανικά
one onion	ένα κρεμμύδι

Drinks - Ποτά

I am thirsty	Διψώ.
I would like to have	Θέλω
some wine	λίγο κρασί
a bottle of wine	ένα μπουκάλι κρασί
some white wine	λίγο άσπρο κρασί
some red wine	λίγο κόκκινο κρασί
some rose wine	λίγο κρασί ροζέ
a beer	μια μπύρα
a soft drink	ένα αναψυκτικό
a coke	μια κόκα κόλα
a pepsi	μια πέψι
an ouzo	ένα ούζο
a cognac	ένα κονιάκ
some coffee	ένα καφέ
a black coffee	ένα μαύρο καφέ
a coffee with cream and sugar	ένα καφέ με γάλα και ζάχαρη
a cup of nescafe	ένα φλιτζάνι νεσκαφέ
a tea	ένα τσάι
a glass of cold water	ένα ποτήρι κρύο νερό
some soda water	μια σόδα
a glass of milk	ένα ποτήρι γάλα

Desserts - Επιδόρπια

I want	Θέλω
some icecream	λίγο παγωτό
a pastry	μια πάστα
a baklava	ένα μπακλαβά
some galatoboureko	ένα γαλατομπούρεκο
some apple pie	λίγη μηλόπιττα
rice pudding	ριζόγαλο

Shopping - ψουνίζω or ψωνίζω (I shop)

How much is this?	Πόσο κάνει αυτό;
Three hundred drachmas	Τριακόσιες δραχμές.
It is expensive.	Είναι ακριβό.
It is inexpensive.	Είναι φτηνό.
Money	Τα λεφτά, τα χρήματα
A fifty drachma bill	Ένα πενηντάρικο
A hundred drachma bill	Ένα εκατοστάρικο
A thousand drachma bill	Ένα χιλιάρικο
Here is the money.	Ωρίστε τα λεφτά.

At the bank - Στην τράπεζα (πάγκα)

I wish to cash this check .	Θέλω να εξαργυρώσω αυτή την επιταγή (αυτό το τσεκ)
How much is the dollar today? (What is the rate of exchange today?)	Πόσο πάει το δολλάριο σήμερα;
Please give me drachmas for two hundred dollars.	Παρακαλώ, δώστε μου δραχμές για διακόσια δολλάρια.

Clothes - Ρούχα

I would like to buy	Θα ήθελα να αγοράσω
a hat	ένα καπέλο
a suit	μια φορεσιά
a pair of pants	ένα πανταλόνι
a shirt	ένα πουκάμισο

a pair of shoes	ένα ζευγάρι παπούτσια
a tie	μια γραβάτα
some underwear	μερικά εσώρουχα
some socks	μερικές κάλτσες
a pair of gloves	ένα ζευγάρι γάντια
a coat	ένα πανωφόρι, ένα παλτό
a jacket	μια ζακέτα
a dress	ένα φουστάνι
a mink coat	μια γούνα
a blouse	μια μπλούζα
a skirt	μια φούστα
some handkershiefs	μερικά μαντήλια
an umbrella	μια ομβρέλλα (ένα αλεξήλιο)

Transportation - Μεταφορικά μέσα - Συγκοινωνία

Where is?	Πού είναι;
the airport?	το αεροδρόμιο
the bus stop	η στάση του λεωφορείου
the railway station	ο σιδηροδρομικός σταθμός
the bus	το λεωφορείο
the car	το αυτοκίνητο
the ship	το πλοίο
the dining room	η τραπεζαρία
my luggage	οι αποσκευές μου
my suitcases	οι βαλίτσες μου
the cashier's office	το ταμείο
the ticket	το εισιτήριο
the taxi	το ταξί
the taxi stand	η στάση των ταξί

Please call a taxi.	Παρακαλώ, καλέστε ένα ταξί
I want a first class ticket	Θέλω εισιτήριο πρώτης θέσεως
a second class ticket	δευτέρας θέσεως
for the deck	για το κατάστρωμα
tourist class	τουριστική θέση

How much is the ticket?	Πόσο κάνει το εισιτήριο;
When does the plane leave?	Πότε φεύγει το αεροπλάνο
the train	το τρένο
the boat	το πλοίο
A ticket for Athens, please.	Ένα εισιτήριο για την Αθήνα, παρακαλώ.

Drug supplies - Φάρμακα και άλλα εφόδια

I want some aspirins	Θέλω μερικές ασπιρίνες
a cough syrup	ένα σιρόπι για τον βήχα
three bars of soup	τρία σαπούνια
a pair of sunglasses	ένα ζευγάρι γιαλιά του ήλιου
a film for my camera	ένα φιλμ για τη φωτογραφική (μηχανή) μου
some straight pins	μερικές καρφίτσες
a toothbrush	μια οδοντόβουρτσα
a toothpaste	μια οδοντόπαστα
a shaving cream	μια κρέμα ξυρίσματος
some razor blades	μερικές λεπίδες
some powder	μια πούδρα
I am not well.	Δεν είμαι καλά.
I do not feel well.	Δεν αισθάνομαι καλά.
I have a headache.	Έχω πονοκέφαλο.
I have a toothache.	Έχω πονόδοντο.
I have a stomach ache.	Έχω στομαχόπονο.
I am sick.	Είμαι άρρωστος (άρρωστη)

At the kiosk - Στο περίπτερο

I want	Θέλω
a newspaper	μια εφημερίδα
an English newspaper	μια αγγλική εφημερίδα
a French newspaper	μια γαλλική εφημερίδα
a magazine	ένα περιοδικό
an English dictionary	ένα αγγλικό λεξικό
a Greek dictionary	ένα ελληνικό λεξικό

some stamps	μερικά γραμματόσημα
a pack of cigarettes	ένα πακέτο σιγάρα
a soft drink	ένα αναψυκτικό
some cards	μερικές κάρτες

What time is it? - Τι ώρα είναι;

It is noon	Είναι μεσημέρι.
It is morning.	Είναι πρωί:
It is afternoon.	Είναι απόγευμα.
It is evening.	Είναι βράδυ.
It is night.	Είναι νύχτα.
It is midnight.	Είναι μεσάνυχτα.

What time is it?	Τι ώρα είναι;
It is six o'clock.	Είναι έξι η ώρα.
It is ten o'clock.	Είναι δέκα η ώρα.
It is twelve noon.	Είναι δώδεκα μεσημέρι.

| It is two o'clock. | Είναι δυο η ώρα. |
| It is twelve midnight. | Είναι δώδεκα μεσάνυχτα. |

It is five after eleven.	Είναι έντεκα και πέντε.
It is ten after twelve.	Είναι δώδεκα και δέκα.
It is quarter after one.	Είναι μια και τέταρτο.
It is two twenty.	Είναι δυο και είκοσι.
It is twenty five after three.	Είναι τρεις και εικοσιπέντε.
It is half past four.	Είναι τέσσερις και μισή. (τεσσερισήμισι)

| It is twenty five to six. | Είναι έξι παρά είκοσι πέντε. |

It is twenty to seven.	Είναι εφτά παρά είκοσι.
It is quarter to eight.	Είναι οχτώ παρά τέταρτο.
It is ten to nine.	Είναι εννιά παρά δέκα.
It is five to ten.	Είναι δέκα παρά πέντε.
It is ten o' clock.	Είναι δέκα η ώρα.

| Today | Σήμερα. |
| Tomorrow. | Αύριο. |

The day after tomorrow.	Μεθαύριο.
Yesterday.	Χτες.
The day before yesterday.	Προχτές.
This week.	Αυτή την εβδομάδα.
Next week.	Την άλλη εβδομάδα.
This month.	Αυτό τον μήνα.
Next month.	Τον άλλο μήνα.
This year.	Φέτος
Next year.	Του χρόνου.
Last year.	Πέρσι.

At the filling station - Στο βενζινάδικο

I want same gas.	Θέλω λίγη βενζίνη.
How much is the gas?	Πόσο κάνει η βενζίνη;
Eighty drachmas per liter.	Ογδόντα δραχμές το λίτρο.
Expensive, eh?	Ακριβή, ε;
Yes, expensive.	Μάλιστα, ακριβή.
How much gas do you want?	Πόση βενζίνη θέλετε;
Fill ' er up	Γεμίστε το.
How much ?	Πόσο κάνει;
Two thousand drachmas.	Δυο χιλιάδες δραχμές.
How many kilometers from Athens to Marathon?	Πόσα χιλιόμετρα από την Αθήνα στον Μαραθώνα;
About eighty kilometers.	Περίπου ογδόντα χιλιόμετρα.
Thank you.	Ευχαριστώ.
Not at all.	Παρακαλώ.
Good-bye.	Αντίο.
Have a nice trip.	Καλό ταξίδι.

Meeting people - Γνωριμίες με κόσμο

What is your name?	Ποιο είναι το όνομά σας; or Πώς ονομάζεστε;
My name is ...	Το όνομά μου είναι ...
Where do you come from?	Από πού είστε;
I am from Greece.	Είμαι από την Ελλάδα.
I am glad to meet you.	Χαίρομαι που σας γνωρίζω.

GRAMMAR INDEX

INDEX OF SPECIAL WORDS